JN164081

詳解テキスト
医療放射線法令

西澤邦秀［編］
Kunihide Nishizawa

〔第四版〕

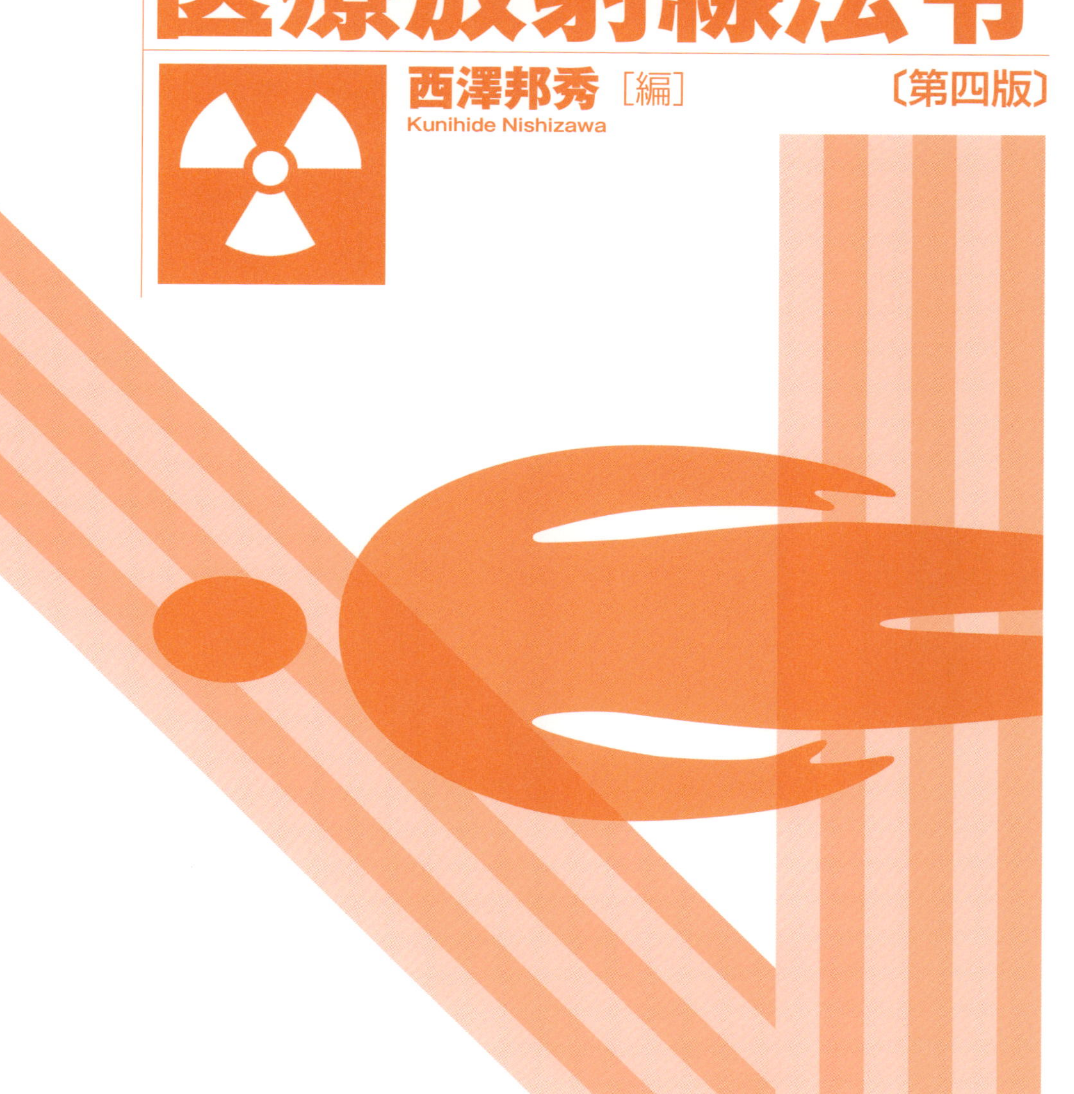

名古屋大学出版会

はじめに

本書は，診療放射線技師養成課程における放射線安全管理学分野の診療用放射線に関する法令の講義用テキストとして，また医療の現場で日常的に放射線を扱っている現役の診療放射線技師の方々の実務の参考書として書かれている．

放射線は，今日の医療にとって欠かせない手段になっている．診療用放射線の規制や管理は，法律に基づいて行われており，その法規制は，放射線防護又は放射線安全管理の大きな分野となっている．診療用放射線に係わる法律は，患者には適正に放射線を使用し，放射線診療従事者や一般公衆には不必要な放射線を受けることを極力少なくするように規制することを目的として定められている．

狭義の法令は法律と命令を指すが，一般的には法律，政令（施行令），省令（施行規則），告示を総称して法令と呼んでいる．診療用放射線に係わる法令は，医療法，同施行令，同施行規則，告示からなる．

法令の中で放射線に係わる条文は，主に医療法施行規則の第 4 章にまとめられている．従って，診療用放射線の規制は，実質的には，施行規則の第 4 章によって行われているとみなすことができる．このことは，施行規則第 4 章を学ぶことによって診療用放射線の法令の概要を理解することが可能であることを意味している．ここで，敢えて概要と述べたのは，施行規則の多くの条文の内容を具体的に理解するためには，施行規則だけでは不十分であり，関連する通知までを把握しておく必要があるからである．

通知は正規の法令とは言い難いが，その時々の社会情勢や医療技術の進歩をいち早く取り入れるために，あるいは規則の条文の解釈を明確にするために使用されている．法規制の実態を把握するためには，通知の内容を理解しておくことが不可欠である．そこで本書では，通知も含めて法令と呼ぶことにし，診療用放射線に係わる法規制の全体像を理解するために，医療法施行規則第 4 章と関連する通知を体系的に整理することを試みた．

本書は幸いにして多くの方々にご愛用いただき，第 4 版の刊行を迎えることとなった．初版以来，教科書としてお使い下さった先生方や学生さんから貴重なご意見を頂いたことに，心より御礼申し上げます．この第 4 版では，2019 年の第 3 版刊行後に改正された施行規則と通知に基づいて，陽電子断層撮影診療用放射性同位元素の新しい定義や，放射線診療従事者の眼の水晶体の線量限度値の引き下げ，その他の改正内容が追加されており，最新の内容になっている．引き続き教科書として使用していただければ有難い．

本書は，これまでにないテキストのスタイルを求めて実験的に書かれている．テキストをより完成度の高いものとするために，本書をお使いいただく先生方，現場の診療放射線技師の方々，あるいは診療用放射線に係わる行政を担当される方々には，これまで同様に率直なご意見をお寄せ下さるようお願いしたい．

本書の編集，刊行にあたり，大変お世話頂いた名古屋大学出版会の神舘健司氏に心より感謝いたします．また，貴重な写真を提供頂いた関係機関，会社には御礼申し上げます．

2022 年 1 月

西澤邦秀

目　次

本書の構成

本書の第 2 章から第 6 章までは，医療法施行規則の第 4 章の解説を条文の順番に沿って，関連する告示，通知の内容とともに記載してある．但し，通知中の測定や計算に係わる詳細な技術的事項は割愛してある．第 7 章では，施行規則の第 1 章の 3「医療の安全の確保」のうち放射線の安全利用に係る事項について取り上げる．

施行規則の内容を具体的に理解するためには，関連する通知まで把握しておくことが不可欠である．例えば，施行規則では診療用 X 線装置（規則第 24 条の 2）を定格管電圧が 10 kV 以上でエネルギーが 1 MeV 未満の X 線装置と定義している．これを受けて，通知（通知：平成 31 年医政発 0315 第 4 号）では，X 線装置を X 線発生装置，X 線機械装置，受像器及び関連機器から構成される一連の機器と定義している．更に X 線発生装置は，X 線管及びその付属機器，高電圧発生装置及びその付属機器，X 線制御装置から構成されるとし，X 線機械装置は保持装置，X 線撮影台及び X 線治療台等から構成されるとしている．すなわち，診療に使用される X 線装置は，単に X 線を発生させる装置を意味するものではなく診療に必要とされる特有な関連装置，器具も含むように定義されているのである．

規則の条文は，「診療用放射性同位元素使用室の基準（第 30 条の 8）」のように内容を表す表題に括弧書きで条番号を示し，関連する告示，通知は，（通知：平成 31 年医政発 0315 第 4 号第 3　6 (1)）のように発出年，通知番号，項目番号を括弧書きで示してある．読者は，これをもとに容易に原条文を参照することができる．加えて，法令中で本書の記述に直接関係する条文は巻末に収録し，読者が本書中の解説のもととなる原条文をいつでも参照することができるようにした．

通知の具体的引用方法は以下の通りである．小節全体が通知の内容である場合は，「3.1.1　(1)　X 線装置の構成（通知：平成 31 年医政発 0315 第 4 号第 1　1 (2)）」のように表題に括弧書きで通知年等を示した．又，本文の一部にまとめて引用する場合は，「◆総濾過について（通知：平成 31 年医政発 0315 第 4 号第 2　1 (2)）」のように表題とともに括弧書きで通知年等を示し，1 パラグラフのみあるいは 1 文のみを引用する場合は当該パラグラフ又は文の最後に括弧書きで通知年等を示した．更に引用通知の中で 1 パラグラフのみ，あるいは 1 文のみ別の通知を引用する場合も当該通知を括弧書きで示した．通知の中で他の通知を引用する等，多少複雑になるが，読者が出典を確認する便を考慮して，このような引用方法とした．

法令の講義は，条文の解釈が主体となり，無味乾燥な内容になりがちであるので，多数の写真，図を用意して変化や興味を感じられるように工夫した．写真，図，表を眺めるこ

表 0.1　用語の省略形

正式名称	略　称
診療用エックス線装置	X線装置
診療用高エネルギー放射線発生装置	発生装置
診療用粒子線照射装置	粒子線照射装置
診療用放射線照射装置	照射装置
診療用放射線照射器具	照射器具
放射性同位元素装備診療機器	装備機器
放射性同位元素	RI
診療用放射性同位元素	診療用RI
陽電子断層撮影診療用放射性同位元素	診療用陽電子RI
陽電子断層撮影	PET
放射性同位元素等の規制に関する法律	RI規制法
医療用放射性汚染物	医療用RI汚染物
診療用陽電子RI又は陽電子RIによって汚染された物	陽電子RI等
病院又は診療所	病院等
病院等の管理者	管理者

とによって法令の内容を視覚的に把握し，直感的に理解できるようにすることを心がけた．また，条文の内容をできる限り，簡潔な表や箇条書きとしてまとめた．

本文とは別に，コラムとして「豆知識」と「更に詳しく」を用意した．本文をたどることによって法令の基本的な内容を理解することができるようにし，コラムでは，本文を深く掘り下げた内容，関連する歴史，法令施行の現状，その他を紹介し，法令に関する知識の幅を広げるように構成した．

法令で使用される用語や装置（装置等）の正式名称には，長い名称が与えられており，かつ，これらは頻繁に使用されている．長い名称を頻繁に使用することは煩わしくもあり，名称を識別している間に思考が途切れてしまうので，本書では表 0.1 のように装置等の正式名称を簡略化した略称を使用することとした．また，略称と紛らわしい名称の装置等が出てくる場合は，誤解を生じないように，その都度略称との違いを明記してある．但し，規則の各条に対応する節の表題には正式名称を使用してある．

使用頻度は少ないが長い用語は，出現する都度略称を定義して使用した．

多数の標識が第 3 章から第 5 章までに使用される．これらの標識の図又は写真は，参照しやすいように必要の都度掲載した．それは，標識を巻末等にまとめて掲載すると，該当する図を捜すために時間を浪費したり，思考が中断されるのを防ぐためである．標識のデザイン等についての法令間の関係は，第 4 章の末尾で説明した．

第1章

医療法，施行令，施行規則における放射線

本章では，診療用放射線の法規制の枠組みがどのように構成されているか，及び放射線が医療法，施行令，施行規則，告示，通知等の法令においてどのように位置づけられているかについて学ぶとともに，法令の相互関係についても学ぶ.

1.1　法令の構成

法令とは，図 1.1 に示すように，法律，政令，規則，告示，通知等の総称である．法律のみで法令全体を指す場合もあり，法令に通知を含めない場合もあるが，本書では，前述に従う.

法律は国会によって制定されるものであり，基本的なことを定める．法律を実施するために必要な具体的事項は，政令，規則，告示，通知で定められる．政令は法律に従って内閣が定める命令であり，施行令と言う．規則は法律を所管する省庁が法律と政令に従って定める命令（省令）であり，施行規則と言われる．告示は施行規則に基づいて所管する省庁が定める．通知は所管する省庁より発出される．法令は，上位のものが基本的な事項を定め，下位のものほど具体的，個別的な事項を定める.

1.2　放射線に係わる法律間の関係

放射線の管理に係わる基本的な法律には，図 1.1 のように，1．原子力基本法，2．核原料物質，核燃料物質及び原子炉の規制に関する法律，3．放射性同位元素等の規制に関す

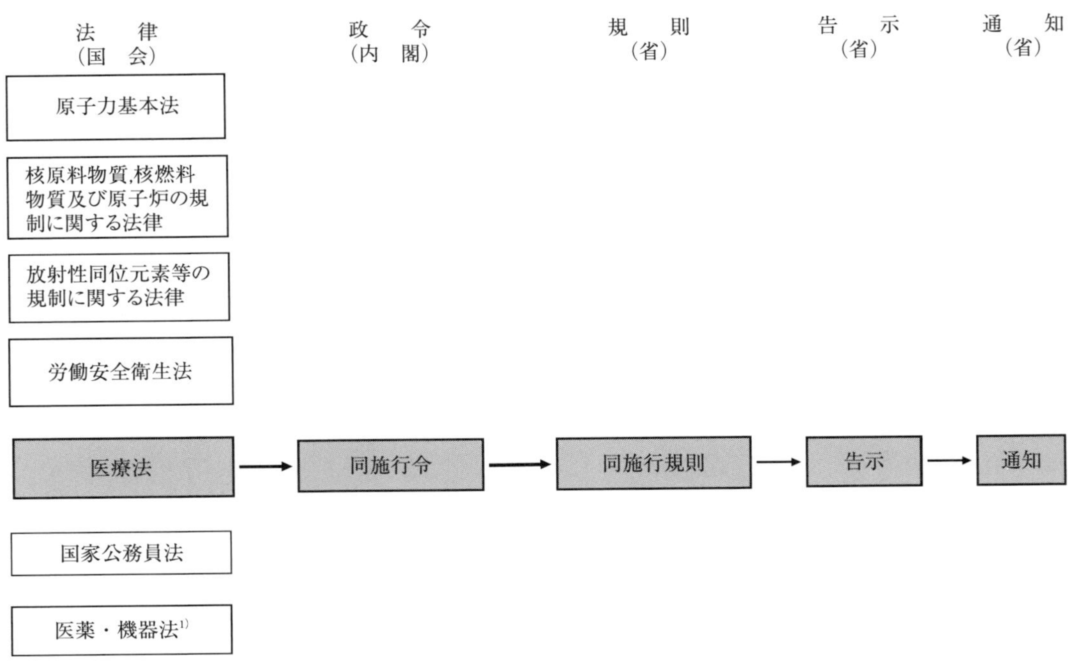

1）正式名：医薬品，医療機器等の品質，有効性及び安全性の確保等に関する法律

図 1.1　放射線に係わる各種法令間の関係

表 1.1　放射線が関係する法律の例

労働基準法	大気汚染防止法
作業環境測定法	水質汚濁防止法
建築基準法	海洋汚染及び海上災害の防止に関する法律
道路運送車両法	廃棄物処理・清掃法
航空法	獣医療法
郵便法	計量法
消防法	診療放射線技師法
環境基本法	その他

る法律（RI 規制法），4. 労働安全衛生法，5. 医療法，6. 国家公務員法，7. 医薬品，医療機器等の品質，有効性及び安全性の確保等に関する法律（医薬・機器法）があり，放射線が利用される分野を網羅している．これら以外に，表 1.1 のように放射線が係わる多くの法律がある．

1.3　診療で用いられる放射線の規制

診療で用いられる放射線の規制は，基本的には医療法に従って行われているが，同時に

RI 規制法，労働安全衛生法によって規制される場合もある．放射線治療に用いる高エネルギー放射線発生装置であるライナックは，これら 3 つの法律で規制される例の 1 つである．

RI 規制法は，放射線の安全規制を目的として制定された法律であり，放射線を中心とする法律であるのに対して，医療法も労働安全衛生法も幅広い対象に係わる法律であり，放射線は全体の一部として扱われている．そのため放射線は，医療法では主に医療法施行規則の第 4 章において規制されている．

1.4　医療法における放射線

医療法では放射線をどのように扱っているのであろうか．以下では，放射線と密接に関係する条文について概観する．

表 1.2 は，X 線又は放射線という言葉が使用されている法令中の条番号の一覧を示している．放射線に関する事項は，もっぱら医療法施行規則第 4 章「診療用放射線の防護」において扱われている．この章以外には X 線又は放射線という言葉はほとんど出てこない．告示については規則第 4 章及び第 1 章の 3 に関連するもののみ示してある．

表 1.2　法令中で X 線又は放射線という言葉が使用されている条番号

法令等		条番号
医療法		第 15 条，第 21 条
施行令		第 3 条の 2，第 5 条の 5 の 7
施行規則	第 1 章の 3	第 1 条の 11
	第 1 章の 4	第 6 条の 4，第 6 条の 5 の 4
	第 3 章	第 16 条，第 19 条，第 20 条，第 21 条の 5，第 22 条の 2，第 22 条の 3，第 22 条の 7
	第 4 章	全条
	第 4 章の 2 の 2	第 30 条の 33
告示[1]	第 61，243，306，398 号	全条

注 1）規則第 4 章及び第 1 章の 3 に関係する告示のみ

病院又は診療所（病院等）では，X 線や放射線に関係しない多様な機器，装置が使われているので，それらを全て法令の中で個別に取り上げることは不可能である．従って，法令では多様な機器等を含むような言葉を使って表現し，その中に X 線や放射線に関連する機器も含まれるようにしている．例えば，届出，構造設備，医療機器の保守，医療監視等の条文は，放射線施設にも関係する．但し，以下では，表 1.2 に沿って X 線又は放射線と言う言葉が使用されている条文に焦点を絞ることにする．

1.4.1　医療法

表 1.3 は医療法及び施行令で X 線又は放射線に係わる条番号と内容を示している．医療法中では，放射線という言葉は使われていない．但し，付則は除く．X 線という言葉が第 15 条及び 21 条で使われているのみである．

第 15 条では，病院等の管理者（管理者）は病院等で X 線装置を設置した時は，所在地の都道府県知事（所轄知事）に届け出ることと規定している．届出の具体的な内容は，施行規則に定められている．

第 21 条では，病院の施設の一部として，X 線装置を有し，かつ記録を備えなければならないと定めている．

表 1.3　医療法及び施行令で X 線又は放射線に係わる条番号と内容

法　令	条番号	内　容
医療法	第 15 条	X 線装置の届出
	第 21 条	X 線装置を有し，記録を備える
施行令	第 3 条の 2 第 5 条の 5 の 7	診療科名として放射線科，放射線診断科又は放射線治療科の広告 診療放射線技師法

1.4.2　医療法施行令

医療法施行令中では，X 線という言葉は使われていない．表 1.3 に示すように，第 3 条の 2 と第 5 条の 5 の 7 で放射線という言葉が使われている．第 3 条の 2 には，広告することができる診療科名として放射線科，放射線診断科又は放射線治療科を名乗ることができると定められている．第 5 条の 5 の 7 では関連する法律として診療放射線技師法を挙げている．従って，これらの条文は，放射線管理とは直接関係ない．

1.4.3　医療法施行規則

医療法施行規則は，下記のように 14 章から構成されている．

第 1 章　総則（第 1 条）

第 1 章の 2　医療に関する選択の支援等（第 1 条の 2～第 1 条の 10）

第 1 章の 3　医療の安全の確保（第 1 条の 10 の 2～第 1 条の 13 の 10）

第1章の4　病院，診療所及び助産所の開設（第1条の14～第7条）

第2章　病院，診療所及び助産所の管理（第7条の2～第15条の4）

第3章　病院，診療所及び助産所の構造設備（第16条～第23条）

第4章　診療用放射線の防護

第1節　届出（第24条～第29条）

第2節　X線装置等の防護（第30条～第30条の3）

第3節　X線診療室等の構造設備（第30条の4～第30条の12）

第4節　管理者の義務（第30条の13～第30条の25）

第5節　限度（第30条の26，第30条の27）

第4章の2　基本方針（第30条の27の2）

第4章の2の2　医療計画（第30条の28～第30条の33）

第4章の2の3　地域における病床の機能の分化及び連携の推進（第30条の33の2～第30条の33の10）

第4章の3　医療従事者の確保等に関する施策等（第30条の33の11～第30条の33の15）

第5章　医療法人（第30条の34～第39条）

第6章　地域医療連携推進法人（第39条の2～第39条の30）

第7章　雑則（第40条～第43条の4）

附則

X線や放射線に関係する条文があるのは，表1.4に示すように第1章の3，第1章の4，第3章，第4章，第4章の2の2である．以下で述べるように，第4章は全条文が放射線に関連するのに対して，他の章は一部の条文においてX線や放射線という言葉が使用されているのみである．

第1章の3では第1条の11において放射線の安全管理体制の確保，安全利用の責任者の配置について定めている．放射線の安全利用については，本書第7章において詳しく検討する．

第1章の4では第6条の4において特定機能病院の診療科名として，また第6条の5の4において臨床研究中核病院の診療科名として放射線科を含むものとしている．

第3章では，第16条において「放射線に関する構造設備については，第4章に定めるところによること」として，放射線装置・施設の構造設備に関する規制，基準は，全て第4章にゆだねている．第19条では，病院に置くべき従業者の員数の標準の中に診療放射線技師の人数が病院の実状に応じた適当数と定められている．第20条では，X線装置を備えなければならない診療科名として放射線科を挙げている．また，診療に関する諸記録の一部として，過去2年間分のX線写真を備えることを義務づけている．第22条の2では，特定機能病院に置くべき診療放射線技師の人数および放射線の専門医の人数を定めている．第 21 条の 5，第 22 条の 3 及び第 22 条の 7 ではそれぞれ地域医療支援病院，特定機能病院及び臨床研究中核病院は過去 2 年間分の X 線写真を備えると定められている．

第 4 章の 2 の 2 では，第 30 条の 33 において病院等が保有する病床数の算定における放射線治療病室の病床数の取扱いを定めている．

以上のように，第 1 章の 3 を除いて，第 1 章の 4，第 3 章及び第 4 章の 2 の 2 の中の 10 の条文において X 線又は放射線という言葉が使用されているが，第 3 章の第 16 条以外は放射線管理とは直接関係ない．

表 1.4　施行規則で X 線又は放射線に係わる条番号と内容

章	条番号	内　容
第 1 章の 3	第 1 条の 11	放射線の安全管理体制の確保，安全利用の責任者の配置
第 1 章の 4	第 6 条の 4	特定機能病院の診療科名中に放射線科を含む
	第 6 条の 5 の 4	臨床研究中核病院の診療科名中に放射線科を含む
第 3 章	第 16 条	放射線に関する構造設備については，第 4 章に定める
	第 19 条	診療放射線技師の人数
	第 20 条	放射線科他に X 線装置を備え，過去 2 年間分の X 線写真を備える
	第 21 条の 5	地域医療支援病院は過去 2 年間分の X 線写真を備える
	第 22 条の 2	特定機能病院に置くべき診療放射線技師の人数，放射線専門医の人数
	第 22 条の 3	特定機能病院は過去 2 年間分のX線写真を備える
	第 22 条の 7	臨床研究中核病院は過去 2 年間分の X 線写真を備える
第 4 章	全条	全般
第 4 章の 2 の 2	第 30 条の 33	放射線治療病室の病床数

第 4 章は 5 節から構成され，全条文が放射線管理に係わる内容となっている．そこで本書では，第 4 章の各節を独立した章として扱い，内容を条文ごとに詳しく検討する．

1.4.4　告示

放射線管理に係わる告示としては，施行規則第 4 章に関係する以下の 1〜3 の告示及び施行規則第 1 章の 3 に関係する 4 の告示がある．

1. 医療法施行規則第 24 条第 6 号の規定に基づき厚生労働大臣が定める放射性同位元素装備診療機器（昭和 63 年 9 月 30 日厚生省告示第 243 号）
2. 放射線診療従事者等が被ばくする線量の測定方法並びに実効線量及び等価線量の算定方法（平成 12 年 12 月 26 日厚生省告示第 398 号）

3. 医療法施行規則第 30 条の 11 第 1 項第 6 号の規定に基づき，厚生労働大臣の定める陽電子断層撮影診療用放射性同位元素の種類及び数量並びに陽電子断層撮影診療用放射性同位元素の原子の数が 1 を下回ることが確実な期間（平成 16 年 7 月 30 日厚生労働省告示第 306 号）
4. 医療法施行規則第 1 条の 11 第 2 項第 3 号の 2 ハ(1)の規定に基づき厚生労働大臣の定める放射線診療に用いる医療機器（平成 31 年 3 月 11 日厚生労働省告示第 61 号）

1.4.5　通知

通知には，お知らせ程度の簡単な短いものから，詳細に記載した長いものまである．施行規則の一部の改正に合わせて，留意事項として条文や用語の解釈，事例が記載されているもの，或いは改正に対応するための指針や指針策定のためのガイドライン等が添付されているものもある．これとは別に線源紛失事故等に当たって適宜発出される注意喚起の通知がある．このように通知によって内容も性格も異なる．多数の通知は，内容によって表 1.5 のように分類される．

表 1.5　通知の内容による分類

No.	内　容
1	医療法施行規則の施行に関するもの
2	安全管理に関するもの
3	X 線装置等に関するもの
4	患者の退出，帰宅に関するもの
5	その他

新しく発出された通知によって以前の通知が改正あるいは廃止される場合があるので，有効な通知は時点によって変わる．有効な通知を必要とする場合は，厚生労働省のホームページ等で確認する．

通知と同じ題名の発出番号が付されていない事務連絡が，発出されていることがある．事務連絡には，通知に記載されている指針等の根拠となる資料，あるいは指針策定の参考資料が添付されている場合がある．

第2章

届　出

本章は，医療法施行規則第 4 章第 1 節に対応している．X 線装置，発生装置，粒子線照射装置，照射装置，照射器具，半減期が 30 日以下の照射器具，装備機器，診療用陽電子 RI 及び診療用 RI の新設，変更，廃止のときには，届出を行わなければならない．届出の時期と内容はこれらの装置や RI 等によって異なる．本章では，届出の時期と内容を詳細に学ぶ．

2.1　用語と具体例

以下では，本書で頻繁に使用される用語の説明とそれらの具体例を示す．

(1)　診療用 X 線装置（第 24 条の 2）

波高値で定格出力管電圧が 10 kV 以上で，かつエネルギーが 1 MeV 未満の診療に用いる X 線装置を診療用 X 線装置（X 線装置）と言う．

X 線装置は，使用目的に応じて表 2.1 のように 4 分類され，そのうち撮影用 X 線装置はさらに 7 分類されるので，計 10 種類に分類されている（通知：平成 31 年医政発 0315 第 4 号第 1 1 (1)）（X 線装置の構成については，3.1.1 節参照）．

X 線装置は，据置型であるか，又は移動型及び携帯型であるかによっても区分される．移動型及び携帯型 X 線装置は，移動型透視用 X 線装置及び移動型 CT 装置を含むものとする．

表 2.1　X 線装置の種類（通知：平成 31 年医政発 0315 第 4 号）

No.	X線装置の種類		
1	撮影用X線装置	①	直接撮影用X線装置
		②	断層撮影X線装置
		③	CT X線装置
		④	胸部集検用間接撮影X線装置
		⑤	口内法撮影用X線装置
		⑥	歯科用パノラマ断層撮影装置
		⑦	骨塩定量分析X線装置
2	透視用X線装置		
3	治療用X線装置		
4	輸血用血液照射X線装置		

(2)　放射性同位元素（第 24 条第 3 号）

放射線を放出する同位元素，その化合物，又はこれらの含有物の同位元素の濃度及び数量が，規則別表第 2 に与えられている下限数量及び濃度を超える同位元素を放射性同位元素（RI：Radioisotope）と言う．表 2.2 は，別表第 2 に記載されている最初の 5 核種の下限数量と濃度の例である．RI の種類は核種と化学形の組み合わせで決まる（詳細は 6.2.1 節参照）．

表 2.2　別表第 2 に記載されている最初の 5 核種の下限数量と濃度

RIの種類		数量 (Bq)	濃度 (Bq/g)
核種	化学形等		
^{3}H		1×10^{9}	1×10^{6}
^{7}Be		1×10^{7}	1×10^{3}
^{10}Be		1×10^{6}	1×10^{4}
^{11}C	一酸化物及び二酸化物	1×10^{9}	1×10^{1}
^{11}C	一酸化物及び二酸化物以外のもの	1×10^{6}	1×10^{1}
^{14}C	一酸化物	1×10^{11}	1×10^{8}
^{14}C	二酸化物	1×10^{11}	1×10^{7}
^{14}C	一酸化物及び二酸化物以外のもの	1×10^{7}	1×10^{4}
^{13}N		1×10^{9}	1×10^{2}
^{15}O		1×10^{9}	1×10^{2}

表 2.2 の下限数量（Bq）及び濃度（Bq/g）は，いずれも RI を定義する時の下限値を指している．数量の下限値に対しては下限数量という用語が定義されているが，濃度の下限値に対しては対応する用語が定義されていない．そのため単なる濃度と濃度の下限値との区別があいまいになり，誤解を生じかねない．そこで本書では別表第 2 の濃度の下限値を下限濃度と称することとする．

豆知識 2.1　濃度と数量が決め手

濃度及び数量の両方が下限濃度及び下限数量（別表第 2 の下限値）を超えている場合に RI となるが，どちらか一方が下限値以下である場合には RI とならない．

(3) 陽電子断層撮影診療用放射性同位元素及び診療用放射性同位元素（第24条第8号及び第8号の2）

非密封のRIであって，陽電子放射断層撮影（Positron Emission Tomography：PET）装置による画像診断（PET診療）に用いる^{11}C，^{13}N，^{15}O，^{18}F等の陽電子を放出するRIのうち承認又は認証を受けた体外診断用医薬品，未承認等の医薬品で指定されたもの，病院等でサイクロトロン等を用いて精製されたRIから合成された医薬品を陽電子断層撮影診療用放射性同位元素（診療用陽電子RI）と言う．

非密封のRIであって，承認又は認証を受けた医薬品，未承認等の医薬品で指定されたものを診療用放射性同位元素（診療用RI）と言う．但し，診療用陽電子RIは除く．

◆未承認等の医薬品の使用とは

未承認等の医薬品の使用には次の2つの場合がある（第1条の11第2項第2号ハ(1)及び(2)）．

1）承認を受けていないものを使用する場合

2）承認を受けている医薬品の用法，用量，効能又は効果（用法等）と異なる用法等で使用する場合

診療用陽電子RI又は診療用RIの未承認等の医薬品として，次の5件が指定されている（通知：平成31年医政発0315第4号第1　5(1)）．

1）異なる用法等で使用する場合

2）治験に用いるもの

3）特定臨床研究に用いるもの

4）再生医療等に用いるもの

5）先進医療又は患者申出療養に用いるもの

診療用RI及び診療用陽電子RIは，患者に投与されるまでが診療用RI及び診療用陽電子RIであるが，患者に投与された後は医薬品ではなくなり，単なるRIになる．また，排水中，排気中，排泄物中へ移行した診療用RI及び診療用陽電子RIも，RIとなる．更に，診療用RI，診療用陽電子RI及びRIによって汚染された物は医療用放射性汚染物と呼ばれる．

豆知識2.2　なぜ診療用RIと診療用陽電子RIを区別するのか

診療用RIも診療用陽電子RIも同じRIであるが，診療用陽電子RIの半減期は非常に短いので，法令上，廃棄物の扱いが両者では異なるため，両者を区別している（第30条の11，廃棄施設参照）．

(4) 診療用高エネルギー放射線発生装置
（第24条第1号）

診療で用いる1 MeV以上の高エネルギーの電子線又はX線を発生させる直線加速器（ライナック又はリニアック），マイクロトロン，ベータトロン等の装置を診療用高エネルギー放射線発生装置（発生装置）と言う．図2.1は，ライナックの例である．

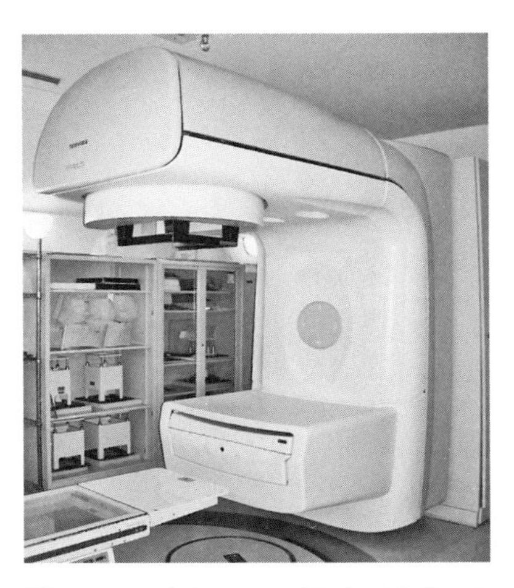

図2.1　ライナックの例（写真提供：藤田医科大学）

(5) 診療用粒子線照射装置（第24条第2号）

診療に用いる陽子線又は重イオン線を照射する装置を診療用粒子線照射装置（粒子線照射装置）と言う．図2.2は粒子線照射装置の例である．

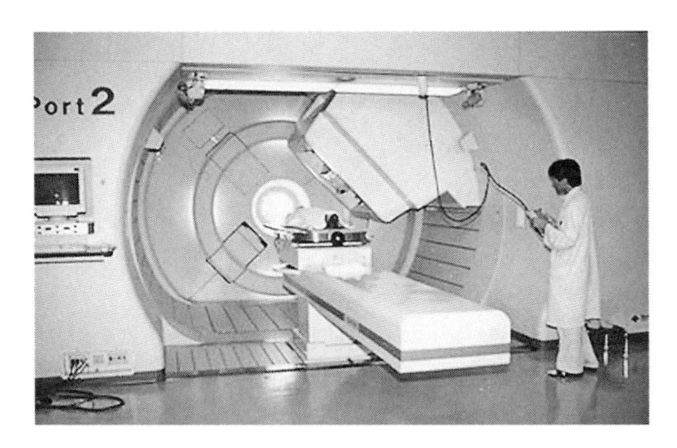

図2.2　陽子線治療装置の例（写真提供：国立がんセンター東病院）

(6) 診療用放射線照射装置（第24条第3号）

数量が，下限数量の1,000倍を超える密封されたRIを装備した診療に使用する装置を診療用放射線照射装置（照射装置）と言う．

照射装置には，後充填式遠隔照射装置（RALS：ラルス），ガンマナイフ，核医学撮像装置（PET装置又はSPECT装置）吸収補正用線源等がある．

^{192}Ir高線量率腔内照射装置はラルスの1種である．図2.3はラルスの例，図2.4はガンマナイフの例，図2.5は核医学撮像装置吸収補正用線源の例である．

SPECT装置はSingle Photon Emission Computed Tomography（単一光子放射撮影）装置の略称である．

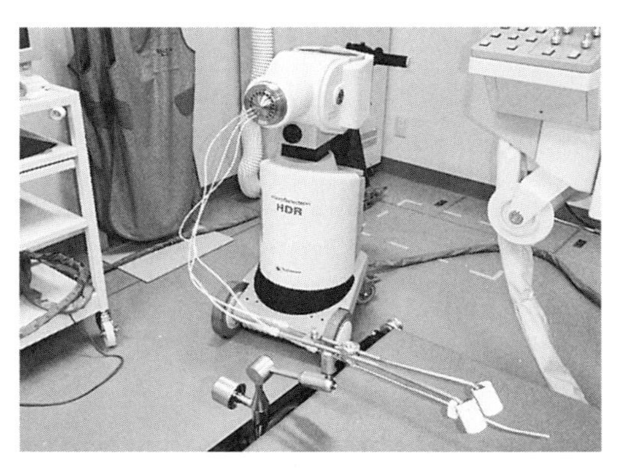

図2.3　ラルス装置（マイクロセレクトロン）の例（写真提供：日赤愛知医療センター名古屋第二病院）

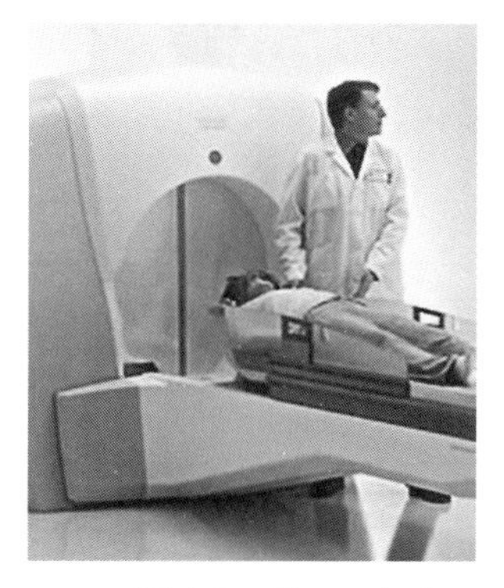
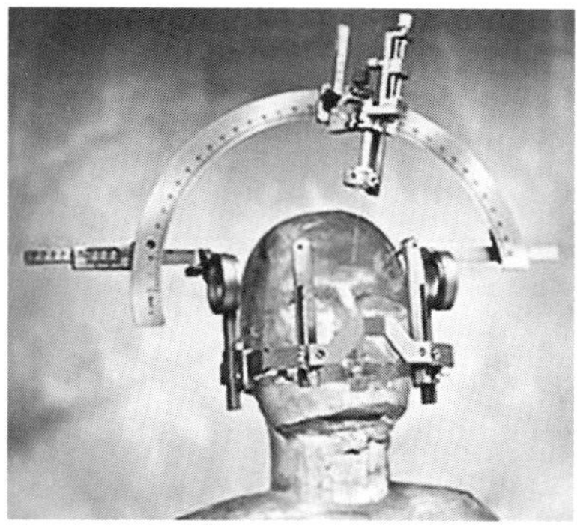

図 2.4　ガンマナイフの例（写真提供：エレクタ株式会社）

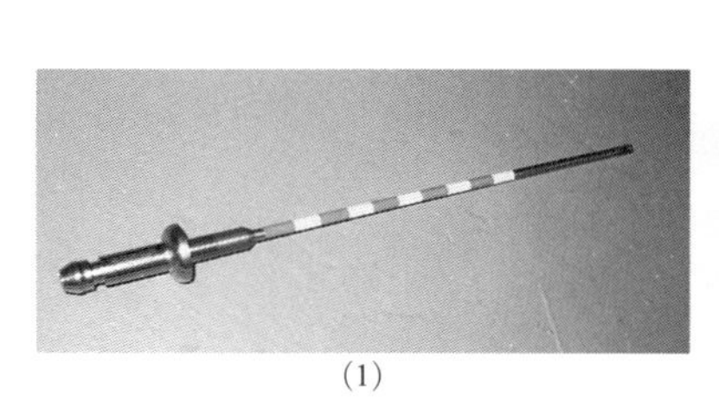
(1)

(2)

図 2.5　核医学撮像装置の吸収補正用線源（^{68}Ge/^{68}Ga）の例．(1) 1 本の^{68}Ge/^{68}Ga 線源，(2) 照射装置として一体化された 3 本の線源（写真提供：医療法人総合大雄会病院）

> **∴豆知識 2.3　RALS（ラルス）**
> ラルスは Remote After Loading System の略称であり，装置の一般名称としても使われている．^{60}Co を使用するラルスとしてはラルストロン，^{192}Ir を使用するラルスとしては ^{192}Ir 高線量率腔内照射装置（マイクロセレクトロン）が市販されている．ラルストロンもマイクロセレクトロンも商品名である．

◆核医学撮像装置の吸収補正用線源（通知：平成 31 年医政発 0315 第 4 号第 1　4 (1)）

吸収補正用線源とは，核医学撮像装置の画像診断の定量性を高め，精度の高い診断を可能とするため，診療用 RI 及び診療用陽電子 RI からの放射線の臓器や組織による吸収を補正することを目的として人体に照射する線源である．核医学撮像装置の吸収補正用線源は体外から照射する．吸収補正用線源を PET 装置に実装した状態については図 3.30 参照．

(7)　診療用放射線照射器具（第 24 条第 4 号）

下限数量の 1,000 倍以下の密封された RI を装備した診療に使用する装置を診療用放射線照射器具（照射器具）と言う．照射装置と照射器具は，放射能の量で区別されている．

照射器具の例：^{125}I 密封小線源，^{198}Au 密封小線源，核医学撮像装置吸収補正用線源，ラジウム管

豆知識 2.4　使用されなくなった照射器具

現在，ラジウムの管，針は，使用されていない．古い線源は破損して汚染を生じる，その他の問題があるため，廃棄することが勧められている．

図 2.6 は，前立腺癌治療に用いられる照射器具である ^{125}I 密封小線源（ヨウ素 125 シード）の例を示している．照射器具のうち，RI の半減期が 2.7 日の ^{198}Au の金 198 グレインは，舌癌等の頭頸部癌の治療に用いられる．

照射器具は，患者の体内に挿入して組織内照射又は腔内照射を行う使用法が一般的であるが，照射器具を核医学撮像装置の吸収補正用線源として使用する場合は，体外から照射する．

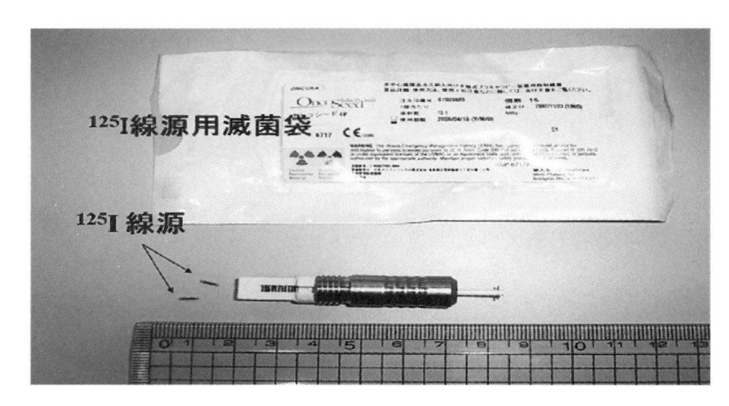

図 2.6　^{125}I 密封小線源の例（写真提供：徳島大学医学部付属病院）

(8)　放射性同位元素装備診療機器（第 24 条第 7 号）

密封された RI を装備している診療用機器のうち，厚生労働大臣が定めるものを放射性同位元素装備診療機器（装備機器）と言う．

装備機器としては，表 2.3 の 3 種類の装備機器が定められており，各装備機器には，使用にあたって以下のような条件が付されている（告示：昭和 63 年第 243 号）．

表 2.3　装備機器の種類

No.	装備機器の種類
1	骨塩定量分析装置
2	ガスクロマトグラフ用エレクトロン・キャプチャ・ディテクタ
3	輸血用血液照射装置

1）骨塩定量分析装置

①核種：^{125}I，^{241}Am，^{153}Gd.

②0.11 TBq 以下.

③保管時の機器表面線量率が 600 nSv/h 以下．使用時に 1 m の位置での線量率が 6 μSv/h 以下.

④線源収納容器は，耐火構造.

⑤容器は，線源を容易に取り外せないこと，かつ線源が脱落しないこと.

⑥機器本体に標識を付す.

豆知識 2.5　骨塩定量分析装置（骨密度測定装置）

1. 人体に RI を投与するわけではなく，線源から放出される低エネルギーの γ 線を生体の特定部位に与え，透過量の変化から生体中の骨塩量を測定する装置である．骨塩定量分析が行われるようになった初期の頃は，これらの核種を装備した装置が使用されていたが，現在は X 線装置や超音波装置が使われている.

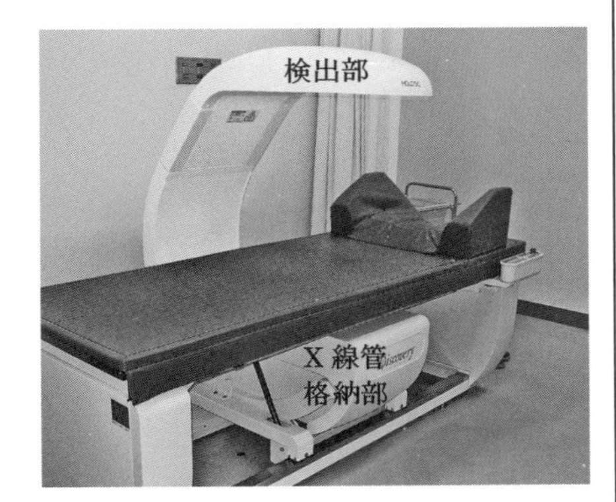

図 2.7　DXA 骨塩定量分析 X 線装置の例（写真提供：日赤愛知医療センター名古屋第二病院）

2. 現在，以下の 5 種類の方法が骨塩定量分析に利用されている.

①MD（Microdensitometry）法：アルミニウム階段と中手骨の画像を X 線解析する.

②SXA（Single energy X-ray absorptiometry）法：単一エネルギーの X 線により橈骨，踵骨等を測定する.

③DXA（Dual energy X-ray absorption）法：高低 2 種類のエネルギーの X 線を用いて腰椎，大腿骨近位，全身骨等の透過度の違いにより骨と軟部組織を識別して骨密度を測定する．X 線を用いた装置として広く普及している．図 2.7 は，DXA 式の骨塩定量分析 X 線装置の例を示している.

④QCT（Quantitative CT）法：骨塩等価物質ファントム（$CaCO_3$，K_2HPO_4，ハイドロキシアパタイト等）と腰椎を X 線 CT で同時スキャンし，腰椎の海綿骨とファントムの CT 値を比較して骨密度（g/cm^3）を測定する.

⑤超音波法：超音波を用いて踵骨を測定する.

3. 骨折のリスク評価の指標として骨密度と骨質がある．骨強度を決める割合は骨密度が 70%，骨質が 30% とされている．骨質は骨の材質特性と，微細な構造特性により規定される．骨密度が一定であっても，微細な構造が破綻し骨質が劣化すれば，骨強度は低下し骨折のリスクは高くなる．DXA の画像データから微細構造を解析するにはより骨質の一部を表す海綿骨構造スコアが求められ，骨密度のデータと併せて骨折のリスク評価として用いられている［参考文献 22，pp. 13–27］.

2）ガスクロマトグラフ用エレクトロン・キャプチャ・ディテクタ（GC 用 ECD）

①核種：^{63}Ni.

②740 MBq 以下.

③機器表面線量率が 600 nSv/h 以下.

④線源収納容器は，耐火構造.

⑤容器は，線源を容易に取り外せないこと，かつ線源が脱落しないこと.

⑥線源収納容器の導入口及び排出口は，キャップ等で密閉できること.

⑦線源収納容器は，ねじ等で機器に固定できること.

⑧機器本体に標識を付す.

豆知識 2.6　GC 用 ECD の使用実態

GC 用 ECD は，^{63}Ni が放出するエネルギーの低い β 線を用いて気体試料中の微量化合物を分析する装置である．微量分析を必要とする分野では広く使われているが，最近，病院ではほとんど使用されていない.

3）輸血用血液照射装置

①核種：^{137}Cs.

②200 TBq 以下.

③機器から 1 m の位置での線量率が 6 μSv/h 以下.

④線源収納容器は，耐火構造.

⑤容器は，線源を容易に取り外せないこと，かつ線源が脱落しないこと.

⑥容器は，機器に固定されており，容易に取り外せないこと.

⑦血液を出し入れする開口部を開放時に線源が遮蔽されていること.

⑧機器開口部には，鍵等の閉鎖の設備又は器具が設けてあること.

⑨機器本体に標識を付す.

図 2.8 は，^{137}Cs を使用する輸血用血液照射装置の例を示している．⑴は扉を閉じた状態，⑵は扉を開いた状態を示している.

豆知識 2.7　輸血用血液に対する放射線照射の現状

輸血用血液の照射には，かつて診療用の ^{137}Cs，^{60}Co 遠隔治療装置やライナックが使用されていた．その後専用の ^{137}Cs 輸血用血液照射装置や輸血用血液照射 X 線装置が広く使用された．2018 年現在，日本赤十字社の血液センターから照射済血液の供給体制が確立しているので，個々の病院での照射は 10% 程度まで減少している［参考文献 23］.

自施設での輸血用血液照射の減少により多くの ^{137}Cs 及び X 線照射装置は使用されなくなり，装置の適切な保管や廃棄の対策が必要とされている［参考文献 24］.

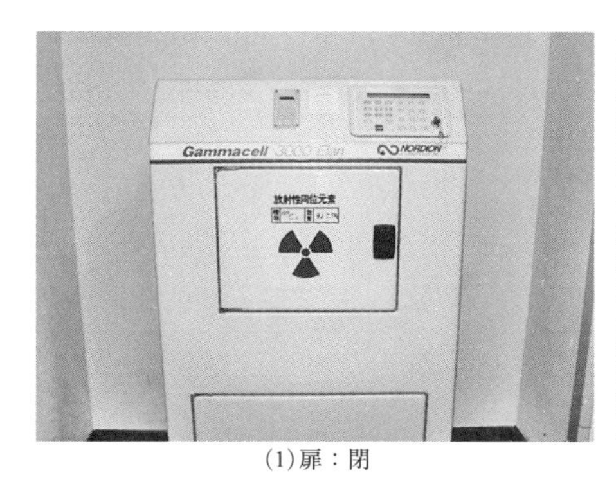

(1)扉：閉

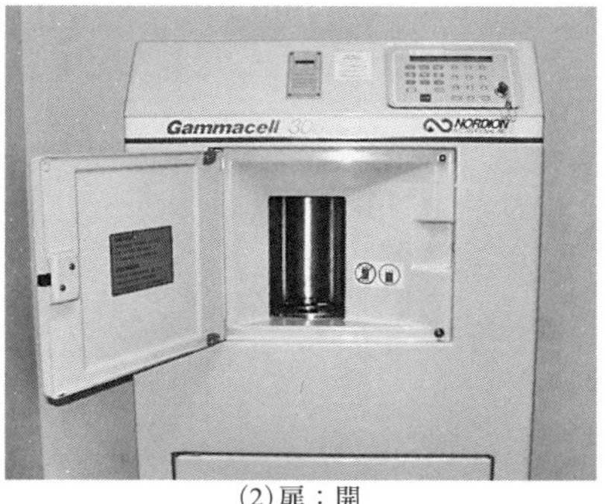

(2)扉：開

図 2.8　^{137}Cs を使用する輸血用血液照射装置の例（写真提供：藤田医科大学）

2.2　法第 15 条第 3 項の厚生労働省令で定める場合（第 24 条）

(1)　定められている場合

法第 15 条第 3 項の厚生労働省令で定める場合には，発生装置，粒子線照射装置，照射装置，照射器具，半減期が 30 日以下の照射器具，装備機器，診療用陽電子 RI 及び診療用 RI（装置等）の届出について以下の 4 つの場合がある．

1）備えようとする場合
2）備えている場合
3）届出内容を変更しようとする場合
4）備えなくなった場合

備えようとする場合とは，装置等を設置する前を意味する．従ってこれらの装置等を設置するにあたっては，あらかじめ届け出なければならない．備えている場合とは，既に届け出ている場合を意味する．備えなくなった場合とは，廃止した場合を意味する．

上記装置等に加えて X 線装置に対しても備えた場合，届出内容を変更した場合及び備えなくなった場合は届け出ることが定められている．表 2.4 は装置等及び X 線装置（放射線源）と届け出る場合の関係を示している．放射線源ごとの届出の詳細は，2.3～2.10 節で述べる．

表 2.4　放射線源と届け出る場合の関係

放射線源		場合					
		備えようとする場合	備えた場合	備えている場合	届出内容を変更しようとする場合	届出内容を変更した場合	備えなくなった場合
1	発生装置	○	−	−	○	−	○
2	粒子線照射装置	○	−	−	○	−	○
3	照射装置	○	−	−	○	−	○
4	照射器具，5を除く	○	−	−	○	−	○
5	照射器具，RIの半減期が30日以下のもの	○	−	○	○	−	○
6	装備機器	○	−	−	○	−	○
7	診療用陽電子RI	○	−	○	○	−	○
8	診療用RI	○	−	○	○	−	○
9	X線装置	−	○	−	−	○	○

(2)　届出先と届出時期

法第 15 条第 3 項の規定による届出は、必要事項を記載した届出書を病院又は診療所（病院等）の所在地の都道府県知事（所轄知事）に対して提出する．届出は表 2.4 中の各場合に応じて行う．

2.3　X 線装置の届出（第 24 条の 2）（通知：平成 31 年医政発 0315 第 4 号第 1　1）

(1)　設置時の届出

X 線装置の届出は，表 2.5 の事項を記載した届出書を設置後 10 日以内に提出する（1.4.1 節参照）．

表 2.5　X 線装置届出時の記載事項

No.	記載事項
1	病院等の名称及び所在地
2	X 線装置の製作者名，型式及び台数
3	X 線高電圧発生装置の定格出力
4	X 線装置及び X 線診療室の X 線障害の防止に関する構造設備及び予防措置の概要
5	X 線診療に従事する医師，歯科医師，診療放射線技師又は診療 X 線技師の氏名及び X 線診療に関する経歴

◆移動型・携帯型X線装置について（通知：平成31年医政発0315第4号第1　1(3)）

1）移動型・携帯型X線装置（移動型透視用X線装置及び移動型CT装置を含む）を備えた時も設置後10日以内に届け出る．

2）表2.5のNo. 4の構造設備及び予防措置の概要として使用条件，保管条件等を具体的に記載する．

3）移動型・携帯型X線装置をX線診療室内に据え置いて使用する場合は，届出時にその旨を記載する．

(2)　変更時の届出（通知：平成31年医政発0315第4号第1　1(4)）

1）表2.5の記載事項No. 2～5を変更した場合は，10日以内に届け出る．

2）X線装置を構成する機器の一部を交換する場合

①X線管，高電圧発生装置，受像器等の機器の変更により，交換部分が届け出てある防護基準の規格から変更になる可能性のある項目は届け出る．

②同一規格のX線管を交換する場合は，防護基準の規格が変更とならないので，届出は不要である．

2.4　診療用高エネルギー放射線発生装置の届出（第25条）

発生装置の届出は，表2.6の事項を記載した届出書をあらかじめ提出する．

注：発生装置はRI規制法の対象となる．

表2.6　発生装置届出時の記載事項

No.	記載事項
1	病院等の名称及び所在地
2	発生装置の製作者名，型式及び台数
3	発生装置の定格出力
4	発生装置及び使用室の放射線障害の防止に関する構造設備及び予防措置の概要
5	発生装置を使用する医師，歯科医師，診療放射線技師の氏名及び放射線診療に関する経歴
6	予定使用開始時期

2.5　診療用粒子線照射装置の届出（第25条の2）

粒子線照射装置の届出は，表2.6の発生装置の届出の事項を準用する．但し，発生装置は粒子線照射装置に読み替える．記載した届出書をあらかじめ提出する．

◈ **RI 規制法との関係**（通知：平成31年医政発0315第4号第1　2(1)）

1）粒子線発生装置は粒子線照射装置に粒子線を供給するものであり，RI 規制法の適用を受けるので，RI 規制法の規定を順守する．

2）表2.6のNo. 4の放射線障害の防止に関する構造設備及び予防措置の概要として，粒子線発生装置のRI 規制法での申請書の写し等により表2.7の内容について確認する．

同時に，関連する粒子線照射装置の届出と齟齬の無いことを確認する．

表2.7　粒子線発生装置の確認事項

No.	記載事項
1	病院等の名称及び所在地
2	粒子線発生装置の制作者名，型式及び台数
3	粒子線発生装置の定格出力
4	粒子線発生装置及び使用室の放射線障害の防止に関する構造設備及び予防措置の概要
5	発生する粒子線の種類

2.6　診療用放射線照射装置の届出（第26条）

(1)　照射装置の届出事項

照射装置の届出は，表2.8の事項を記載した届出書をあらかじめ提出する．本書では放射能をBq数で表した数量をBq量と表記する．

表2.8　照射装置届出時の記載事項

No.	記載事項
1	病院等の名称及び所在地
2	装置の製作者名，型式，個数，RIの種類，Bq量
3	装置，使用室，貯蔵施設及び運搬容器並びに装置で治療を受けている患者の病室の放射線障害の防止に関する構造設備及び予防措置の概要
4	装置を使用する医師，歯科医師，診療放射線技師の氏名及び放射線診療に関する経歴
5	予定使用開始時期

⑵　届出時の留意事項（通知：平成 31 年医政発 0315 第 4 号第 1　3 ⑴〜⑶）

1）表 2.8 の No. 2 の個数は，据置型の照射装置の場合は台数とする．

2）表 2.8 の No. 3 の患者，病室及び貯蔵施設，運搬容器について

①治療を受けている患者とは，照射装置を継続的に挿入し，治療を受けている患者に限る．血管内への一時的挿入や，高線量ラルス（一時的挿入等）により治療を受けている患者は該当しない．

②治療を受けている患者の病室とは，照射装置を継続的に挿入し，治療を受けている患者を入院させる病室に限る．照射装置の一時的挿入等による治療を行った患者は，必ずしも当該病室に入院させる必要はない．この場合は，照射装置使用による治療等の記録を保存する．

③表 2.8 の No. 3 の貯蔵施設，運搬容器

ここで言う貯蔵施設及び運搬容器とは，放射線治療のために体内に挿入する照射装置を貯蔵する施設及び貯蔵施設から照射装置使用室等へ運搬する容器を言う．

3）照射装置は，RI 規制法の適用を受けるので，RI 規制法の規定を順守する．

2.7　診療用放射線照射器具の届出（第 27 条）

⑴　照射器具の届出事項

照射器具の届出には次の 3 つの場合がある．場合に応じて表 2.9，2.10，2.11 の事項を記載した届出書を提出する．

①照射器具を備えようとする場合

＊規則には明示されていないが，半減期が 30 日を超える照射器具を意味する．

②半減期が 30 日以下の照射器具を備えようとする場合

③半減期が 30 日以下の照射器具を備えている場合

1）半減期が 30 日を超える照射器具を備えようとする場合は，表 2.9 の事項を記載した届出書をあらかじめ提出する．届出は初年度 1 回で良い．

2）半減期が 30 日以下の照射器具を備えようとする場合は，表 2.10 の事項を記載した届出書をあらかじめ提出する．表 2.10 の No. 2 では，その年に使用予定の照射器具の型式，個数，RI の種類，Bq 量（型式等）を記載する．その年とは届け出た年を意味する．

3）備えている場合に対応する翌年以降は，毎年 12 月 20 日までに表 2.11 の事項を記載した届出書を提出する．

表 2.9　照射器具を備えようとする場合の届出時の記載事項

No.	記載事項
1	病院等の名称及び所在地
2	照射器具の型式，個数，RI の種類，Bq 量
3	照射器具使用室，貯蔵施設及び運搬容器並びに照射器具で治療を受けている患者の病室の放射線障害の防止に関する構造設備及び予防措置の概要
4	照射器具を使用する医師，歯科医師，診療放射線技師の氏名及び放射線診療に関する経歴
5	予定使用開始時期

表 2.10　半減期 30 日以下の照射器具を備えようとする場合の届出時の記載事項

No.	記載事項
1	病院等の名称及び所在地
2	その年に使用予定の照射器具の型式，個数，RI の種類，Bq 量
3	照射器具使用室，貯蔵施設及び運搬容器並びに照射器具で治療を受けている患者の病室の放射線障害の防止に関する構造設備及び予防措置の概要
4	照射器具を使用する医師，歯科医師，診療放射線技師の氏名及び放射線診療に関する経歴
5	RI の種類ごとの最大貯蔵予定 Bq 量，一日最大使用予定 Bq 量

表 2.11　半減期 30 日以下の照射器具を備えている場合の届出時の記載事項

No.	記載事項
1	病院等の名称及び所在地
2	翌年に使用予定の照射器具の型式，個数，RI の種類，Bq 量

(2)　届出時の留意事項（通知：平成 31 年医政発 0315 第 4 号第 1　4(1)～(3)）

1）照射器具には，核医学撮像装置の吸収補正を目的として人体に照射する線源も含まれる.

2）表 2.9 及び 10 の No. 4 の照射器具を使用する者のうち診療放射線技師の行為については，次の 3 点が規定されている.

①体外で使用する吸収補正用線源は使用できる.

②照射器具を体内へ挿入することは認められていない.

③照射器具を直接体内へ挿入しないリモートアフターローダの操作を行うことはできる.

3）表 2.11 の No. 2 の翌年に使用するために届け出る型式等は，既に届け出てある型式等のうち翌年 1 年間に使用する予定の型式等を意味する.

4）表 2.9 の No. 2 の照射器具の型式等を超えて使用する場合は，放射線障害の防止に関する構造設備及び予防措置の変更をあらかじめ届け出る.

5）照射器具は，RI規制法の適用を受けるので，RI規制法を順守する.

2.8　放射性同位元素装備診療機器の届出（第27条の2）

装備機器の届出は，表2.12の事項を記載した届出書をあらかじめ提出する.

表2.12　装備機器届出時の記載事項

No.	記載事項
1	病院等の名称及び所在地
2	機器の製作者名，型式，台数，RIの種類，Bq量
3	機器使用室の放射線障害の防止に関する構造設備及び予防措置の概要
4	放射線を人体に照射する機器にあっては医師，歯科医師，診療放射線技師の氏名及び放射線診療に関する経歴
5	予定使用開始時期

2.9　診療用放射性同位元素又は陽電子断層撮影診療用放射性同位元素の届出（第28条）（通知：平成31年医政発0315第4号第1　5(6)）

診療用RI又は診療用陽電子RIを備えようとする場合，又は備えている場合は届出書を提出する.

表2.13は，診療用RI又は診療用陽電子RI届出時の記載事項を示している．届出内容は，初年度と次年度以降とでは異なる.

1）備えようとする場合

診療用RI又は診療用陽電子RIを備えようとする場合の届出は，表2.13のNo. 1～5の事項を記載した届出書をあらかじめ提出する.

①表2.13のNo. 2の「その年」とは，備えようとして届け出る年（初年度）を意味する.

②表2.13のNo. 3の3月間最大使用予定Bq量とは，4月1日，7月1日，10月1日，1月1日を始期とする3月間の最大使用予定Bq量である（通知：平成31年医政発0315第4号第1　5(5)）.

③表2.13のNo. 4の病室とは，診療用RI又は診療用陽電子RIで治療を受けている患者を入院させる病室である.

2）備えている場合

診療用RI又は診療用陽電子RIを既に届け出ている場合であっても，次年度以降は毎年12月20日までに表2.13のNo. 1の名称及び所在地，及びNo. 6の翌年1年間に使用予定の診療用RI又は診療用陽電子RIの種類，形状，Bq量（数量等）を記載した届出書を提出する.

翌年に使用予定の数量等は，No. 2のその年に使用予定の数量等に限定される.

表2.13　診療用RI又は診療用陽電子RI届出時の記載事項

No.	記載事項	備えようとする場合	備えている場合（毎年12月20日まで）
1	病院等の名称及び所在地	○	○
2	その年に使用予定のRIの種類，形状，Bq量	○	−
3	種類ごとの最大貯蔵予定Bq量，一日最大使用予定Bq量，3月間の最大使用予定Bq量	○	−
4	使用室，貯蔵施設，運搬容器，廃棄施設，病室の放射線障害の防止に関する構造設備及び予防措置の概要	○	−
5	使用する医師，歯科医師の氏名及び放射線診療に関する経歴	○	−
6	翌年に使用予定のRIの種類，形状，Bq量	−	○

注：○は届出書に記載する事項を示している.

☒更に詳しく2.1　診療用RI又は診療用陽電子RIの届出の詳細（通知：平成31年医政発0315第4号第1　5）

1. 第28条の主旨と医薬品の範囲について

規則第28条の規定の主旨は，RIによる放射線障害を防止し，公共の安全の確保を図る観点から，診療用RIを病院等に備えようとする場合の手続を定めるものであり，当該放射性医薬品を使用した患者の安全性を担保するものではない.

なお，規則第24条第8号イからニまでの医薬品又は体外診断用医薬品（医薬品等）は，おおむね以下のとおりである.

1）イ及びロの医薬品等は，従前より医療法の規制対象である病院等に存する放射性医薬品及び医薬・機器法の承認又は認証を受けている医薬品等を指す.

2）ハの医薬品等は，従前より医療法の規制対象である病院等に存する医薬・機器法に規定する治験に用いる薬物に加え，人体に投与する目的で使用するに当たっての手続が明確であるものとして，下記①②③のうち，病院等に存するものを指す.

①臨床研究法（平成29年法律第16号）第2条第2項に規定する特定臨床研究に用いるもの

②再生医療等の安全性の確保等に関する法律（平成25年法律第85号：再生医療法）第2条第1項に規定する再生医療等に用いるもの

③厚生労働大臣の定める先進医療又は患者申出療養に用いるもの

3）ニの医薬品等は，従前より医療法の規制対象である，病院等に備えられたサイクロトロン装置等によって精製されたRIから合成された診療用陽電子RIのうち，病院等に存するものを指す.

2. 診療用RI又は診療用陽電子RIの届出時に添付が必要な書面

⑴　治験に用いるものであることを証明できる書面

医薬・機器法の規定する治験に用いるものであることを証明できる下記のいずれかの書面

①治験計画書の写し．写しは受領印があり，厚生労働大臣又は独立行政法人医薬品医療機器総合機構によって受領されたことが明らかであるもの．

②治験の依頼をしようとする者と締結した医薬品の臨床試験の実施に関する省令（平成9年厚生省令第28号）第13条の規定に基づく治験の契約書の写し．

⑵　特定臨床研究に用いるものであることを証明できる書面

臨床研究法に基づく特定臨床研究の実施に関する計画の写し等

⑶　再生医療等に用いるものであることを証明できる書面

再生医療法に基づく再生医療等の研究に関する計画の写し等

⑷　先進医療又は患者申出療養に用いるものであることを証明できる下記のいずれかの書面

①先進医療

厚生労働大臣の定める先進医療実施届出書及び添付書類等の写し，並びに地方厚生（支）局が当該新技術の適否について通知した書類の写し

②患者申出療養

厚生労働省通知「健康保険法及び高齢者の医療の確保に関する法律に規定する患者申出療養の実施上の留意事項及び申出等の取扱について」に基づいて作成された申出書及び添付書類等の写し，並びに地方厚生（支）局が当該新技術の評価結果について通知した書類の写し

3. 診療用陽電子RIを備えようとする場合の届出時の留意事項

⑴　診療用陽電子RIで治療を受けている患者の病室における放射線障害防止に関する予防措置の概要

表2.13のNo. 4の診療用陽電子RIの病室における放射線障害防止に関する予防措置の概要には，次の①及び②の事項が含まれること．届出時には，①及び②の予防措置を講じていることを証明する書類を添付する．

放射線障害防止の趣旨を踏まえて，担当の医師，歯科医師と薬剤師との連携が十分に図られるよう努める．

①PET診療に関する安全管理は，PET診療に関する所定の研修を修了し，専門の知識及び経験を有する診療放射線技師に担当させる．

②放射線防護を含めた安全管理体制の確立を目的とした委員会等を設ける．

⑵　医師又は歯科医師に必要とされる資格を証する書類

表2.13のNo. 5の届け出る医師又は歯科医師のうち少なくとも1名は，以下の①〜④の全ての項目を満たしていなければならない．届出時には，全ての項目に該当する事実を証する書類を添付する．

①常勤職員であること

②PET診療に関する安全管理の責任者であること

③核医学診断の経験を3年以上有していること

④PET診療全般に関する所定の研修を修了していること

⑶　所定の研修とは

⑴①及び⑵④の所定の研修とは，放射線関係学会等団体が主催する医療放射線の安全管理に関する研修であって，概ね次の①〜⑧の事項を含む講義又は実習を内容とするものをいう．

①PET診療に係わる施設の概要に関する事項

②サイクロトロン装置の原理と安全管理に関する事項

③FDG製剤（放射性2-deoxy-2-[F-18]fluoro-D-glucose製剤）等の診療用陽電子RIの製造方法，精度管理及び安全管理に関する事項

④PET診療の測定原理に関する事項

⑤PET装置の性能点検と校正に関する事項

⑥FDG製剤を用いたPET診療の臨床使用に関するガイドラインに関する事項

⑦放射線安全管理，RIの取扱及びPET診療に係わる医療従事者の被曝管理に関する事項

⑧医療法，RI規制法等の放射線安全管理に関わる各種法令及び関係通知等に関する事項

(4)　使用予定の数量等を超えて使用する場合
既に届け出ている表 2.13 の No. 2 及び No. 3 に記載されている使用予定の RI の種類，形状，Bq 量，最大貯蔵予定 Bq 量，一日最大使用予定 Bq 量，3 月間の最大使用予定 Bq 量を超えて使用する場合は，放射線障害防止に関する構造設備及び予防措置の概要の変更に当たるので，変更届を行う．
4. サイクロトロン装置について
1）病院等に設置されるサイクロトロン装置は，RI 規制法の適用を受ける．
2）届出時には，RI 規制法に規定する申請書の写し等で以下の 5 項目を確認する．関連する診療用 RI 及び診療用陽電子 RI の届出内容と食い違いが無いことを確認する．
①病院等の名称及び所在地
②サイクロトロン装置製作者名，型式及び台数
③サイクロトロン装置の定格出量
④サイクロトロン装置及び装置室の放射線障害防止に関する構造設備及び予防措置の概要
⑤サイクロトロン装置の精製する RI の種類，形状及び一日最大精製予定 Bq 量

2.10　変更等の届出（第 29 条）

第 29 条は届出事項のうち病院等の名称及び所在地を除く事項の変更を対象としている．

表 2.14 は，放射線源の種類ごとに届出の内容と時期の関係を示している．備えようとする場合及び変更の届出書は，No. 2 の発生装置から No. 7 の診療用 RI 又は診療用陽電子 RI にあってはあらかじめ提出する．これに対して X 線装置の場合にあっては備えた場合，及び変更した場合は 10 日以内に届出書を提出する．この点が X 線装置と他の装置等で大きく異なる（2.3 節参照）．

備えなくなった場合（廃止）には，No. 1〜7 までの全ての放射線源は，10 日以内に届

表 2.14　放射線源を備えた場合，備えようとする場合，変更の場合，備えなくなった場合の届出の時期

No.	放射線源	備えた場合	備えようとする場合及び変更の場合	備えなくなった場合	備えなくなった場合の措置
1	X 線装置	10 日以内	10 日以内	10 日以内	規定なし
2	発生装置	–	あらかじめ		
3	粒子線照射装置				
4	照射装置				
5	照射器具及び半減期 30 日以下の照射器具				
6	装備機器				
7	診療用 RI 又は診療用陽電子 RI				30 日以内

出書を提出する．No. 1〜6 までの放射線源の廃止後の措置については法令上の規定は無い．No. 7 の診療用 RI 又は診療用陽電子 RI にあっては，30 日以内に廃止後の措置を届け出る（第 30 条の 24 及び 5.11 節参照）．

第 3 章

X 線装置等の防護

本章は，医療法施行規則第 4 章第 2 節に対応している．X 線装置，発生装置，粒子線照射装置，及び照射装置には防護に関する技術的な基準が定められている．本章では，それぞれの装置が備えるべき遮蔽能力や安全設備等の具体的な放射線障害の防止の方法に関する規定について学ぶ．

3.1 X 線装置の防護（第 30 条）

本条では，X 線装置の障害防止の方法のうち，X 線装置に共通する X 線管容器及び照射筒の防護について規定するとともに，透視用 X 線装置，撮影用 X 線装置（胸部集検用間接撮影 X 線装置を除く），胸部集検用間接撮影 X 線装置，治療用 X 線装置については，それぞれに特有の障害防止の方法について規定している．

3.1.1 X 線装置とは

X 線装置は，X 線管，X 線制御装置から構成されていると考えるのが通常であるが，診療で使用される 1 台の X 線装置の範囲は次のように定められている．

(1) X 線装置の構成（通知：平成 31 年医政発 0315 第 4 号第 1 1 (2)）

図 3.1 は X 線装置の構成を表している．X 線装置は，X 線発生装置（X 線管及びその付属機器，高電圧発生装置及びその付属機器並びに X 線制御装置），X 線機械装置（保持装置，X 線撮影台及び X 線治療台等），受像器及び関連機器から構成され，これらを一体と

して1台のX線装置とみなす．高電圧ケーブルは，高電圧発生装置の付属機器の1つである．

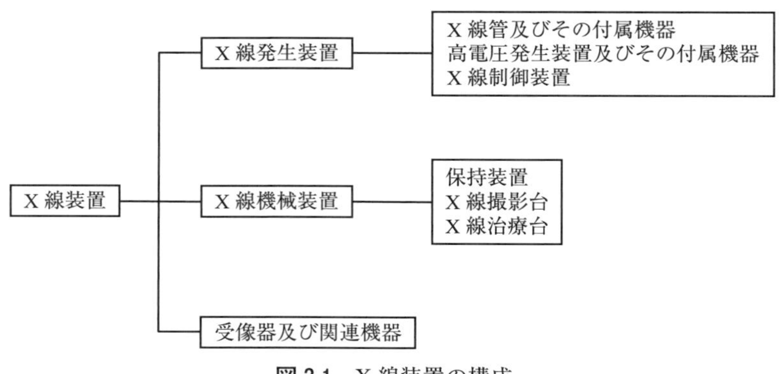

図 3.1　X線装置の構成

(2)　1台の制御装置で複数のX線管を制御するX線装置

（通知：平成31年医政発0315第4号第1　1(2)）

複数のX線管を備えた装置であっても，共通した1つのX線制御装置を使用し，かつ，1人の患者の診療にしか用いることができない構造である場合は，1台のX線装置とみなすことができる．図3.2は，1台の制御装置で2台のX線管を制御するX線発生装置の構成例を示している．X線制御装置でX線管(1)と(2)を切替えて，それぞれに独立した条件を設定して撮影を行うことができる．

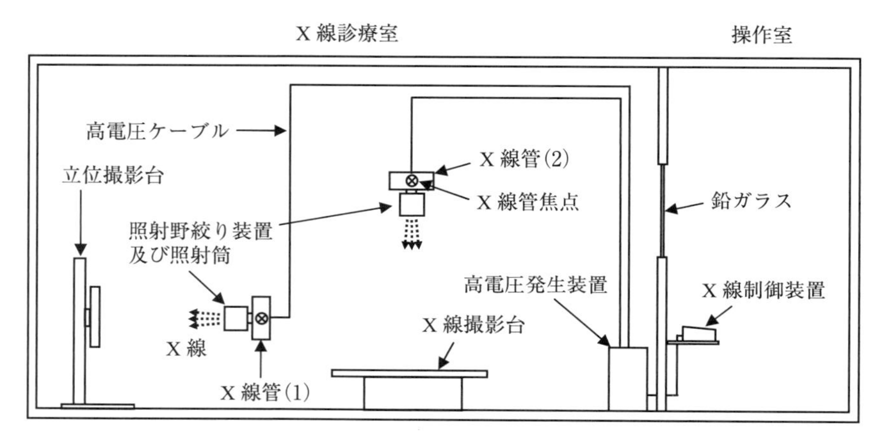

図 3.2　1台の制御装置で2台のX線管を制御するX線発生装置の構成例

3.1.2　遮蔽及び附加濾過板

X 線装置に共通する(1)X 線管の容器及び照射筒の遮蔽，及び(2)附加濾過板について以下のように規定している．

(1)　X 線管容器及び照射筒の遮蔽

X 線管の容器及び照射筒の遮蔽能力は，利用線錐以外の自由空気カーマ率（空気カーマ率）であらわす．利用線錐以外の空気カーマ率を，表 3.1 の No. 1～5 となるように遮蔽する．

表 3.1　X 線管容器及び照射筒の遮蔽基準

No.	X 線装置の種類	利用線錐以外の X 線の空気カーマ率
1	治療用 X 線装置 （定格管電圧 50 kV 以下）	1.0 mGy/h 以下（装置の接触可能表面から 5 cm）
2	治療用 X 線装置 （定格管電圧 50 kV 超）	300 mGy/h 以下（装置の接触可能表面から 5 cm）， かつ 10 mGy/h 以下（X 線管焦点から 1 m）
3	口内法撮影用 X 線装置 （定格管電圧 125 kV 以下）	0.25 mGy/h 以下（X 線管焦点から 1 m）
4	No. 1～3 以外の装置	1.0 mGy/h 以下（X 線管焦点から 1 m）
5	コンデンサ式 X 線高電圧装置 （充電状態，照射時以外）	20 μGy/h 以下（装置の接触可能表面から 5 cm）

図 3.3 に示すように，利用線錘以外の X 線とは，X 線管容器又は照射筒からの漏洩線量のみをいう．利用線錐内の X 線が撮影台等で散乱された散乱線は含まない（通知：平成 31 年医政発 0315 第 4 号第 2　1 (1)）（透視用 X 線装置の利用線錘以外の X 線については 3.1.3 節(7)参照）．

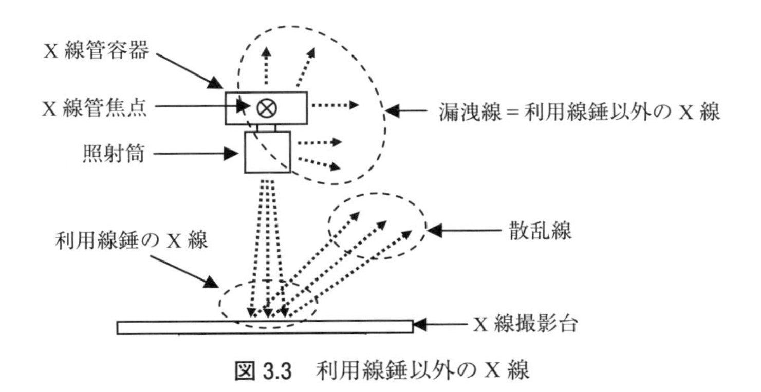

図 3.3　利用線錘以外の X 線

1）表3.1のNo. 1の定格管電圧が50 kV以下の治療用X線装置

定格管電圧が50 kV以下の治療用X線装置の場合は，図3.4に示すように，接触可能表面から5 cmの距離における利用線錘以外の空気カーマ率を1.0 mGy/h以下とする．X線装置の接触可能表面のうちで最も線量率が高くなるのはX線管容器と照射筒の周囲であるので，これらの表面から5 cmの距離における空気カーマ率で規制している．

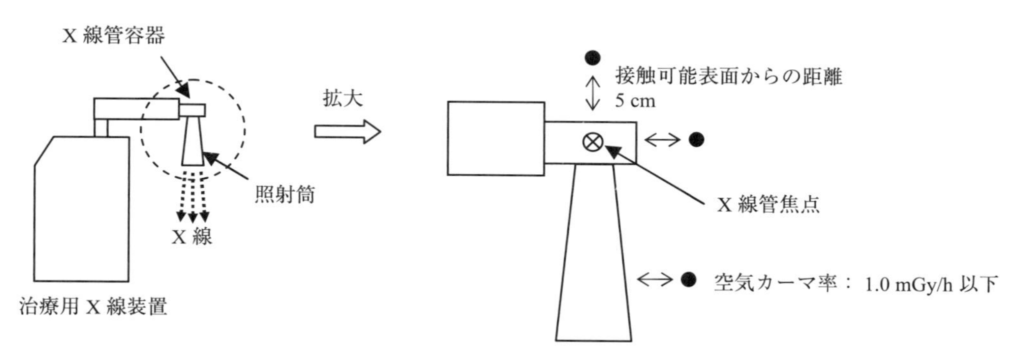

図3.4　定格管電圧が50 kV以下の治療用X線装置の利用線錐以外の空気カーマ率

2）表3.1のNo. 2の定格管電圧が50 kVを超える治療用X線装置

定格管電圧が50 kVを超える治療用X線装置の場合は，図3.5に示すように，接触可能表面から5 cmにおける空気カーマ率を300 mGy/h以下とし，かつ，X線管焦点から1 mの距離における空気カーマ率を10 mGy/h以下とする．

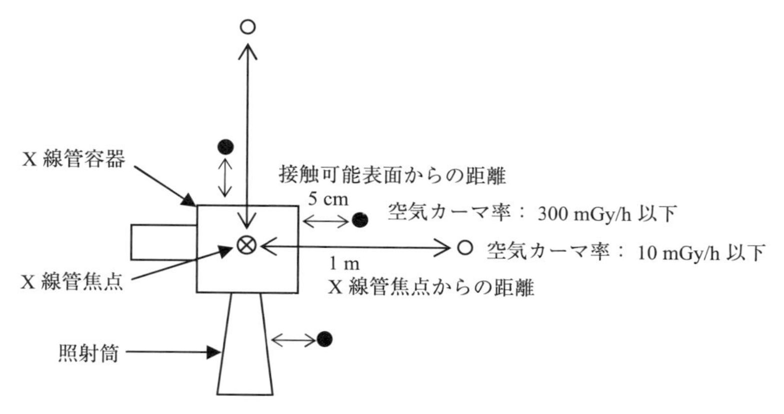

図3.5　定格管電圧が50 kVを超える治療用X線装置の利用線錐以外の空気カーマ率

3）表3.1のNo. 3の定格管電圧が125 kV以下の口内法撮影用X線装置

定格管電圧が125 kV以下の口内法撮影用X線装置の場合は，図3.6に示すように，X線管焦点から1 mの距離における空気カーマ率を0.25 mGy/h以下とする．

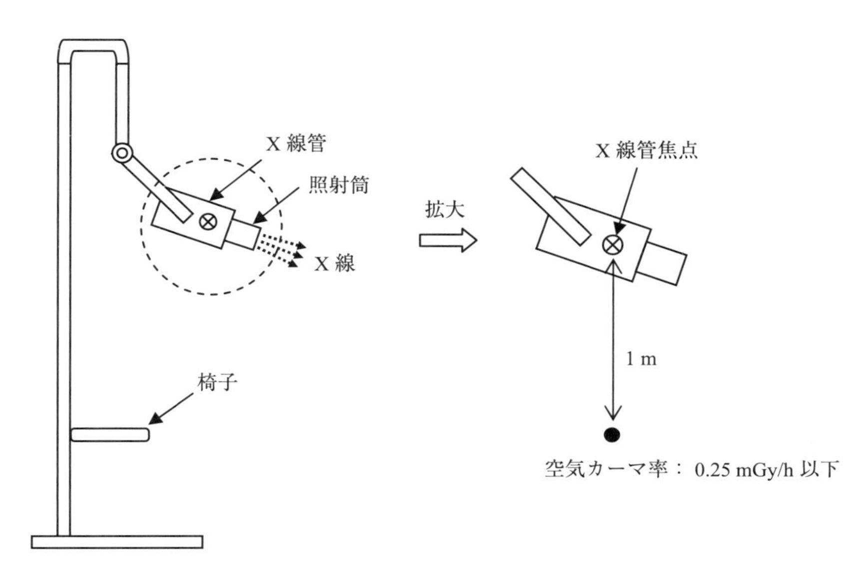

図 3.6　定格管電圧が 125 kV 以下の口内法撮影用 X 線装置の利用線錐以外の空気カーマ率

4）表 3.1 の No. 5 のコンデンサ式 X 線高電圧装置（充電状態，照射時以外）

コンデンサ式 X 線高電圧装置にあっては，図 3.7 に示すように，充電状態であって照射時以外のとき，装置の接触可能表面から 5 cm の距離において，空気カーマ率を 20 μGy/h 以下とする．これは，コンデンサ式ポータブル X 線装置の暗流 X 線に対する対策である（豆知識 3.1 参照）．

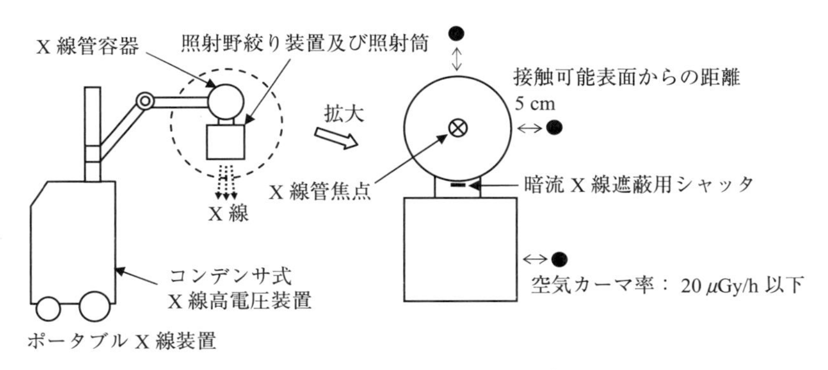

図 3.7　コンデンサ式ポータブル X 線装置の利用線錐以外の空気カーマ率

∴豆知識 3.1　コンデンサ式X線装置とポータブルX線装置

1. あらかじめコンデンサに高電圧を充電しておき，X線管を通じてその電荷を放電させ，X線を発生させる方式をコンデンサ式X線装置と言い，管電流のオン，オフを高電圧側で行える格子制御形（三極）X線管と組み合わせて使用される．充電状態にある三極X線管は，照射時以外においてもわずかなX線（暗流X線）を放射するため，コンデンサ式X線装置には暗流X線を防止するシャッタが取り付けられている．

2. 移動型及び携帯型X線装置を，ポータブルX線装置と言う．従来，ポータブルX線装置にはコンデンサ式が用いられていたが，現在では多くがインバータ式装置になっている．コンデンサ式装置に比較して定電圧に近い波形が得られる，X線出力が高い，再現性が良い，mAsとX線出力の直線性が良い，小型化が可能などの特長がある．コンデンサ式装置にみられた残留電荷や暗流X線の問題もなくなり，安全性の面でも向上している．

(2)　附加濾過板

附加濾過板を用いて表3.2のNo. 1～3のX線装置ごとに利用線錘の総濾過を所定の値とする．

表3.2　利用線錘の総濾過の基準

No.	X線装置の種類	利用線錘の総濾過
1	口内法撮影用X線装置（定格管電圧70 kV以下）	1.5 mmAl当量以上
2	乳房撮影用X線装置（定格管電圧50 kV以下）	0.5 mmAl当量以上，又は0.03 mmMo当量以上
3	輸血用血液照射X線装置，治療用X線装置，及びNo. 1，2以外のX線装置	2.5 mmAl当量以上

◆総濾過について（**通知：平成31年医政発0315第4号第2　1(2)**）

1）総濾過には，装置自身による自己濾過を含む．

2）常設濾過

利用線錘方向の総濾過のうち常設とするものは表3.3の値とする．

表3.3　常設濾過

No.	X線装置の種類	常設濾過
1	乳房撮影用X線装置（定格管電圧50 kV以下）	0.5 mmAl当量又は0.03 mmMo当量以上が望ましい
2	輸血用血液照射装置及び治療用X線装置	規制なし
3	No. 1及びNo. 2を除くX線装置	1.5 mmAl当量

3）附加濾過板の材質の基準

表3.4は，附加濾過板の基準材質の例を示している．管電圧によって異なる附加濾過板を使用する．附加濾過板の材質は，診療の目的に合わせて適宜選定するものであるので，表中の材質以外のものであってもよい．

表3.4　附加濾過板の基準材質

No.	管電圧（波高値とする）	基準濾過板
1	20 kV 以下	セロファン
2	20 kV〜120 kV	アルミニウム
3	120 kV〜400 kV	銅
4	400 kV 以上	錫

3.1.3　透視用X線装置

透視用X線装置には，3.1.2節の遮蔽及び附加濾過板に規定されているものに加えて，障害防止のために表3.5に示すような7項目の措置を講ずる．図3.8は，透視用X線装置を設置したX線診療室の例を示している．

表3.5　透視用X線装置の障害防止のための措置

No.	項　目	障害防止のための措置
1	患者の入射面線量率 （利用線錘の中心）	空気カーマ率：50 mGy/min 以下 例外：手動操作のみで作動し，作動中連続した警告音等を発する高線量率透視制御機構を備えた装置 　空気カーマ率：125 mGy/min 以下
2	タイマー	透視時間を積算でき，透視中に一定時間経過後警告音等を発することができるもの
3	X線管焦点皮膚間距離	距離が30 cm以上になるような装置を設けるか，又は30 cm未満で照射を防止するインターロックを設ける． 手術中に使用する装置は，20 cm以上でも可とする．
4	照射野絞り装置	照射野が受像面を超えないように絞る． ただし，次の①，②の場合は超えてもよい． ①円形受像面で矩形照射野の場合，照射野が受像面に外接する大きさを超えないとき ②1本の直線の交点間距離の和が焦点受像器間距離の3%を超えず，かつ，2本の直交する直線の交点間距離の総和が焦点受像器間距離の4%を超えないとき
5	受像器を通過したX線	接触可能表面から10 cmにおいて 　空気カーマ率：150 μGy/h 以下
6	最大受像面を3.0 cm超える部分を通過したX線	接触可能表面から10 cmにおいて 　空気カーマ率：150 μGy/h 以下
7	利用線錘以外のX線	有効に遮蔽する手段を講じる．

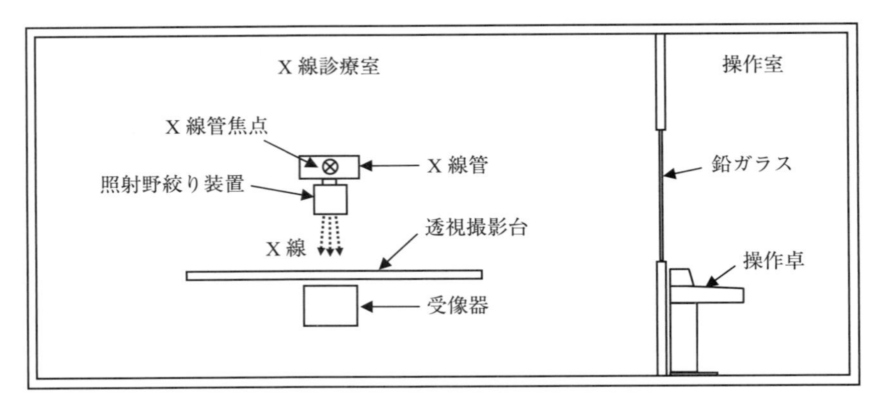

図 3.8　透視用X線装置を設置したX線診療室の例

(1)　表3.5のNo. 1の患者の入射面線量率（通知：平成31年医政発0315第4号第2　1(3)）

透視中の患者の入射面の空気カーマ率は，50 mGy/min 以下でなければならない．例外として高線量率透視制御機構を備えた装置にあっては，患者の入射面の空気カーマ率が 50 mGy/min を超えることが認められているが，いかなる管電圧と管電流の組み合わせにおいても 125 mGy/min を超えてはならない．この規定は，透視中における患者被曝を抑制するために設けられたものである（高線量率透視及び高線量率透視装置については，豆知識3.2を参照）．

透視を行う放射線診療従事者等は，できる限り防護衝立や防護スクリーンの背後で作業する．これができない場合には，適切な他の放射線防護用具（防護衣等）を使用する．

豆知識 3.2　高線量率透視装置

高線量率透視装置とは，高線量率透視制御機構を備えた装置であり，IVR（インターベンショナルラジオロジー）において線量不足のため体内留置用ステントやガイドワイヤーが確認できないときに一時的に高線量率透視を行うことができる装置のことである．IVRでは長時間透視による皮膚障害も報告されるようになり，出力線量率を制限している．

高線量率透視とは，上記のような限定された条件の下において許される高い線量率を用いた透視のことを言い，患者入射面での線量率は 125 mGy/min を超えてはならない．高線量率透視の作動は連続した警告音で報知される．

(2)　表3.5のNo. 2のタイマー（通知：平成31年医政発0315第4号第2　1(4)）

タイマーを設置するのは，透視時間を積算して把握することによって，患者及び放射線診療従事者等の被曝線量を抑制するためである（豆知識3.3を参照）．

注：タイマーの警告音等の「等」には警告灯も含まれている．

豆知識 3.3　タイマーの機能

1. 管電圧，管電流，透視及び撮影時間等を任意に選択できる機能を備えた装置を，X 線制御装置と言う．タイマーは，X 線制御装置の 1 つの機能であり，照射時間を制御し，設定した時間だけ X 線を出力させることができる．

2. 多くの透視用 X 線装置では，0.5 分から最大 4.5 分まで 0.5 分刻みに透視時間の警告音タイマー設定を行うことができる．積算透視時間が設定時間になると「ピッ，ピッ，ピッ，ピッ」という警告音が鳴り，そのまま透視を続けると連続透視時間が 10 分に達した時点で X 線出力が遮断される．警告音が鳴り出した時点で警告音停止スイッチを押すことにより，警告音が鳴り止み，透視を続行できるが，積算時間はリセットされない機構になっている．但し，透視をしていない状態でスイッチを長押しすると，積算時間がゼロになるリセット機能を有する装置もある．

検査中に積算時間をリセットすると，照射録に記載すべき透視時間が不確かになるため，リセット機能を有する警告音停止スイッチの操作は慎重に行わなければならない．

(3)　表 3.5 の No. 3 の X 線管の焦点皮膚間距離の制御

X 線管焦点皮膚間距離（焦点皮膚間距離）に制限を設けるのは，患者の皮膚が過剰に被曝することを避けるためである．

インターロックとは，焦点皮膚間距離が 30 cm 未満の場合に X 線の発生を遮断するための装置を指す（通知：平成 31 年医政発 0315 第 4 号第 2　1 (5)）（照射野絞り装置とインターロックについては，豆知識 3.4 を参照）．

豆知識 3.4　照射野絞り装置とインターロック機構

図 3.9 に示すように，多くの透視用 X 線装置では，照射野絞り装置を X 線管に取り付けることによって X 線管焦点と照射野絞り装置の先端との距離を 30 cm にして，焦点皮膚間距離が 30 cm 未満とならないように設計されている．この場合は，装置によって機械的に距離を保つことができるので，インターロック機構を設ける必要がない．このため，インターロックを設けた透視用 X 線装置は，発売されていないのが実状である．

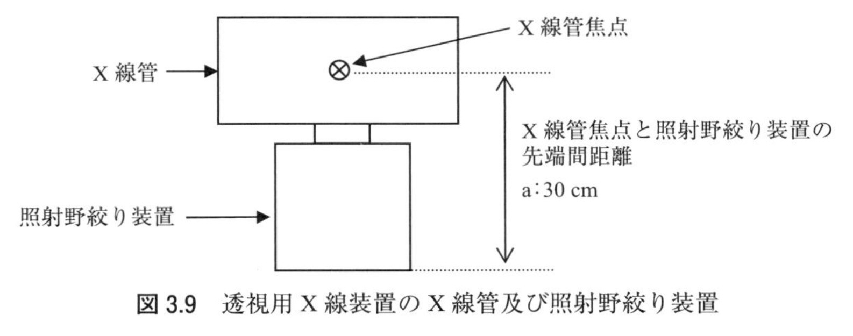

図 3.9　透視用 X 線装置の X 線管及び照射野絞り装置

(4)　表 3.5 の No. 4 の照射野絞り装置

照射野絞り装置は，図 3.8 又は図 3.9 のように X 線管に取り付けて，照射野が受像面を超えないように絞るために備える．ただし，例外として次の1)，2)の場合は，照射野が受像面を超えることが許容される．

1）受像面が円形で照射野が矩形の場合において，照射野が受像面に外接する大きさを超えない場合

図3.10は，円形受像面と矩形照射野の大きさとの関係を表している．矩形照射野1は，受像面内にあるので患者が不要な被曝をすることはない．矩形照射野2は，受像面に外接しているのでこの大きさの矩形照射野までが許される．矩形照射野2を超える照射野は許されない．

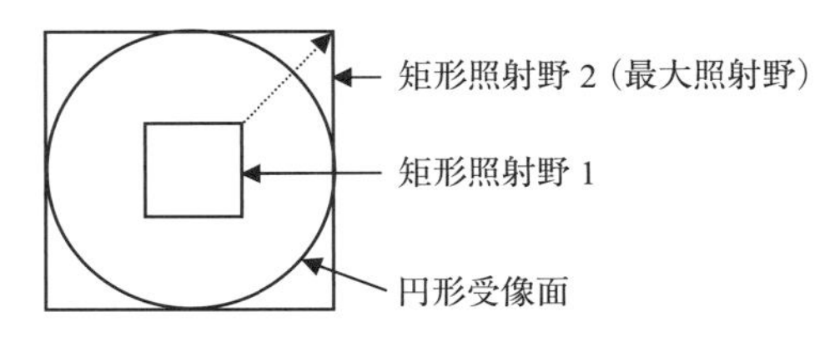

図3.10　円形受像面と矩形照射野の関係

豆知識3.5　照射野及び受像面の形状と患者被曝の関係

照射野絞り装置によって成形される照射野は矩形である．

従来から多くの透視用X線装置の受像器として用いられてきたイメージインテンシファイア(I. I.）は，入力蛍光面に接する光電面から放出される光電子を電子レンズで蛍光面に収束させて像を形成し，光学系を経て像をTVモニタで観察できるようにする真空管である．光電子を電子レンズでうまく収束させるためにはI. I. の形状は円形でなければならず，また円形の真空容器は耐久性に優れるという理由から，収束系を用いるものには円形のものしかないというのが実情である．

疾患を見落としなく診断するためには，照射野を広げて受像面全体を使い広範囲を透視するほうが，多くの情報が得られるため診断上は有利である．受像面が円形であるI. I. は，矩形照射野の一部分が受像面を超えてしまう場合がある．このとき患者の身体の一部が不要な被曝をするので，患者の被曝を最小限に抑えるために，照射野の大きさを制限する規定が設けられた．

しかしながら，近年は，照射野と同じ形状の矩形受像面を持つフラットパネルディテクタ（FPD）のような装置が開発され，普及してきている．FPDに対しては受像に関係しない不要な照射野部分はないので，照射野が受像面を超えないように絞る装置を備えるのみで十分であり，3.1.3節(4)1)の例外規定はFPDに対しては不要な規定となっている．

2）交点間距離の和がX線管焦点受像器間距離（焦点受像器間距離）の3%を超えず，かつ，2本の直交する直線の交点間距離の総和が焦点受像器間距離の4%を超えない場合

ここでは，照射野が受像面に外接する大きさを超える場合について規定している．

図3.11は，交点間距離と焦点受像器間距離の関係を示している．図3.11(1)は，照射野，受像面，交点間距離の関係を示している．受像面上で直交する2本の直線（l_1, l_2）と照射野の縁との交点及び2本の直線と受像面の縁との交点の間の距離a，b，c，dを交点間距離と言う．また，焦点受像器間距離は，図3.11(2)のLを指す．

交点間距離の和がそれぞれ焦点受像器間距離の3%を超えないとは，直線l_1の場合，交点間距離の和a+bが，焦点受像器間距離Lの3%を超えないことを言う．直線l_2の場合も同様である．a，b，c，dとLとの間には，次の関係が成り立つ．

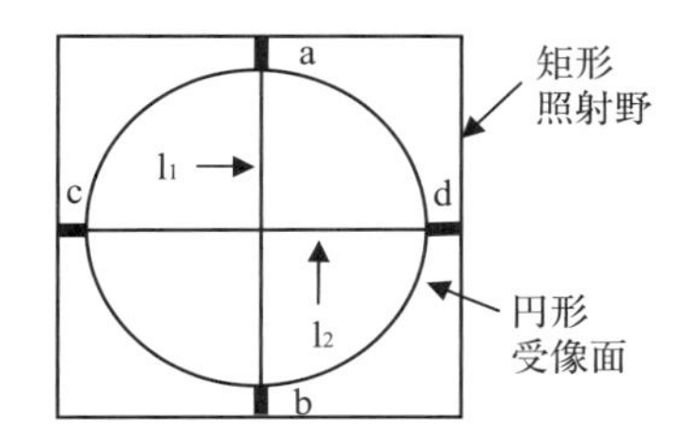

照射野，受像面と交点間距離の関係
交点間距離：図中の太い線分a，b，c，d
（1）

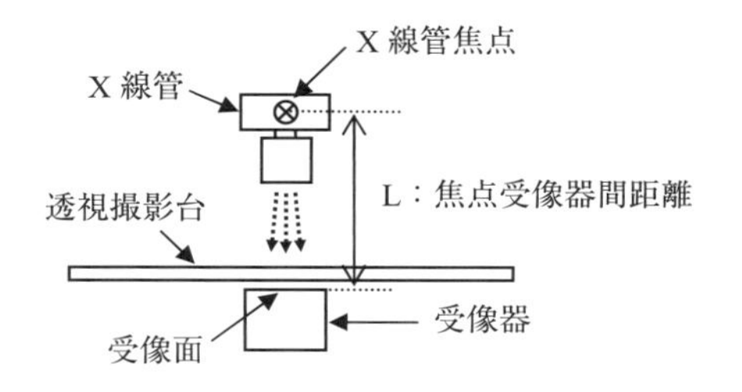

透視用 X 線装置の焦点受像器間距離
（2）

図 3.11　交点間距離と焦点受像器間距離の関係

$$a + b \leqq 0.03L \quad \mathrm{cm} \tag{3.1}$$

$$c + d \leqq 0.03L \quad \mathrm{cm} \tag{3.2}$$

これらの交点間距離の総和が焦点受像器間距離の 4% を超えないとは，a＋b＋c＋d が L の 4% を超えないことを言う．a，b，c，d と L との間には，次の関係が成り立つ．

$$a + b + c + d \leqq 0.04L \quad \mathrm{cm} \tag{3.3}$$

3 式(3.1)，(3.2)，(3.3)を同時に満たす場合に限り，照射野が受像面を超えることが許される．

豆知識 3.6　実機に対する 3%，4%を超えないときが成り立つ交点間距離の計算例

実機においては，図 3.12 に示すように，標準的な透視撮影装置では焦点受像器間距離 L は焦点透視撮影台間距離 100 cm と透視撮影台受像器間距離 5 cm を合わせて 105 cm であり，円形受像面の直径は 23 cm である．又，矩形照射野と円形受像器の中心は一致するように調整されており，交点間距離は全て等しくなるので a で表してある．図 3.11 の交点間距離の間には，a＝b＝c＝d の関係が成り立つ．

この条件を式(3.1)，(3.2)に代入すると，$2a \leqq 0.03 \times 105$ となるので，次式が得られる．

$$a \leqq 1.575 \ \mathrm{cm} \tag{M 1}$$

同様に式(3.3)に代入すると，$4a \leqq 0.04 \times 105$ となるので，次式が得られる．

$$a \leqq 1.05 \ \mathrm{cm} \tag{M 2}$$

X 線管焦点
焦点受像器間距離
L＝105 cm
矩形照射野
円形受像面　直径 23 cm

図 3.12　一般的な透視撮影装置の焦点受像器間距離と交点間距離の実例

距離 L の内訳:焦点透視撮影台間距離＝ 100 cm，透視撮影台受像器間距離＝ 5 cm

条件式(M 1)と(M 2)を同時に満たす場合に限り照射野が受像面を超えることが許されるため，最大交点間距離は 1.05 cm 以下となる．最大交点間距離を，例えば 1.05 cm 未満の 1.04 cm に設定することは，機械の距離設定誤差を考えると現実的には困難である．実際には最大交点間距離を切りよく 1.0 cm に設定することになる．

透視撮影装置によっては，焦点透視撮影台間距離を 100，110，120，130 cm の内のどれかを選択できるものもある．この場合，焦点受像器間距離 L は 105，115，125，135 cm となる．L＝135 cm の場合は，式(M 1)，(M 2)より，$a \leqq 2.025$ cm，$a \leqq 1.35$ cm になる．距離設定誤差を考慮して，この場合の最大交点間距離は 1.3 cm とする．

豆知識 3.7　実機の TV モニタ上の実視野と最大照射野の例

透視撮影装置の操作卓上の円形 TV モニタに映し出される透視像の円形実視野は，直径 23 cm の受像面のうちの直径 19 cm 分を利用して映し出される．照射野は実視野を超えて最大で 23 cm まで開くことができる．最大に開いたときで，円形受像面に外接するように調整されている．従って，今日の装置では，受像面に外接する大きさを超えて照射野を設定することができない構造になっている．

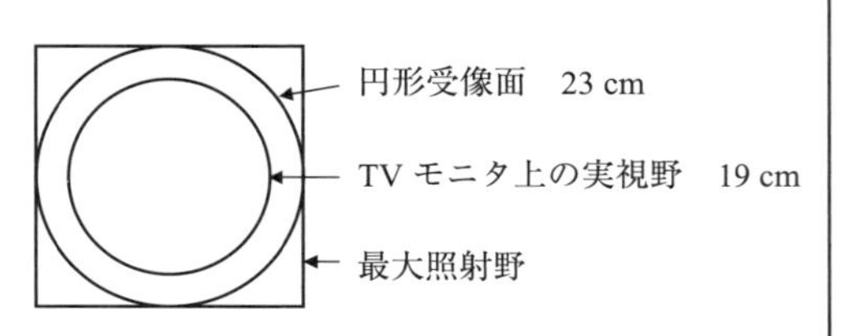

図 3.13　TV モニタ上の実視野と最大照射野

照射野に対する 3%，4% 制限は，実視野を対象とすることが実際的である．

豆知識 3.8　電離放射線障害防止規則における照射野と受像面との関係

電離放射線障害防止規則（電離則）では，特定 X 線装置の間接撮影時及び透視時の措置として，照射野と受像面との関係について医療法施行規則と同様に，(1)原則として照射野が受像面を超えないこと，(2)医療用の特定 X 線装置に対しては例外として，照射野が受像面に外接する大きさを超えないこと，及び交点間距離と焦点受像器間距離に対する 3%，4% ルールを規定している．

(5)　表 3.5 の No. 5 の受像器を通過した X 線

受像器通過後の X 線の空気カーマ率は，図 3.14 に示すように受像器の接触可能表面から 10 cm の距離において，150 μGy/h 以下でなければならない．

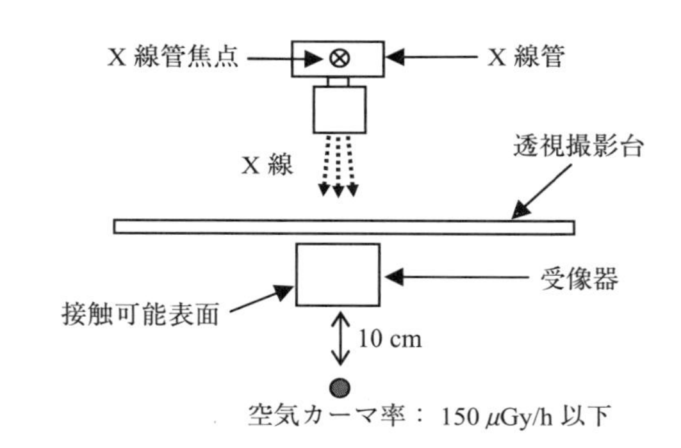

図 3.14　透視用 X 線装置の受像器通過後の空気カーマ率

(6)　表 3.5 の No. 6 の最大受像面を 3.0 cm 超える部分を通過した X 線

透視時の最大受像面を 3.0 cm 超える部分を通過した X 線の空気カーマ率は，図 3.15 に示すように当該部分の接触可能表面から 10 cm の距離において 150 μGy/h 以下でなければならない．

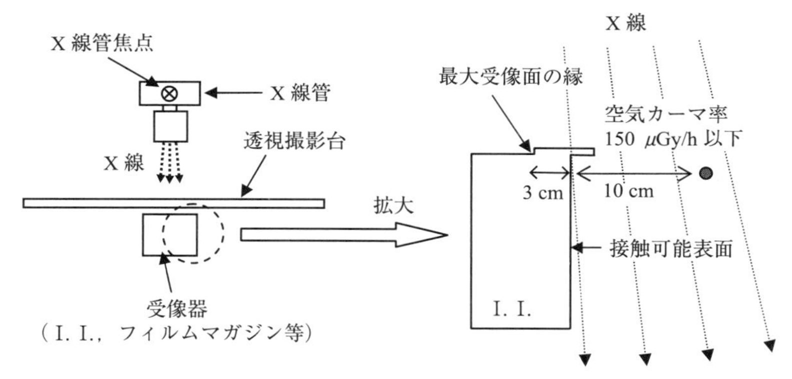

図 3.15　透視用 X 線装置の最大受像面を 3.0 cm 超える部分を通過後の空気カーマ率
実機では最大受像面の縁と受像器の接触可能表面の距離が 3 cm に設計されている．

(7)　表 3.5 の No. 7 の利用線錐以外の X 線

利用線錘以外の X 線，すなわち散乱線及び漏洩線を適切な手段を講じることによって有効に遮蔽する．

◆遮蔽のための適切な手段（通知：平成 31 年医政発 0315 第 4 号第 2　1(6)；平成 14 年医薬発第 0327001 号第二(一)(3)）

適切な手段とは，図 3.16 に示すように漏洩線，患者からの散乱線及び X 線装置と患者との間に設けられた散乱体による散乱線等の利用線錘以外の X 線に対して，衝立等の遮蔽物を使用することを指す．なお，遮蔽物を用いることが診療上障害になる場合は，遮蔽物以外の防護衣，その他を用いて防護してもよい．本号は，放射線診療従事者等の放射線防護を目的にしている．

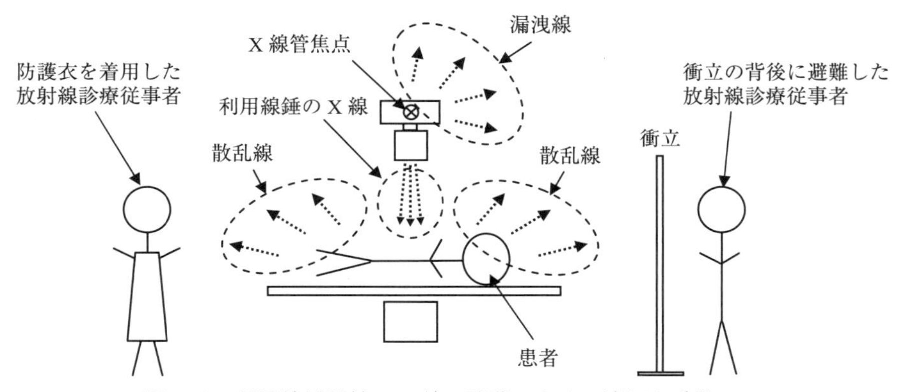

図 3.16　利用線錘以外の X 線の遮蔽のための適切な手段

透視用X線装置でいう利用線錘以外のX線は，患者からの散乱線も含んでいる．3.1.2節(1)のX線管容器及び照射筒の遮蔽の図3.3の場合の利用線錘以外のX線は，漏洩線のみを指している．同じ用語であっても，条項によって内容が異なることに注意する．

3.1.4　撮影用X線装置（胸部集検用間接撮影X線装置を除く）

撮影用X線装置は，障害防止に関して3.1.2節の遮蔽及び附加濾過板に規定されているもののほか，表3.6に示すような3項目の措置を講ずる．ここで言う撮影用X線装置には，胸部集検用間接撮影X線装置は含まれていない（胸部集検用間接撮影X線装置については，3.1.5節参照）．

ただし，CT装置にあっては表3.6のNo. 1の照射野絞り装置の規定を除き，骨塩定量分析X線装置にあっては表3.6のNo. 2の焦点皮膚間距離の規定を除く．

この規定は，X線撮影の際，患者の不必要な放射線被曝を少なくすること及び患者からの散乱線の発生を少なくすることを目的として設けられている（通知：平成31年医政発0315第4号第2　1(7)）．

表3.6　撮影用X線装置の障害防止のための措置

No.	項　目	障害防止のための措置
1	照射野絞り装置	1）照射野が受像面を超えないように絞る． 但し，次の①，②の場合は超えてもよい． ①円形受像面で矩形照射野の場合，照射野が受像面に外接する大きさを超えないとき ②1本の直線の交点間距離の和が焦点受像器間距離の3%を超えず，かつ，2本の直交する直線の交点間距離の総和が焦点受像器間距離の4%を超えないとき 2）口内法撮影用X線装置 照射野直径：6.0 cm以下（照射筒の端において） 3）乳房撮影用X線装置 胸壁に近い患者支持器の縁を超える照射野が5 mmを超えず，かつ，受像面の縁を超える照射野が焦点受像器間距離の2%を超えない． 4）CT装置には適用しない．
2	焦点皮膚間距離	表3.7の距離とする． 骨塩定量分析X線装置には適用しない．
3	操作位置	移動型，携帯型，及び術中使用のX線装置は，X線管焦点及び患者から2 m以上離れて操作する．

(1)　表3.6のNo. 1の照射野絞り装置

照射野絞り装置が満たさなければならない受像面と照射野の関係についての原則と例外，並びに口内法撮影用X線装置及び乳房撮影用X線装置に対する照射野制限の原則を定めている．

1）受像面と照射野の関係

受像面を超えないように照射野を絞る装置を備える．但し，①②の場合は，例外として受像面を超えることが許容される．これらの条件は，透視用 X 線装置と同じである（3.1.3 節 (4) 1) 及び 2) 参照）．

2）口内法撮影用 X 線装置

図 3.17 に示すように，口内法撮影用 X 線装置では，照射筒の端における照射野直径を 6.0 cm 以下にする．

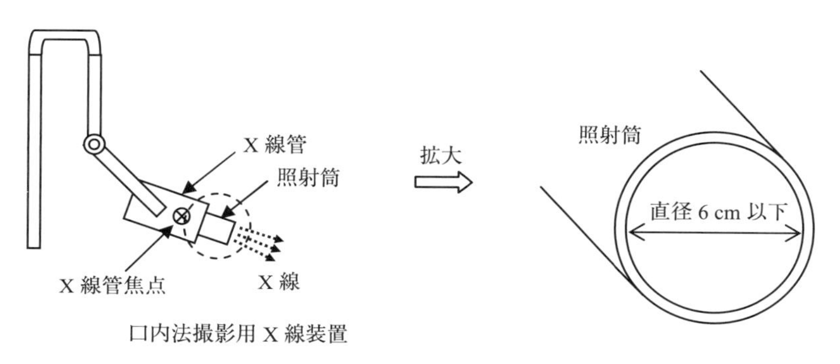

図 3.17　口内法撮影用 X 線装置の照射筒の端における照射野直径

3）乳房撮影用 X 線装置

図 3.18(1)は乳房撮影用 X 線装置の全体図であり，(2)は乳房を圧迫している状態を示している．胸壁に近い患者支持器の縁を超える照射野の広がり a が 5 mm を超えず，かつ，

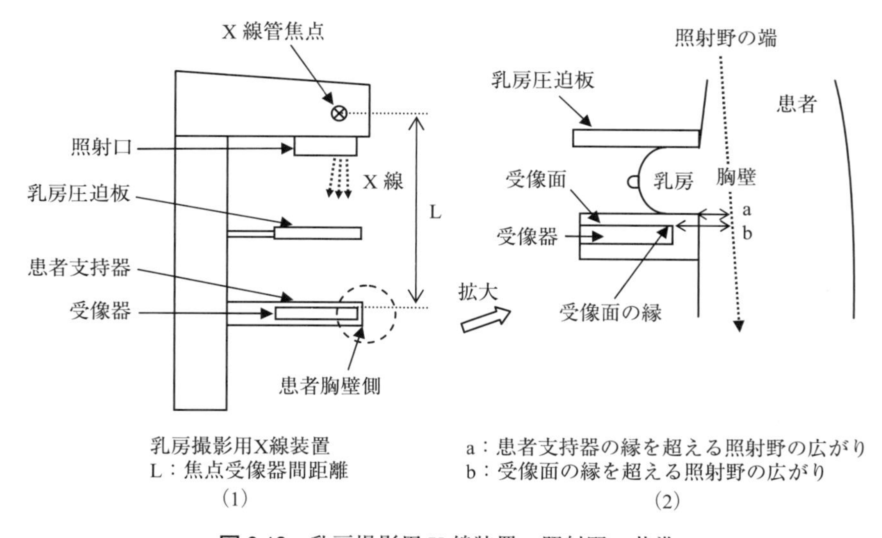

図 3.18　乳房撮影用 X 線装置の照射野の基準

受像面の縁を超える照射野の広がりbが焦点受像器間距離Lの2%を超えないようにする．a, b, Lの間には次の2式が同時に成り立たなければならない．

$$a \leqq 5 \quad \mathrm{mm} \tag{3.4}$$

$$b \leqq 0.02L \quad \mathrm{cm} \tag{3.5}$$

(2)　表3.6のNo. 2の焦点皮膚間距離

焦点皮膚間距離は，表3.7に示すように，7種類のX線装置に対してそれぞれ最短距離が決められている．

表3.7　X線装置の種類と焦点皮膚間距離の関係

No.	装　置	焦点皮膚間距離
1	口内法撮影用X線装置（定格管電圧：70 kV以下）	15 cm以上
2	口内法撮影用X線装置（定格管電圧：70 kV超）	20 cm以上
3	歯科用パノラマ断層撮影装置	15 cm以上
4	移動型，携帯型X線装置	20 cm以上
5	CT装置	15 cm以上
6	乳房撮影用X線装置（拡大撮影の場合に限る）	20 cm以上
7	No. 1～6以外のX線装置	45 cm以上

1）表3.7のNo. 1及びNo. 2の口内法撮影用X線装置では，定格管電圧が70 kV以下の場合と，70 kVを超える場合とでは異なる焦点皮膚間距離が定められている．図3.19は口内法撮影用X線装置の全体図と照射筒先端を頬に接触させた状態を表している．X線管焦点と照射筒先端間距離aが15 cm以上又は20 cm以上となる照射筒を用いることにより，機械的に焦点皮膚間距離を15 cm又は20 cm以上にすることができる．

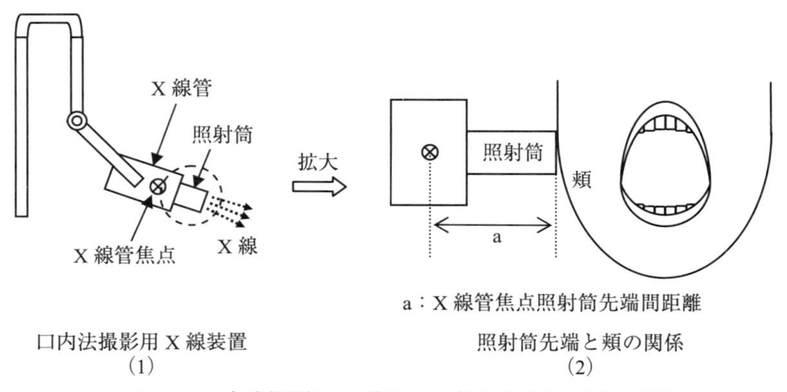

図3.19　口内法撮影用X線装置の焦点皮膚間距離の基準

2）表 3.7 の No. 4 の移動型，携帯型 X 線装置では，図 3.20 に示すように，X 線管焦点と照射野絞り装置の先端との間の距離 a を 20 cm 以上にすることにより，機械的に焦点皮膚間距離を 20 cm 以上にすることができる．

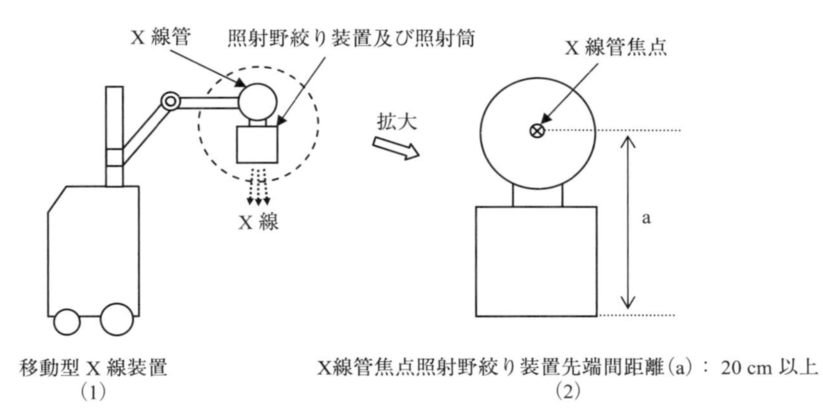

図 3.20　移動型，携帯型 X 線装置の焦点皮膚間距離の基準

3）表 3.7 の No. 5 の CT 装置では，図 3.21 に示すように，X 線管焦点とガントリ開口部の間の距離 a を 15 cm 以上に設計することにより，焦点皮膚間距離を機械的に 15 cm 以上に保つことができる．

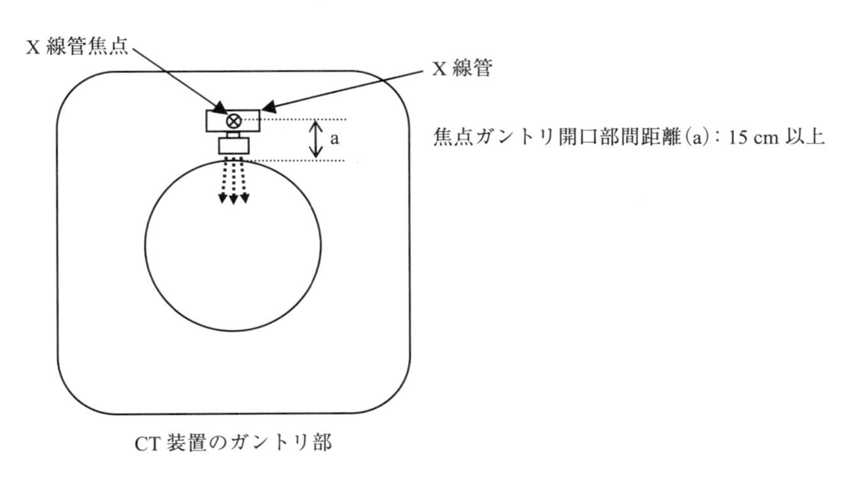

図 3.21　CT 装置の焦点皮膚間距離の基準

4）骨塩定量分析 X 線装置の焦点皮膚間距離の適用除外（通知：平成 14 年医薬発第 0327001 号第二(一)(4)）

骨塩定量分析 X 線装置は，他の撮影用 X 線装置と比較して患者の被曝線量が非常に少ないこと，及び欧米諸国においては焦点皮膚間距離が規定されていないことから，骨塩定量分析 X 線装置に対して最低の焦点皮膚間距離が規定されていない．

(3)　表3.6のNo. 3の操作位置

操作位置は，図3.22に示すように，移動型X線装置を用いて放射線診療従事者が撮影するときの距離を定めている．移動型，携帯型，及び術中使用のX線装置は，放射線診療従事者がX線管焦点及び患者から2 m以上離れた位置で操作できなければならない．

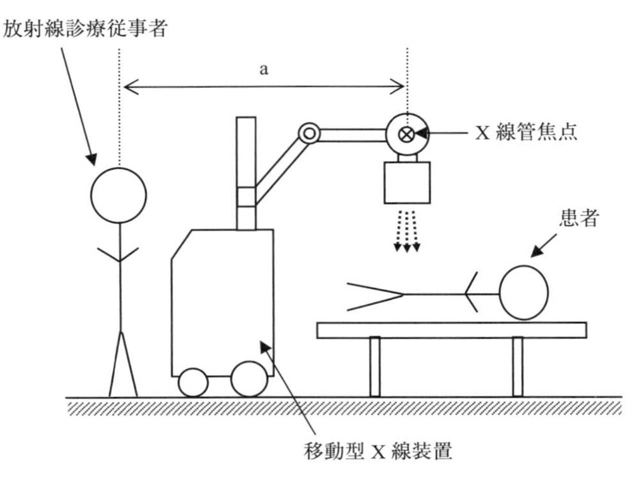

X線管焦点及び患者から放射線診療従事者までの距離(a)：2 m以上

図3.22　移動型X線装置を用いて撮影する場合の操作位置

3.1.5　胸部集検用間接撮影X線装置

胸部集検用間接撮影X線装置には，3.1.2節の遮蔽及び附加濾過板に規定されているものに加えて表3.8に示すような3項目の障害防止の方法を講じる．図3.23は，胸部集検用

表3.8　胸部集検用間接撮影X線装置の障害防止のための措置

No.	項　目	障害防止のための措置
1	照射野絞り装置	角錐型となる利用線錐が受像面を超えないように絞る． 但し，次の場合は超えてもよい． 　1本の直線の交点間距離の和が焦点受像器間距離の3%を超えず，かつ，2本の直交する直線の交点間距離の総和が焦点受像器間距離の4%を超えないとき
2	受像器の一次防護遮蔽体	接触可能表面から10 cmにおいて 　空気カーマ：1.0 μGy/曝射以下
3	被照射体の周囲の遮蔽	箱状の遮蔽物から10 cmにおいて 　空気カーマ：1.0 μGy/曝射以下 但し，装置の操作その他の業務に従事する者が照射時に室外へ容易に退避できるときは除く．

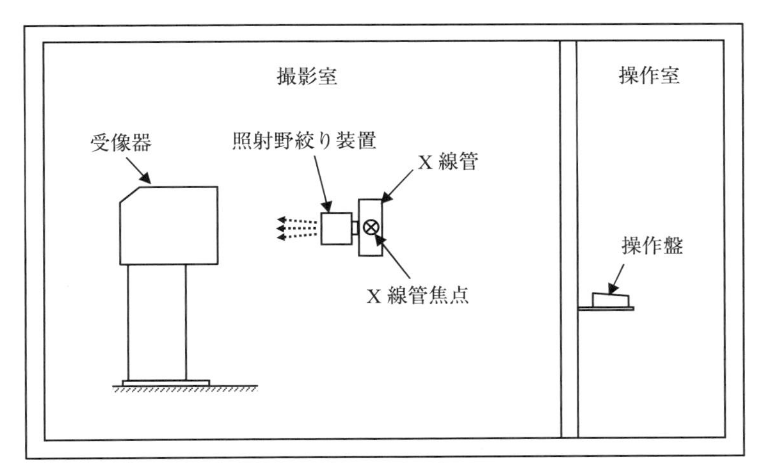

図 3.23　胸部集検用間接撮影 X 線装置配置図

間接撮影 X 線装置の配置図の例である．

(1)　表 3.8 の No. 1 の照射野絞り装置

照射野絞り装置を用いて，利用線錐が角錐型となり，照射野が受像面を超えないようにする．但し，次の場合は受像面を超えることが許容される．ここで注意しなければならないのは，胸部集検用間接撮影 X 線装置の受像面の形状に関しては，何も規定されていないことである．受像面は円形であっても，矩形であっても良い．しかしながら，胸部集検用間接撮影 X 線装置の受像面は矩形のものが使用されているのが現状である．

このような現状と透視用 X 線装置及び撮影用 X 線装置に対しては円形受像面と矩形照射野の関係を 3.1.3 節(4) 2) 及び 3.1.4 節(1) 1) において述べたことを考慮して，本節では受像面を矩形であるとして矩形照射野と矩形受像面との関係を検討する．

交点間距離の和が焦点受像器間距離の 3% を超えず，かつ，交点間距離の総和が焦点受像器間距離の 4% を超えないとき．

この条件は，透視用 X 線装置（3.1.3 節(4) 2) 参照）及び撮影用 X 線装置（3.1.4 節(1) 1) 参照）に同じである．図 3.24 のように交点間距離を a，b，c，d，焦点受像器間距離を L として，a，b，c，d，L は次の 3 式を同時に満足しなければならない．

$$a + b \leqq 0.03L \quad \text{cm} \tag{3.6}$$

$$c + d \leqq 0.03L \quad \text{cm} \tag{3.7}$$

$$a + b + c + d \leqq 0.04L \quad \text{cm} \tag{3.8}$$

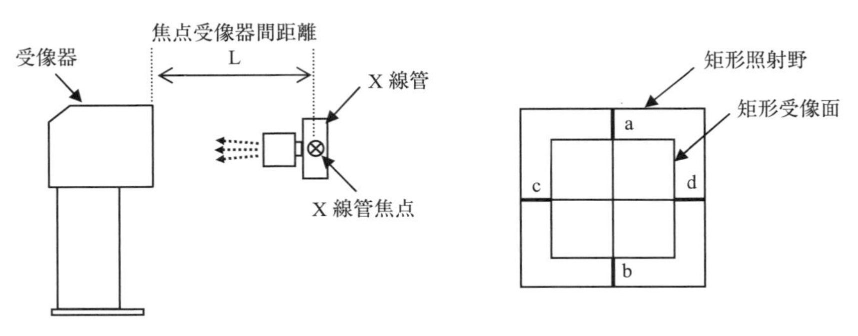

図 3.24　照射野が受像面を超える状態

(2)　表 3.8 の No. 2 の受像器の一次防護遮蔽体

図 3.25 は，一次防護遮蔽体で遮蔽された胸部集検用間接撮影 X 線装置の受像器を示している．一次防護遮蔽体を用いて装置の接触可能表面から 10 cm の距離において，空気カーマを 1.0 μGy/曝射以下とする．

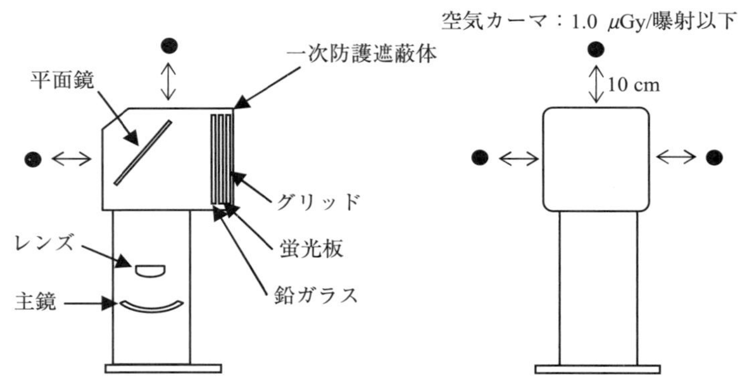

図 3.25　受像器の遮蔽基準

(3)　表 3.8 の No. 3 の被照射体の周囲の遮蔽

図 3.26 に示すように，放射線診療従事者が照射室外へ退避できない場合は，被照射体の周囲に箱状の遮蔽物を設けることによって遮蔽物から 10 cm の距離において空気カーマを 1.0 μGy/曝射以下とする．但し，放射線診療従事者が照射室外へ退避できる場合を除く．

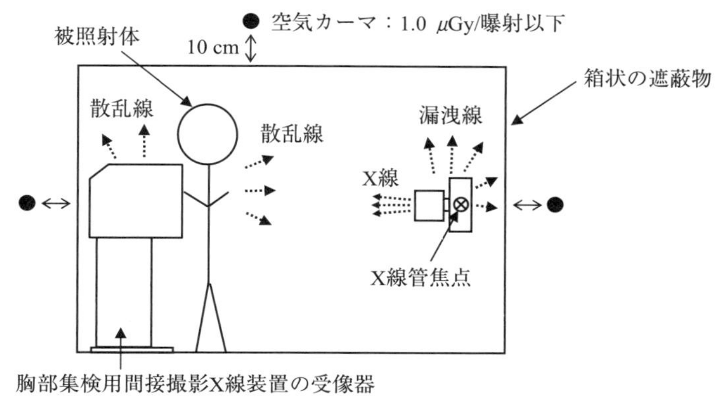

図 3.26　被照射体の周囲に箱状の遮蔽物を設けた例

(4)　空気カーマについて

上記(2)及び(3)に規定する空気カーマは X 線管容器及び照射筒からの漏洩線量も含む（通知：平成 31 年医政発 0315 第 4 号第 2　1 (8)）.

3.1.6　治療用 X 線装置（近接照射治療装置を除く）

治療用 X 線装置の障害防止の措置は，基本的には 3.1.2 節の遮蔽及び附加濾過板の規定に従う．加えて，濾過板が引き抜かれたときに，X 線の発生を遮断するインターロックを設ける．

豆知識 3.9　治療用 X 線装置はこのように使われていた

1. 治療用 X 線装置には，定格使用管電圧が 10〜50 kV の表在治療装置と 100〜250 kV の深部治療装置がある．現在ではほとんど放射線治療に使用されていないが，^{60}Co-γ 線遠隔照射治療装置やベータトロン，電子リニアックが出現する 1960 年代までは広く用いられた．

2. 治療用 X 線装置には，濾過板が用いられる．使用管電圧によって濾過板の厚さ及び材質を変えて X 線の線質を調整する．深部治療装置を 150 kV 程度以上で使用する場合には，Cu（銅）と Al（アルミニウム）を組み合わせた構造の濾過板が使用される．原子番号の大きい Cu を X 線管側に配置して，Cu から発生する 2 次線を Al で吸収するようにして使用される．

3. 深部治療の X 線は散乱されやすいので，照射野の大きさ，形に応じた照射筒が用いられる．また，照射筒には体を圧迫し病巣への深部量百分率を高くする目的もある．治療に際しては，出射口にプラスチック板がはられた照射筒を皮膚に密着させて使用する．

3.2　診療用高エネルギー放射線発生装置及び診療用粒子線照射装置の防護（第30条の2及び第30条の2の2）

3.2.1　発生装置（第30条の2）

発生装置には，表3.9に示すような4項目の障害防止の方法を講じる．図3.27は発生装置使用室の例を示している．

表3.9　発生装置の障害防止のための措置

No.	項　目	障害防止のための措置
1	発生管容器	利用線錘以外の線量を利用線錘の線量の1,000分の1以下に遮蔽する．
2	照射終了直後の不必要な被曝	適切な低減措置を講ずる．
3	自動表示装置	放射線発生時に自動的に表示する装置を付す．
4	インターロック	使用室の出入口が開放されているとき，放射線の発生を遮断する．

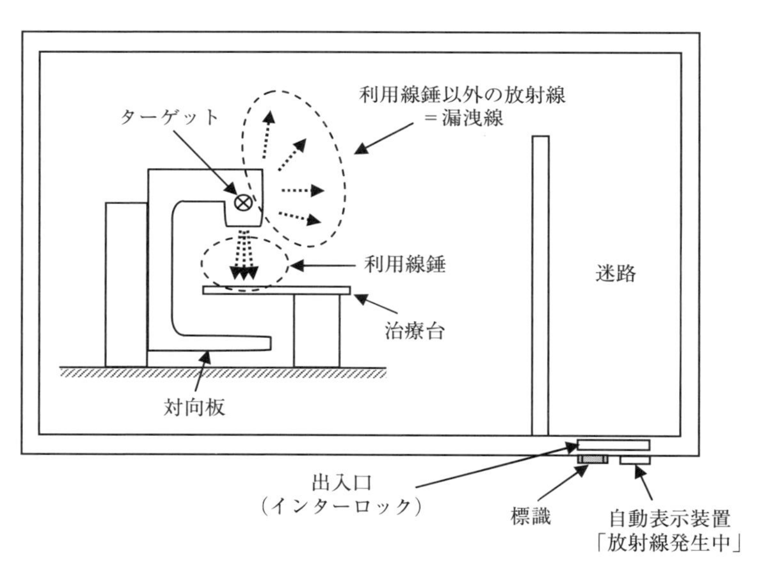

図3.27　発生装置使用室の例
対向板を持つ4〜6 MVのX線専用の小形リニアックを設置した状態

(1)　表3.9のNo. 1の発生管容器の遮蔽

発生装置の発生管容器は，障害防止のために利用線錘以外の放射線量が利用線錘の放射線量の1/ 1,000以下となるように遮蔽する．

$$\frac{\text{利用線錘以外の放射線量}}{\text{利用線錘の放射線量}} \leqq \frac{1}{1{,}000} \tag{3.9}$$

ここで，利用線錘以外の放射線量とは，発生管等からの漏洩線量のみを指す．漏洩線量には中性子線によるものを含まないが，可能な限り中性子線による影響を低減させる（通知：平成31年医政発0315第4号第2　2(1)）．

豆知識 3.10　対向板

図3.27中の対向板（Beam stopper）は，発生装置の回転バランスを保つことと放射線を遮蔽する役目を果たしている．対向板は約16 cmPb当量であり，X線を1/1,000程度に減衰させることができる．

対向板を持つリニアックは，4～6 MeVのX線専用の小形リニアックのみであり，6～10 MeVのX線及び4～20 MeVの電子線を発生させる大形のリニアックには，対向板はない．最近の装置では，フラットパネル等を使ったポータルイメージング装置（Electronic portal imaging device：EPID）が位置決め等のときに患者治療台の下に出てくるようになっている．

(2)　表3.9のNo. 2の照射終了直後の不必要な放射線からの被曝への対策

照射終了直後の不必要な放射線からの被曝低減のための適切な防護措置を講ずる．不必要な放射線とは，放射化によって生成された短半減期のRIから放出される放射線を指している．照射終了直後には，この放射線によって使用室内は線量率が高い状態にあるため防護が必要となる．放射化物とは，放射線発生装置から発生した放射線によって生じたRIによって汚染されたものを言う．豆知識3.12参照（平成24年3月文科省事務連絡）．

照射終了直後に保守作業として放射化されたターゲット等の部品を取り扱う必要がある場合には，被曝線量を低減させるために放射線に対して適切な防護措置を取らなければならない（通知：平成31年医政発0315第4号第2　2(2)）．

具体的には，短半減期のRIの減衰を待つ，遮蔽をする，作業時間を短縮する等の対策を取る（豆知識3.11参照）．放射化物の保管及び廃棄については5.2.2節(3) 3)参照．

豆知識 3.11　照射終了直後の発生装置使用室内の状態

照射終了直後には，光核反応（(γ, n) 反応）によるターゲット周辺部品の放射化によって ^{203}Pb（半減期51.9 h），^{62}Cu（半減期9.7 min），^{64}Cu（半減期12.7 h），^{53}Fe（半減期8.5 min）等，及び空気の放射化による ^{13}N（半減期10 min），^{15}O（半減期122 s）等の誘導放射能が存在する．更に電子ビームが空気中を走ればオゾンなどの有毒ガスを発生させる．そのため，適切な排気システムや入室までの待ち時間等について，あらかじめ考慮しておかなければならない．

☢豆知識 3.12　放射化物の範囲等（平成24年3月　文部科学省科学技術・学術政策局原子力安全課放射線規制室　事務連絡）

平成22年の障害防止法（現RI規制法）の改正では，放射化物を放射性同位元素によって汚染された物と同様の規制を行うとした．医療用加速器から生じる放射化物に関して「（参考）放射化する部品等の例示について」において⑴放射化物の範囲，⑵医療用直線加速装置における放射化物として扱う特定の部品等，⑶医療用直線加速装置の放射化物の記帳のための換算，の3点が記載されている．

以下は，「⑴放射化物の範囲について」の中から医療用加速器に関する事項を抜粋したものである．⑵～⑶の詳細は事務連絡を参照．

①放射化物は，放射線発生装置から取り外した時点から管理が必要となる．

②核子当たりの最大加速エネルギーが2.5 MeV未満のイオン加速器及び6 MeV以下の電子加速器（医療用直線加速装置のうち，X線の最大エネルギーが6 MeV以下のものを含む）については，当該加速器の本体及び遮蔽体などの周辺設備等は放射化物としての管理は不要である．

③医療用直線加速装置のうちX線の最大エネルギーが6 MeVを超えるものについては，ターゲット等特定の部品等以外のものは放射化物としての管理は不要である．

④X線の最大エネルギーが10 MeV以下の医療用直線加速装置については，空気及び水の放射化の考慮は不要である．また，X線の最大エネルギーが15 MeV以下のものについては，これまでの調査の結果から排気設備の設置は不要である．

⑤自己遮蔽型の医療用サイクロトロンについては，自己遮蔽の内側にあるサイクロトロン本体，周辺機器，遮蔽体及び床材は放射化物であり，自己遮蔽の外側にあるものについては，放射化物としての管理は不要である．

⑥上記以外の放射線発生装置及びその周辺設備等については，原則として放射化物とする．ただし，信頼できる実測データ，計算結果等により放射化物として取り扱う必要がないことが確認できたものについては，放射化物としないことができる．

⑶　表3.9のNo. 3の自動表示装置

出入口には，放射線発生時に自動的に「放射線発生中」である旨を表示する装置を付す．発生装置使用室の人が常時出入する出入口は1箇所とする．

⑷　表3.9のNo. 4のインターロック

出入口にはインターロックを設けることによって，発生装置使用室の出入口が開放されているときには放射線の発生を遮断する．

インターロックとは，使用室の扉が閉じていないときは放射線の照射ができず，万一照射中に扉が開けられた場合でも，直ちに照射を停止することにより放射線診療従事者等の放射線障害の発生を未然に防ぐためのものである（通知：平成31年医政発0315第4号第2　2⑶）．

3.2.2　粒子線照射装置（第 30 条の 2 の 2）

粒子線照射装置については 3.2.1 節の発生装置に対する規定を準用する．

この場合，「発生管」は「照射管」，「発生時」は「照射時」，「発生装置使用室」は「粒子線照射装置使用室」，「発生を」は「照射を」と読み替えるものとする．

要点を整理すると以下のようになる．

1）照射管の容器の遮蔽能力

照射管等から漏洩する利用線錘以外の放射線量を，利用線錘の放射線量の 1/1,000 以下に遮蔽する．ここでの漏洩線には，中性子線によるものを含まないが，可能な限り中性子線による影響を低減させる（通知：平成 31 年医政発 0315 第 4 号第 2　2(1)）．

2）照射終了直後の不必要な放射線からの被曝低減のための防護措置を講ずる．

3）粒子線照射時には，「粒子線照射中」等その旨を自動的に表示する装置を付す．

4）インターロックを設けることによって，粒子線照射装置使用室の出入口が開放されているときには粒子線の照射を遮断する．

豆知識 3.13　粒子線治療装置

粒子線治療装置には，シンクロトロンとサイクロトロンの加速器を用いた装置がある．サイクロトロン装置は 70～250 MeV の陽子線を，シンクロトロン装置は 70～250 MeV の陽子線と 70～400 MeV の炭素線を照射する装置が多い．2018 年現在で開設予定の施設も含めて国内では，シンクロトロン装置 54 台，サイクロトロン装置 6 台が設置されている．

3.3　診療用放射線照射装置の防護（第 30 条の 3）

照射装置には，表 3.10 の障害防止措置を講じる．

表 3.10　照射装置の障害防止のための措置

No.	項　目	障害防止のための措置
1	収納容器	照射口が閉鎖されているとき，1 m の位置の空気カーマ率を 70 μGy/h 以下に遮蔽する．
2	二次電子濾過板	照射口には，必要に応じて適切な二次電子濾過板を設ける．患者の障害防止に必要なときに限る．
3	照射口	照射口は，照射装置使用室外から遠隔操作で開閉できる構造とする．但し，装置の操作その他の業務に従事する者を防護する適当な装置を設けた場合を除く．
4	インターロック	体外照射を行う場合，照射装置使用室の出入口にはインターロックを設けて，室外から遠隔操作によって出入口を開閉する設備を設ける．例外あり．

注：No. 4 は，規則の条文にはない．通知 0315 第 4 号を考慮して筆者が追加した．

(1)　表 3.10 の障害防止措置を講じた照射装置使用室の例

1）図 3.28 は，表 3.10 の障害防止措置を講じた照射装置使用室にラルス装置を設置した例を示している．

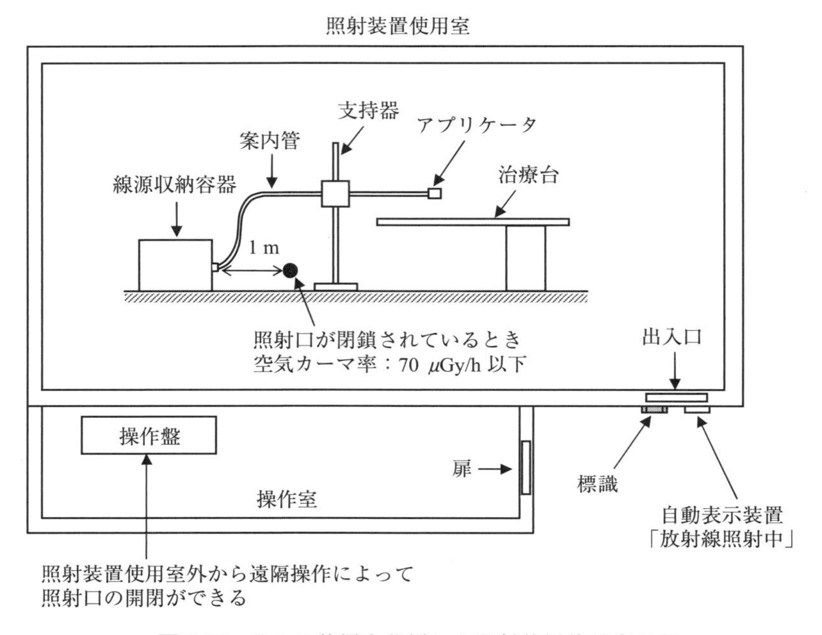

図 3.28　ラルス装置を設置した照射装置使用室の例

2）図 3.29 は，ガンマナイフ装置を示している．使用するときは，図 3.28 と同様な照射装置使用室内に設置する．

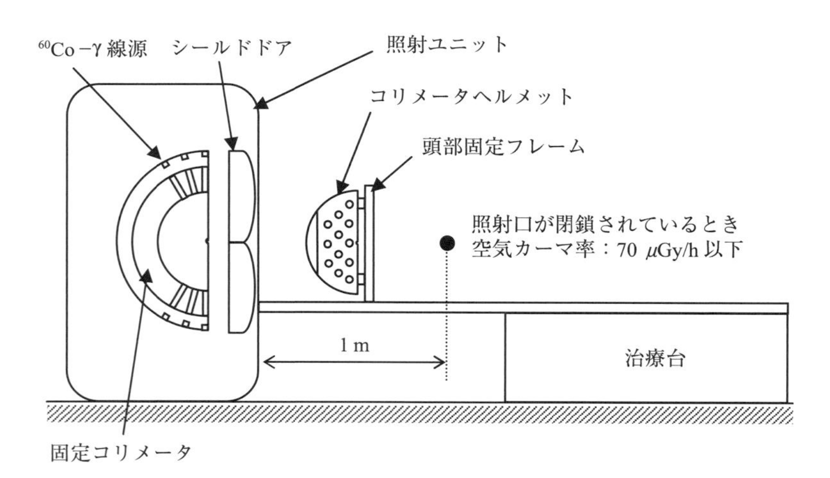

図 3.29　ガンマナイフ装置の例

∴豆知識 3.14　放射線治療装置の今昔

1. 1950年代の後半から^{60}Co線源が輸入され，わが国でテレコバルト装置が広く普及することになる．1982年には約520台が使用されていたが，半減期が5.2年とやや短いことに加えて廃棄や輸送の問題もあり，直線形電子加速器の普及につれて減少傾向になり，現在は使用されていない．

テレコバルト装置の「テレ」とは，ギリシャ語で「離れて操作する」の意である．

2. 1965年にわが国で^{60}Co線源を装着したラルス装置による高線量率密封小線源治療が開始された．その後，γ線エネルギーが0.35 MeVと比較的低く，防護上有利な線源である^{192}Irの370 GBqを装着したマイクロセレクトロン・ラルス装置が1985年にオランダで開発された．わが国では，マイクロセレクトロン・ラルス装置が1991年に導入され，2018年現在で122台使用されている．一方，^{60}Co線源を装着したラルス装置は減少しつつある．

3. 1968年スウェーデンで多数の^{60}Co線源を用いたガンマナイフ装置が開発され，1996年にわが国に導入されて後，2018年現在で54台が使用されている．

(2)　表3.10のNo. 2の二次電子濾過板

二次電子濾過板は，高エネルギー光子と遮蔽体や絞りの金属との相互作用により発生する電子を吸収して患者の被曝を避けるために用いられる．

∴豆知識 3.15　二次電子濾過板

^{60}Co–γ線の場合は，発生する二次電子の前方放出率の少ない中原子番号物質で作った金属板を照射口に取り付けて，二次電子濾過板として用いる．錫や銅の0.5 mm厚程度の金属板が用いられる．

(3)　表3.10のNo. 3の但し書き（通知：平成31年医政発0315第4号第2　3(3)）

防護する適当な装置を設けた場合を除くとは，照射装置使用室内で照射装置を操作するために防護装置を設けた場合を意味する．この規定は，照射装置を核医学撮像装置の吸収補正用線源として使用する場合又は患者の体内に挿入して治療を行うために使用する場合にのみ適用される．

図3.30は，吸収補正用線源（^{68}Ge/^{68}Ga）を内蔵した核医学撮像装置の一種である陽電子放射断層撮影（PET）装置を設置した陽電子診療室の例である．PET装置には，図2.5の(1)の^{68}Ge/^{68}Ga棒状密封線源を(2)に示すように3本の線源を一体化した照射装置が備えてあり，これを360°回転させることによって吸収補正用のデータを収集する．

照射装置を核医学撮像装置の吸収補正用線源として使用する場合又は患者の体内に挿入して治療を行うために使用する場合は，室内で作業せざるをえないことがある．この場合には，照射装置の操作その他の業務に従事する者を防護するために防護衝立等の適当な遮蔽物を設けなければならない．

遮蔽物を用いた場合であっても，必要に応じて防護衣を着用する等により被曝線量の低減に努める．

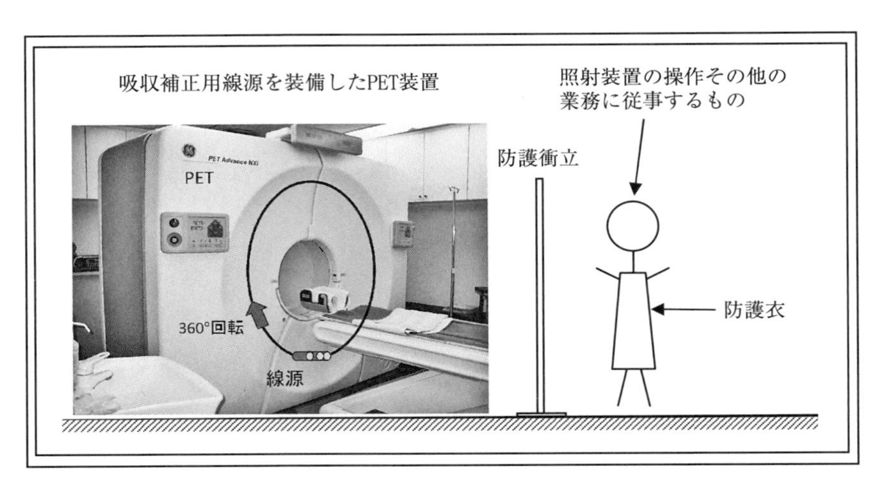

図 3.30　吸収補正用線源を内蔵する PET 装置を設置した陽電子診療室の例．3 本の ^{68}Ge/^{68}Ga 吸収補正用棒状密封線源を一体化した照射装置が患者の周りを 360° 回転する．図 2.5 参照（写真提供：医療法人総合大雄会病院）

(4)　表 3.10 の No. 4 のインターロック（通知：平成 31 年医政発 0315 第 4 号第 2　3 (3)）

照射装置を体外照射に用いる場合は，照射装置使用室の出入口にインターロックを設けて室外からの遠隔操作によって照射口を開閉するための設備を設ける．但し，照射装置を核医学撮像装置の吸収補正用線源として使用する場合及び患者の体内に挿入して使用する場合であって，(3)の防護衝立や防護衣等の防護措置を講じた場合は，インターロックを設けなくてもよい．

第4章

X 線診療室等の構造設備

本章は，医療法施行規則第 4 章第 3 節に対応している．本章では，9 室，2 施設，1 容器の計 12 室等に対して定められている構造及び設備の基準について学ぶ．

4.1　X 線診療室等の構造設備の概要

規則第 3 節 X 線診療室等の構造設備では，放射線診療従事者，患者，公衆の放射線障害の発生を防止するために，放射線源に係わる構造設備の基準を第 30 条の 4 の X 線診療室から第 30 条の 12 の放射線治療病室までに定めている．概要は以下の通りである．

1. X 線診療室の基準（第 30 条の 4）
2. 発生装置使用室の基準（第 30 条の 5）
3. 粒子線照射装置使用室の基準（第 30 条の 5 の 2）
4. 照射装置使用室の基準（第 30 条の 6）
5. 照射器具使用室の基準（第 30 条の 7）
6. 装備機器使用室の基準（第 30 条の 7 の 2）
7. 診療用 RI 使用室の基準（第 30 条の 8）
8. 診療用陽電子 RI 使用室の基準（第 30 条の 8 の 2）
9. 貯蔵施設の基準（第 30 条の 9）
10. 運搬容器の基準（第 30 条の 10）
11. 廃棄施設の基準（第 30 条の 11）
12. 放射線治療病室の基準（第 30 条の 12）

1 の X 線診療室から 8 の診療用陽電子 RI 使用室まで及び 12 の放射線治療病室には，共通して，画壁等の外側における実効線量，標識に関する基準が規定されている．同様に，2 の発生装置使用室から 8 の診療用陽電子 RI 使用室までには，共通して，出入口の基準が定められている．これらの実効線量，標識，出入口の規制内容は単純なものであるが，多くの基準に共通して定められていることは，放射線防護の実務上重要な事項であることを意味している．

4.2　X線診療室の基準（第30条の4）

4.2.1　X線診療室の構造設備の基準

X線診療室の構造設備の基準として，表4.1のような3項目が定められている．

表4.1　X線診療室の構造設備の基準

No.	項　目	基　準
1	実効線量	画壁等の外側における実効線量を，1 mSv/週以下とする． 但し，外側を人が通行し，又は停在する恐れがない場所は除く．
2	操作する場所	X線診療室内にX線装置を操作する場所を設けてはならない． 但し，以下の①②は例外 ①遮蔽物から10 cmで1.0 μGy/曝射以下となる箱状の遮蔽物を設けた場合 ②実効線量が1.3 mSv/3月以下とするに必要な防護物を設けて，近接透視撮影，又は乳房撮影等を行う場合
3	標識	X線診療室である旨を示す標識を付す．

図4.1は，X線診療室の例を示している．X線診療室の周囲の壁，窓（鉛ガラス），扉，天井，床を画壁等と言う．X線診療室には，放射線障害防止のため基準を満たす画壁等や標識を備える．

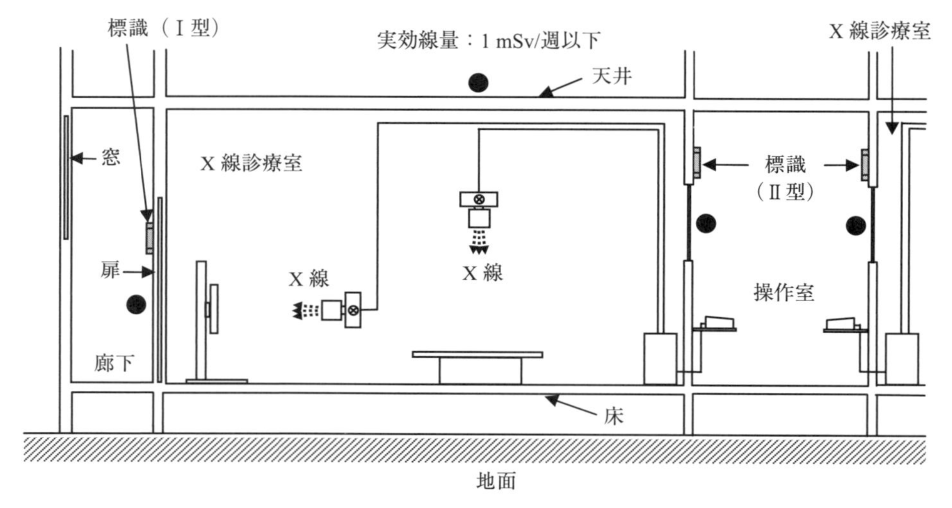

図4.1　X線診療室の構造例．廊下の左側は建物外部，操作室は左右のX線診療室の間にある

(1)　表 4.1 の No. 1 の画壁等の外側における実効線量

図 4.1 の●黒丸で示す X 線診療室の画壁等の外側における実効線量を，1 mSv/週以下とする．

◆測定位置及び但し書きの意味（通知：平成 31 年医政発 0315 第 4 号第 3　1 (1)）

1）線量の測定は，通常の使用状態において画壁等の外側で行う．

2）外側を人が通行し，又は停在することのない場所とは

①床下がただちに地盤である場所，壁の外が崖，地盤面下等である場合など，極めて限定された場所である．

②床下に空間があっても，周囲を柵等で区画し，その出入口に鍵その他，閉鎖のための設備又は器具を設けた場合は，人が通行し，又は停在することのない場所とみなすことができる．

③天井及び窓等は，防護が不完全である場合が予想されるので，1 mSv/週以下となるように十分注意する．

(2)　表 4.1 の No. 2 の X 線装置を操作する場所

X 線診療室内に X 線装置を操作する場所を設けてはならない．但し，図 4.2 に示すように，(1)遮蔽物から 10 cm の距離において空気カーマが 1.0 μGy/曝射以下となる箱状の遮蔽物を設けた場合（3.1.5 節(3)参照），及び(2)近接透視撮影若しくは乳房撮影等を行うときに実効線量が 1.3 mSv/3 月以下とするに必要な防護物を設けた場合は，X 線診療室内に X 線装置を操作する場所を設けることができる．

1）操作する場所及び操作とは（通知：平成 31 年医政発 0315 第 4 号第 3　1 (2)）

操作する場所とは，図 4.1 の操作室のように X 線撮影室と画壁等で区画された室であること．操作とは，X 線を曝射することである．

2）近接透視撮影若しくは乳房撮影を行う等の場合とは（通知：平成 31 年医政発 0315 第 4 号第 3　1 (3)）

近接透視撮影を行うとき，若しくは乳房撮影を行う等の場合の「等」とは，次の①から⑤の場合に限る．

但し，この例外は診療上やむを得ず患者の近傍で当該 X 線装置を使用するためのものであり，それ以外の場合においては，放射線診療従事者の被曝防護の観点から，X 線診療室外において装置を使用する．

①患者の近傍で乳房撮影又は近接透視撮影等を行う場合．

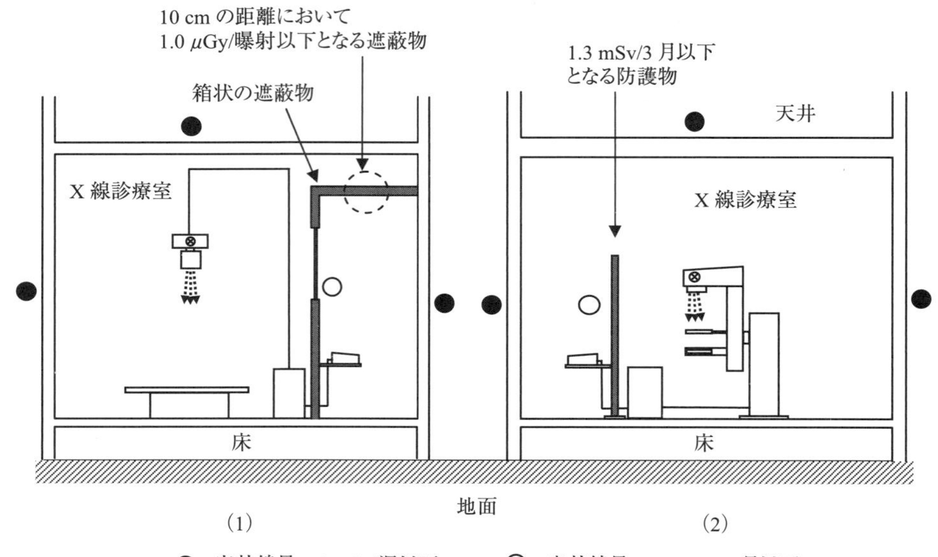

図 4.2　X線装置を操作する場所の例外．(1)遮蔽物を設けた場合，(2)防護物を設けた場合

②口内法撮影用X線装置で，1,000 mAs/週以下の撮影を行う場合．

③骨塩定量分析X線装置で，装置から1mの距離において使用時の線量が 6 μSv/h 以下となる構造の装置を使用する場合．

④輸血用血液照射X線装置で，装置表面において使用時の線量が 6 μSv/h 以下となる構造の装置を使用する場合．

⑤組織内照射治療を行う場合．

3)「必要な防護物を設ける」とは，実効線量が 1.3 mSv/3 月以下となるような画壁等を設ける等の措置を講ずることを言う．この場合においても，必要に応じて防護衣等の着用等により，放射線診療従事者の被曝線量の低減に努める（通知：平成 31 年医政発 0315 第 4 号第 3　1 (4)）．

4) 上記の 2)②の場合のうち，同時に 2 人以上の患者の診察を行わない構造の口内法撮影用X線装置による撮影を行う室については，X線診療室と診察室を兼用してもよい．この場合においてもX線診療室の基準を満たし，管理区域（5.5 節参照）を設定して，第 30 条の 16 に従い管理区域の標識を付し，人の立ち入りを制限する措置を講じなければならない（通知：平成 31 年医政発 0315 第 4 号第 3　1 (5)）．

5) 輸血用血液照射X線装置について（通知：平成 31 年医政発 0315 第 4 号第 3　1 (6)）

上記の 2)④の場合は，図 4.3 に示すように放射線診療従事者以外の者が輸血用血液照射X線装置を使用する場所にみだりに立ち入らないように，画壁を設ける等の措置を講ずる．

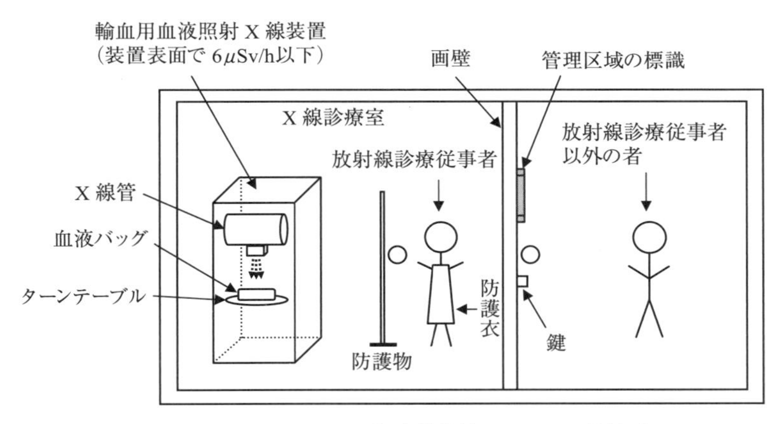

図 4.3　輸血用血液照射 X 線装置使用室の例

画壁の内部から外部に通ずる部分に鍵その他の閉鎖のための設備又は器具を設ける場合は，装置の使用場所を X 線診療室とみなすことができる．但しこの場合は，X 線診療室全体を管理区域とする．

⑶　表 4.1 の No. 3 の標識

図 4.4 のような標識が使用されている．図 4.1 で標識が廊下側の壁に付されているのは，患者，家族，介助者等に X 線診療室であることを知らせるためである．X 線標識の I 型，II 型は，JIS による分類ではなくメーカーによる分類である．ほとんどの病院では，廊下を通行する職員や患者及びその他の人用に I 型を廊下側扉に付し，放射線技師その他の医療従事者用に II 型を操作室側扉に付して，使い分けている．

（1）X 線標識（I 型）　（2）X 線標識（II 型）

図 4.4　X 線診療室である旨を示す標識の例

豆知識 4.1　新旧のX線標識

2005年に，ISO，IECの国際規格と統一するために，これまで国内の安全標識の主流になっていた警語標識を図記号標識へ変更することを目的として，JIS規格（日本工業規格）が改正された．X線標識に関係する1995年版のJIS Z9101，Z9103，Z9104が2005年版に改正された．2005年改正以後に新たに取り付けられるものについては新標識が使われている．図4.5に示す旧標識は図4.4の新標識に対応している．2021年現在でも，旧標識と新標識が混在しているが，年を経るに従って新標識を使用する病院が増加していくものと予想される．

（1）旧X線標識（I型）

（2）旧X線標識（II型）

図4.5　X線診療室である旨を示す標識の例

4.2.2　CT搭載車の構造設備

通知「CT搭載車等移動式医療装置の使用」（通知：平成20年医政発第0710005号）では，CT装置搭載車移動式医療装置（CT搭載車）の移動使用を認めている．CT搭載車はX線診療室とみなされており，X線診療室の移動使用にあたる．従ってCT装置の移動使用とはみなされない（CT装置の移動使用については，5.2.4.1節(1)参照）．

図4.6は，トレーラー内にCT装置を搭載したCT搭載車の例である．車内は，画壁によってCT装置を設置したX線診療室と操作室に分けられている．トレーラーの壁の外側は，X線診療室の画壁等の外側に当たるので，1 mSv/週以下でなければならない．

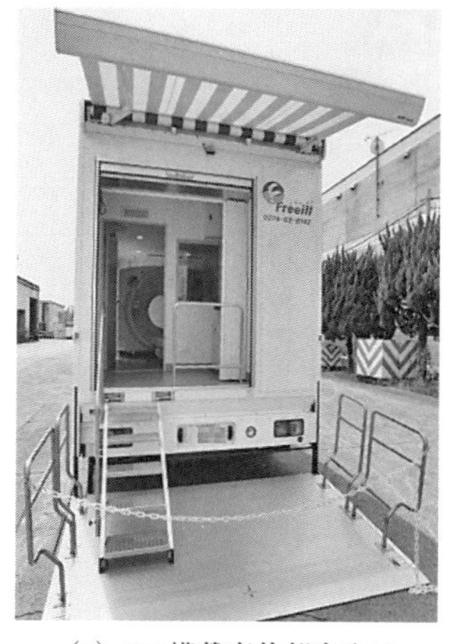

（1）CT搭載車後部出入口

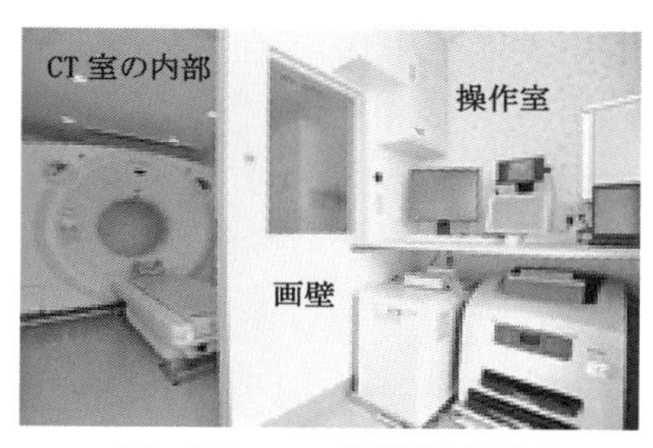

（2）車内のCT装置室と操作室
扉は開放されている状態

図4.6　CT搭載車の例（写真提供：株式会社フリール）

CT 搭載車には，次の条件が課されている．

1）CT 搭載車は医療機関に附属する一体の構造設備として所轄知事による使用前検査及び許可を受けていなければならない．

2）使用前検査及び許可を受けるに当たり，所轄知事に対して CT 搭載車を一定期間にわたり，定期的かつ継続的に移動使用することを報告しなければならない．

上記 2 条件を満たす場合は，使用前検査及び許可を受けた CT 搭載車を移動させても，構造設備の内容を変更する場合には該当しないので，変更届けをしなくてもよい．

4.3　診療用高エネルギー放射線発生装置使用室及び診療用粒子線照射装置使用室の基準（第 30 条の 5 及び第 30 条の 5 の 2）

4.3.1　発生装置使用室の基準（第 30 条の 5）

発生装置使用室の構造設備の基準として，表 4.2 のような 4 項目が定められている．

表 4.2　発生装置使用室の構造設備の基準

No.	項　目	基　準
1	実効線量	画壁等の外側における実効線量を，1 mSv/週以下とする． 但し，人が通行する又は停在することがない場所は除く．
2	出入口	人が常時出入する出入口は 1 箇所とし，放射線発生中であることを表示する自動表示装置を設ける．
3	標識	発生装置使用室である旨を示す標識を付す．

図 4.7 は，発生装置使用室の例を示している．画壁等の防護は 1 週間当たりの実効線量で行う．線量の測定は，通常の使用実態において画壁等の外側で行う（通知：平成 31 年医政発 0315 第 4 号第 3　2）．

黒丸●は，画壁等の外側で実効線量が 1 mSv/週以下となることを測定する位置を示している．

出入口には，自動表示装置を設け，図 4.8 のような発生装置使用室である旨を示す標識を付す．

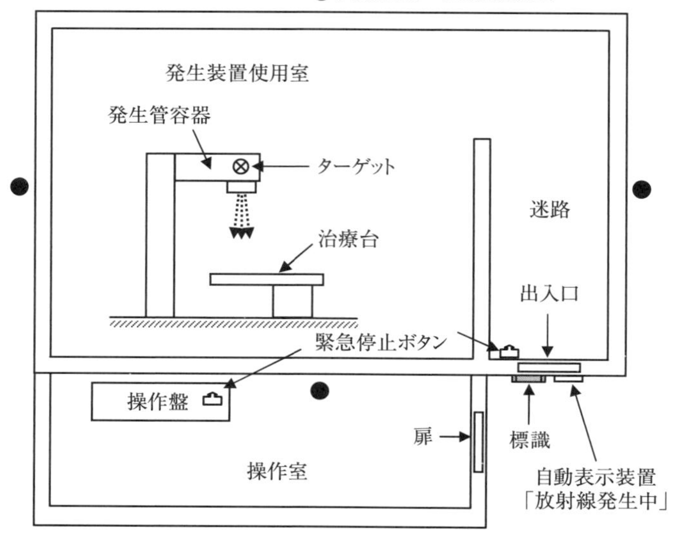

図 4.7　発生装置使用室の例

放射線発生装置
使　用　室

図 4.8　発生装置使用室である旨を示す標識の例

4.3.2　粒子線照射装置使用室の基準（第 30 条の 5 の 2）

粒子線照射装置使用室の構造設備の基準は，発生装置使用室の基準に準じる．この場合は，第 30 条の 5 で「発生時」とあるのは，「照射時」と読み替える．

出入口には，粒子線照射装置使用室である旨を示す標識を付す．

画壁等の防護は 1 週間当たりの実効線量で行う．線量の測定は，通常の使用実態において画壁等の外側で行う（通知：平成 31 年医政発 0315 第 4 号第 3　2）．

4.4　診療用放射線照射装置使用室の基準（第 30 条の 6）

照射装置使用室の構造設備の基準として，表 4.3 のような 4 項目が定められている．

表 4.3　照射装置使用室の構造設備の基準

No.	項　目	基　準
1	主要構造部等	主要構造部や場所を区画する壁及び柱（主要構造部等）を耐火構造又は不燃材料を用いた構造とする．
2	実効線量	画壁等の外側における実効線量を，1 mSv/週以下とする． 但し，人が通行する又は停在することがない場所は除く．
3	出入口	人が常時出入する出入口は 1 箇所とし，放射線照射中であることを表示する自動表示装置を設ける．
4	標識	照射装置使用室である旨を示す標識を付す．

図4.9は，ラルスを設置した照射装置使用室の例を示している．黒丸●は，画壁等の外側で実効線量が1 mSv/週以下となることを測定する位置を示している．出入口には，自動表示装置を設け，図4.10のような照射装置使用室である旨を示す標識を付す．

画壁等の防護は1週間当たりの実効線量で行う．照射装置を体内に挿入して治療する場合の線量の測定は，通常の使用状態において画壁等の外側で行う（通知：平成31年医政発0315第4号第3　3）．

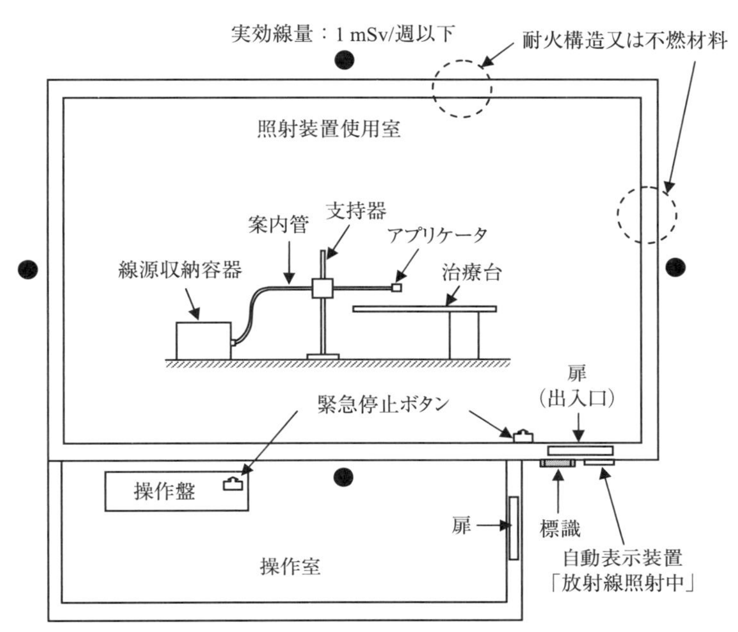

図4.9　照射装置使用室の例
ラルス装置が設置されている．

図4.10　照射装置使用室である旨を示す標識の例

> **豆知識4.2　緊急停止ボタン**
>
> 図4.7の発生装置使用室及び図4.9の照射装置使用室への緊急停止ボタンの設置は法令に規定されていないが，一般的に安全対策として設置されている．緊急停止ボタンは，装置の操作室内の操作盤及び装置使用室内の出入口付近の2箇所に設けられている．
>
> 使用室内の出入口付近の緊急停止ボタンは，放射線診療従事者等が誤って室内に閉じ込められた状態で照射が始まった場合等に，従事者自身で緊急停止ボタンを押して脱出する目的で設置してある．

4.5　診療用放射線照射器具使用室の基準（第30条の7）

照射器具使用室の構造設備の基準として，表4.4のような3項目が規定されている．

図4.11は，^{125}Iシードの永久刺入による前立腺癌放射線治療を行う照射器具使用室の例

を示している．黒丸●は，画壁等の外側の実効線量を測定する位置を示している．出入口には標識を付す．照射器具使用室の標識は，照射装置使用室の標識と同じ図4.10の標識が使用される．両者ともにRIを使用しているため同じ標識を使用することが多い．

表4.4　照射器具使用室の構造設備の基準

No.	項　目	基　準
1	実効線量	画壁等の外側における実効線量を，1 mSv/週以下とする． 但し，人が通行する又は停在することがない場所は除く．
2	出入口	人が常時出入する出入口は1箇所とする．
3	標識	照射器具使用室である旨を示す標識を付す．

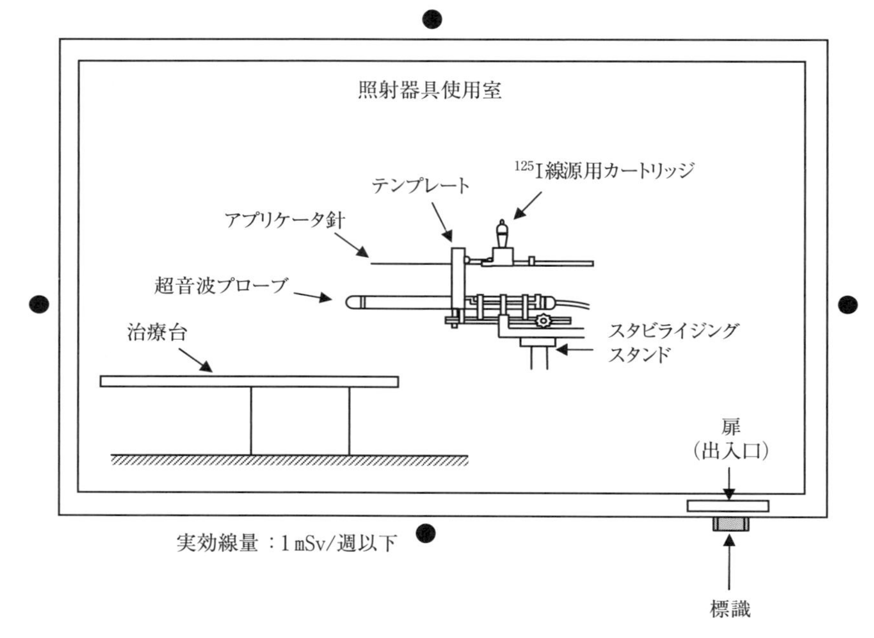

図4.11　照射器具使用室の例
前立腺癌治療用の^{125}Iシードの永久刺入用装置が設置されている．

画壁等の防護は1週間当たりの実効線量で行う．照射器具を体内に挿入して治療する場合の線量の測定は，通常の使用状態において画壁等の外側で行う（通知：平成31年医政発0315第4号第3　4）．

4.6　放射性同位元素装備診療機器使用室の基準（第30条の7の2）

4.6.1　装備機器使用室の基準

装備機器使用室の構造設備の基準として，表4.5のような4項目が規定されている．

表4.5　装備機器使用室の構造設備の基準

No.	項　目	基　準
1	主要構造部等	主要構造部等を耐火構造又は不燃材料を用いた構造とする．
2	鍵等	扉等外部に通ずる部分には，鍵等を設ける．
3	標識	装備機器使用室である旨を示す標識を付す．
4	予防措置	間仕切り，その他適切な放射線障害の防止に関する予防措置を講じる．

図4.12は，装備機器使用室の例を示している．扉には鍵を設け，図4.10又は図4.13のような標識を付す．

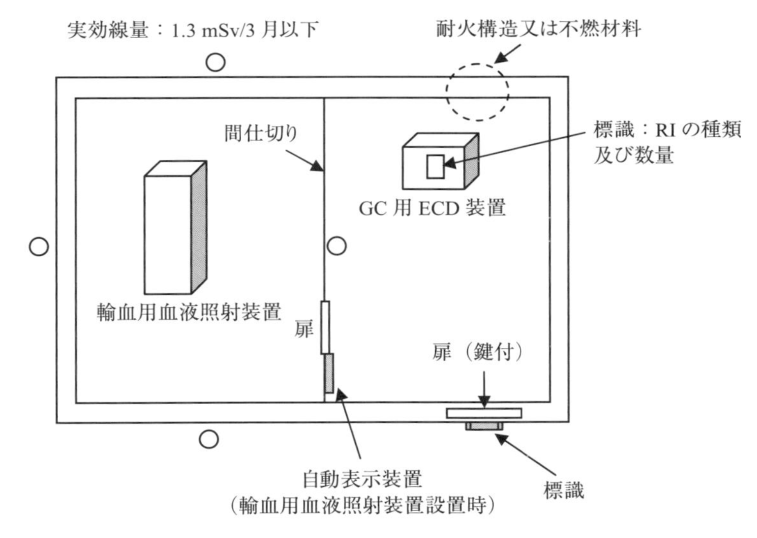

図4.12　装備機器使用室の例
ガスクロマトグラフ用エレクトロン・キャプチャ・ディテクタ（GC用ECD）と輸血用血液照射装置が設置されている．

図4.13　装備機器使用室である旨を示す標識の例

4.6.2　装備機器使用室以外での装備機器の使用（通知：平成31年医政発0315第4号第3　5(1)）

使用の場所の制限（第30条の14（5.2節参照））が定めるように，表4.5の装備機器使用室の基準に適合する室であれば他の目的の室を使用することが認められている．この場合には，当該使用場所を装備機器使用室とみなして届出を行う．

4.6.3　その他適切な放射線障害の防止に関する予防措置（通知：平成31年医政発0315第4号第3　5(2)）

表4.5のNo. 4のその他適切な放射線障害の防止に関する予防措置とは，次の3項目を言う．

1）骨塩定量分析装置については，実効線量が1.3 mSv/3月以下となるような遮蔽物又は間仕切りを設ける等の措置を講ずることによって管理区域を明確にする（豆知識2.5参照）．

2）GC用ECDについては，RIの種類及び数量を示す標識を機器表面に付す（豆知識2.6参照）．

3）輸血用血液照射装置については，実効線量が1.3 mSv/3月以下となるような画壁を設ける等の措置を講ずることによって管理区域の境界を明確にする．この場合には，表4.5の装備機器使用室の構造設備の基準を満たしていれば，当該使用場所を装備機器使用室とみなしてもよい．なお，輸血用血液照射装置を使用する旨の自動表示装置を設けなければならない（RI規制法施行規則）．

4.7　診療用放射性同位元素使用室の基準（第30条の8）

診療用RI使用室の構造設備の基準として，表4.6のような9項目が規定されている．

図4.14は，9項目の基準を備えた診療用RI使用室の例を示している．以下で9項目の中で必要な項目に説明を加える．

(1)　表4.6のNo. 1の主要構造部等

主要構造部等を耐火構造又は不燃材料を用いたものとする理由は，火災時にRIが飛散

表 4.6　診療用 RI 使用室の構造設備の基準

No.	項　目	基　準
1	主要構造部等	主要構造部等を耐火構造又は不燃材料とする．
2	区画	準備室と診療室とを区画する．
3	実効線量	画壁等の外側における実効線量を，1 mSv/週以下とする． 但し，人が通行する又は停在することがない場所は除く．
4	出入口	人が常時出入する出入口は 1 箇所とする．
5	標識	診療用 RI 使用室である旨を示す標識を付す．
6	汚染対策	内部の壁，床その他汚染の恐れのある部分は，突起物，くぼみ及び仕上材の目地等のすきまの少ないものにする．
7	材料	内部の壁，床その他汚染の恐れのある部分の表面は，平滑で，気体や液体が浸透しにくく，腐食しにくい材料を用いる．
8	出入口付近	出入口付近に汚染検査用の測定器や汚染除去用の器材及び洗浄設備，更衣設備を設ける．
9	準備室	①準備室に洗浄設備を設ける． ②洗浄設備は排水設備に連結する． ③フード，グローブボックス等は排気設備に連結する．

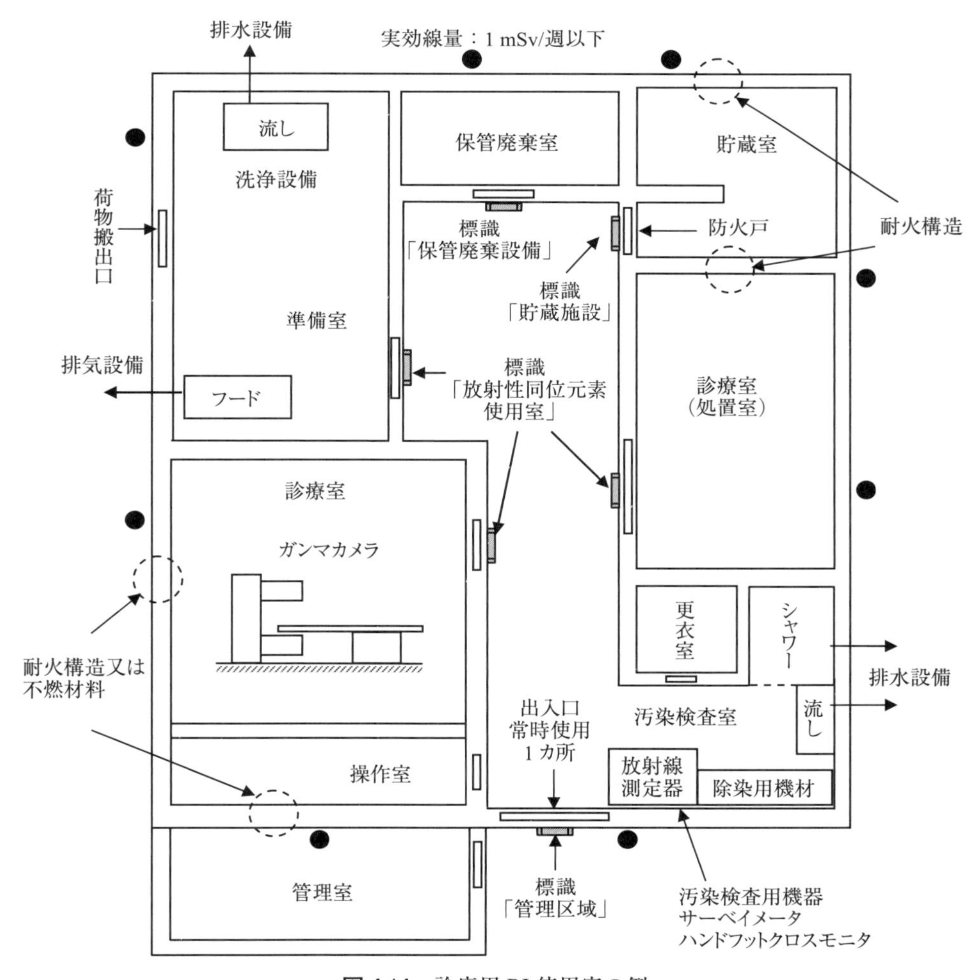

図 4.14　診療用 RI 使用室の例

して近隣を汚染する可能性があることを考慮して，防火上の安全を図るためである（通知：平成31年医政発0315第4号第3　6(1)）．

(2) 表4.6のNo. 2の準備室と診療室との区画（通知：平成31年医政発0315第4号第3　6(2)及び(3)）

規則に従い診療用RIの調剤等を行う室（準備室）と診療を行う室（診療室）を区画する．図4.15は診療室で使用されるガンマカメラの例である．

1）準備室

①準備室は，小分け，分注等の診療用RIによる核医学診療を受ける患者等に診療用RIを投与可能な状態にする行為又は作業が行われる室である．

②準備室と診療室とを隔てる画壁は，準備室の診療用RI又はRIによって汚染された空気，水等による診療室の汚染を防ぐためのものである．

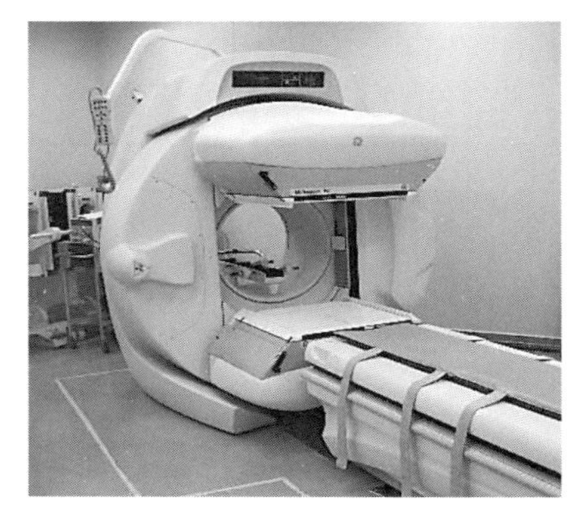

図4.15　ガンマカメラの例（写真提供：熊本大学医学部附属病院）

2）診療室で行われる行為又は作業（通知：平成31年医政発0315第4号第3　6(3)）

①準備室において調製又は調剤された診療用RIを診療用RIによる診療を受ける患者等に投与する行為又は作業．

②患者に投与された診療用RIから放出される放射線を画像化する装置（SPECT装置）による画像撮影を行う行為又は作業．

③その他の診療用RIを用いた診療に付随する一連の行為又は作業．

(3) 表4.6のNo. 3の画壁等の外側における実効線量の測定（通知：平成31年医政発0315第4号第3　6(4)）

1）1週間等の一定期間の積算線量を測定することが望ましいが，困難な場合には診療用RIの使用実態を考慮し，通常使用量による1時間当たりの測定線量率に1週間当たりの時間（40時間）を乗じて算出してもよい．

2）SPECT装置に装備する吸収補正用線源として照射装置又は照射器具を使用する場合には，通常の使用状態における場所に吸収補正用線源を設置した状態で測定する．

⑷　表4.6のNo. 5の標識

診療用RI使用室であることを示すには，図4.10のような標識を使用する．

⑸　表4.6のNo. 6，7の表面の性状や材質

性状や材質の規定は，RIによる汚染の広がりや固着を防ぐために定められている．

⑹　表4.6のNo. 8の出入口付近

出入口付近には，汚染検査に必要な測定器としてハンド・フット・クロスモニタやサーベイメータを備え，汚染除去に必要な器材として洗剤，ブラシ，ペーパータオルを備え，洗浄設備として流し台，シャワー等を備える．また，更衣設備として防護衣と更衣室を備える．

⑺　表4.6のNo. 9の準備室の設備

1）準備室の流し等の洗浄設備を排水設備に連結する．排水設備とは排水管，排液処理槽その他液状の医療用放射性汚染物（医療用RI汚染物）を排水し，又は浄化する一連の設備を指す（4.11節⑴排水設備参照）．

2）準備室にフード，グローブボックス等の装置の設置は義務付けられていないが，設置した場合は排気設備に連結する（通知：平成31年医政発0315第4号第3　6⑹）．

排気設備とは，排風機，排気浄化装置，排気管，排気口等気体状の医療用RI汚染物を排気し，又は浄化する一連の装置を指す（4. 11節⑵排気設備参照）．

⑻　汚染の状況

準備室を含む使用室内の汚染状況を，放射線測定器を用いて適宜確認する（通知：平成31年医政発0315第4号第3　6⑺）．

⑼　SPECT装置の精度管理（通知：平成31年医政発0315第4号第3　6⑻）

SPECT装置を用いた撮影に関して，診療用RIを人体に投与することなく人体を模した模型その他の精度管理に適した模型等に注入し，装置の精度管理を行う場合は以下の点に

留意する.

1）診療用RIの模型への注入は，準備室において行う.

2）注入後の模型及び試験を行う装置は，ポリエチレンろ紙等の診療用RIが容易に浸透しない材質のもので養生する.

3）模型の撮影時は，その旨を示す標識の設置等一般公衆が立ち入らないような措置を行う.

4）試験終了後は，模型を取り扱った場所，SPECT装置等に汚染がないことを確認する.

5）試験を実施する放射線診療従事者等は，グローブの装着等，適切な防護措置及び汚染防止措置を行う.

6）1）から5）の実施状況を記録し保管する.

4.8　陽電子断層撮影診療用放射性同位元素使用室の基準（第30条の8の2）

診療用陽電子RI使用室の構造設備の基準として，表4.7のような10項目が規定されている.

図4.16.1はサイクロトロンを有しない診療用陽電子RI使用室の例であり，図4.16.2はサイクロトロンを有する診療用陽電子RI使用室の例である．図4.16.1及び2は，10項目

表4.7　診療用陽電子RI使用室の構造設備の基準

No.	項　目	基　準	RI使用室との比較
1	主要構造部等	主要構造部等を耐火構造又は不燃材料とする.	同じ
2	区画	陽電子準備室，診療室，患者待機室とに区画する.	独自
3	実効線量	画壁等の外側における実効線量を，1 mSv/週以下とする. 但し，人が通行する又は停在することがない場所は除く.	同じ
4	出入口	人が常時出入する出入口は1箇所とする.	同じ
5	標識	診療用陽電子RI使用室である旨を示す標識を付す.	独自
6	操作する場所	診療用陽電子RI使用室内にPET装置を操作する場所を設けない.	独自
7	汚染対策	内部の壁，床その他汚染の恐れのある部分は，突起物，くぼみ及び仕上材の目地等のすきまの少ないものにする.	同じ
8	材料	内部の壁，床その他汚染の恐れのある部分の表面は，平滑で，気体や液体が浸透しにくく，腐食しにくい材料を用いる.	同じ
9	出入口付近	出入口付近に汚染検査用の測定器や汚染除去用の器材及び洗浄設備，更衣設備を設ける.	同じ
10	準備室	①準備室に洗浄設備を設ける. ②洗浄設備は排水設備に連結する. ③フード，グローブボックス等は排気設備に連結する.	同じ

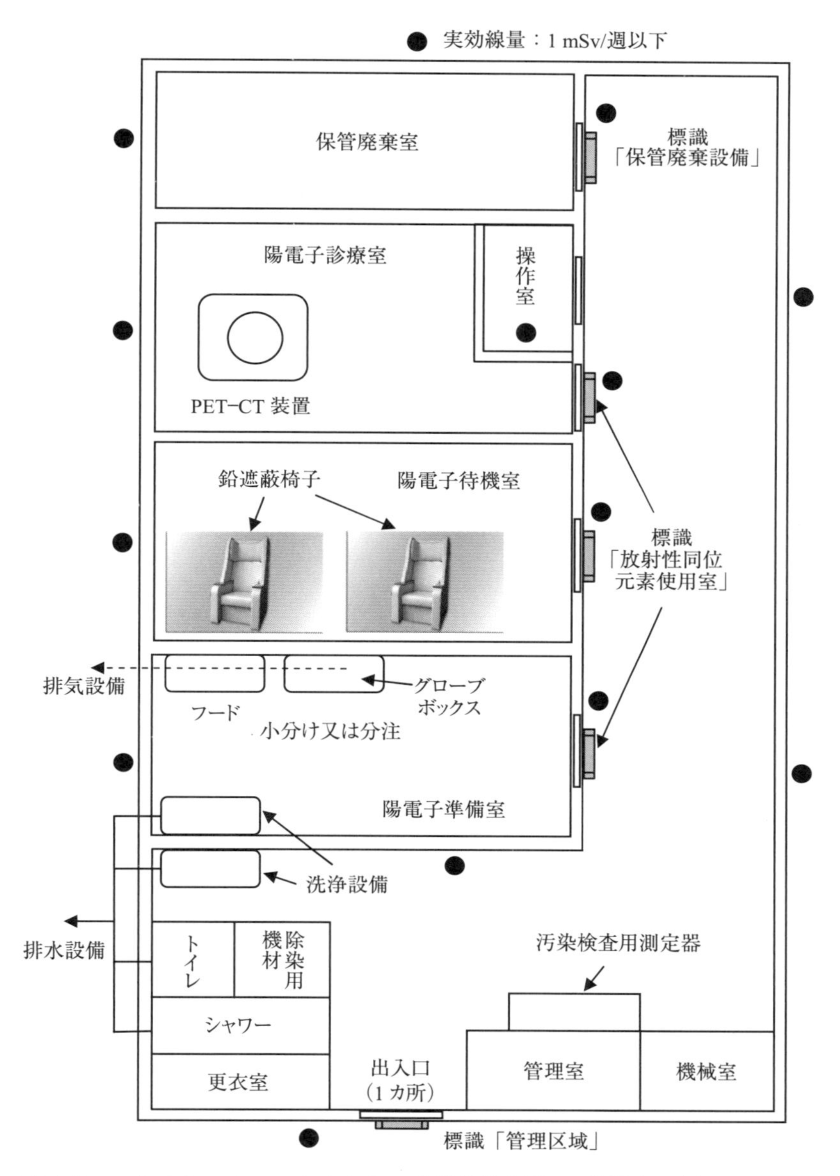

図 4.16.1　サイクロトロンを有しない診療用陽電子 RI 使用室の例（写真提供：千代田テクノル）

の基準を備えた診療用陽電子 RI 使用室の例を示している．診療用陽電子 RI 使用室の構造設備の基準は，基本的には表 4.6 の診療用 RI 使用室の基準と同じであるが，診療用陽電子 RI 使用室独自の項目が 3 項目ある．以下では，この 3 項目に説明を加える．

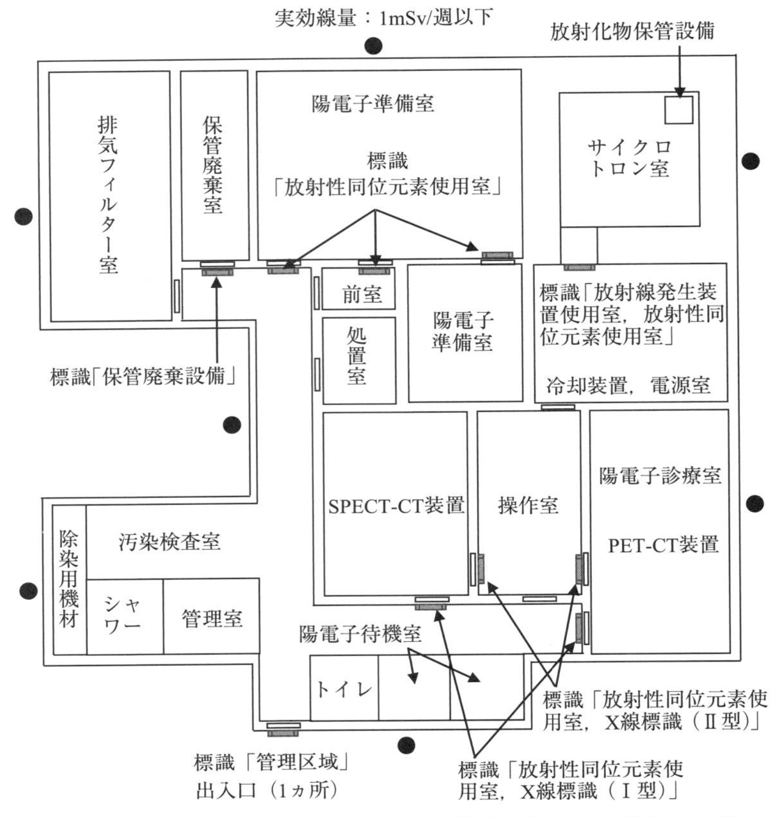

図 4.16.2　サイクロトロンを有する診療用陽電子 RI 使用室の例

(1)　表 4.7 の No. 2 の診療用陽電子 RI 使用室の区画

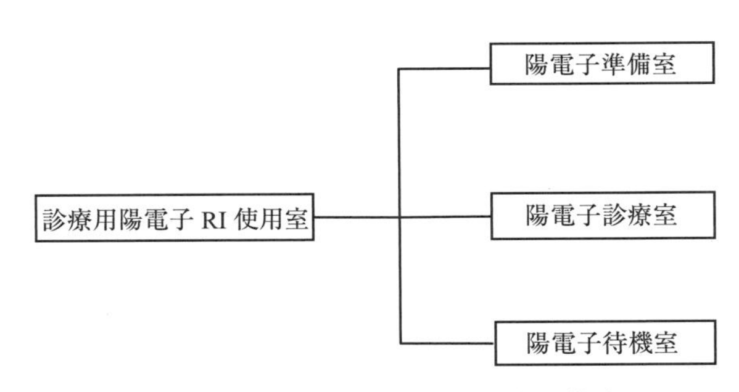

図 4.17　診療用陽電子 RI 使用室の構成

図 4.17 に示すように診療用陽電子 RI 使用室は，診療用陽電子 RI の調剤等を行う室（陽電子準備室），診療用陽電子 RI を用いて診療を行う室（陽電子診療室）及び診療用陽電子 RI 投与患者等の待機室（陽電子待機室）に区画する．

陽電子準備室，陽電子診療室，陽電子待機室の機能は次のように規定されている（通知：平成 31 年医政発 0315 第 4 号第 3　7 (1)～(4)）．

1）病院等の機能に応じて，陽電子準備室，陽電子診療室及び陽電子待機室以外の用途の室を設けることができる．

2）陽電子準備室で行われる行為又は作業

①サイクロトロン装置等で合成された診療用陽電子 RI を小分け又は分注を行う等，診療用陽電子 RI を PET 診療を受ける患者等に投与可能な状態にする行為又は作業．

②医薬品である診療用陽電子 RI を小分け又は分注を行う等，診療用陽電子 RI を PET 診療を受ける患者等に投与可能な状態にする行為又は作業．

③その他①又は②に付随する一連の行為又は作業．

サイクロトロン装置を設置した病院等において，RI の精製及び RI から診療用陽電子 RI の合成が行われる室については，RI 規制法の適用を受ける．そのためこれらの室において①〜③の行為又は作業が行われるとしている場合には，陽電子準備室を別に設置する必要はない．

3）陽電子診療室で行われる行為又は作業

①陽電子準備室で調剤された診療用陽電子 RI を，PET 診療を受ける患者等に投与する行為．

②PET 装置を設置し，画像撮影を行う行為又は作業．

③その他①又は②に付随する一連の行為又は作業．

・病院等の機能に応じて，これらの行為又は作業を複数の室において個々に行うものとしてもよい．

・区分した 1 つの室に複数の PET 装置を設置してはならない．図 4.18 は PET 装置の例である．

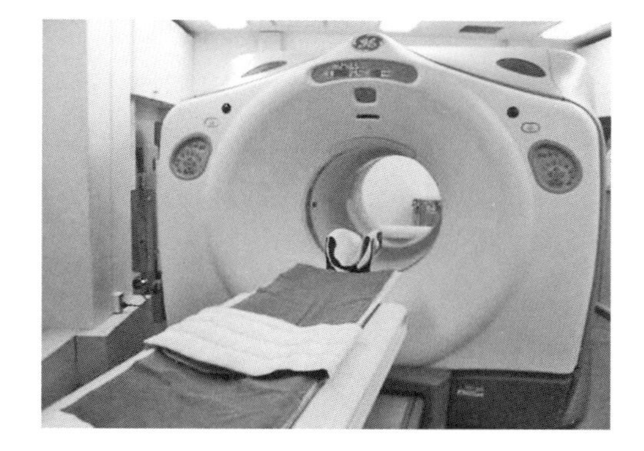

図 4.18　PET 装置の例（写真提供：医療法人総合大雄会病院）

4）陽電子待機室は，以下のような室である．

①陽電子待機室においては，診療用陽電子 RI が投与された患者等について，PET 装置による画像撮影を開始するまでの間，投与された診療用陽電子 RI の種類及び数量に応じて，診療用陽電子 RI が体内に分布するのに十分な時間待機させる．

②陽電子待機室設置の目的は，放射線診療従事者，投与前の他の患者等が，診療用陽電子 RI を投与された直後の患者等と至近距離で接する時間を可能な限り少なくし，被曝を可能な限り少なくするためである．

③陽電子診療患者等の数が極めて少ない病院等においては，陽電子診療室が陽電子待機室と同等の機能を確保できる場合は，待機室を設ける必要はない．

(2) 表4.7のNo. 5の標識

図4.19　診療用陽電子RI使用室の標識添付例（写真提供：医療法人総合大雄会病院）

図4.19は，サイクロトロンでRIを製造し，診療用陽電子RIを生成している施設の例である．サイクロトロン用の「放射線発生装置使用室」と診療用陽電子RI使用室を示す「放射性同位元素使用室」の標識を併用している．

(3) 表4.7のNo. 6のPET装置を操作する場所

操作する場所は，PET装置と画壁等で区画された室でなければならない．これは，診療用陽電子RIが投与された患者等と放射線診療従事者とが，至近距離にて接する時間を可能な限り少なくし，放射線診療従事者の被曝を可能な限り少なくするためである．この場合の操作とは，患者等をPET装置に横たわらせる等を行った後の撮影のことである（通知：平成31年医政発0315第4号第3　7(5)）．

(4) 陽電子RI使用室の構造設備基準及び遵守事項

構造設備の基準及び遵守すべき事項については，4.7節に記載されている診療用RI使用室の構造設備の基準と同様とする．その際は，「診療用RI」を「診療用陽電子RI」に，「SPECT装置」を「PET装置」に読み替える．

(5) PET搭載車の移動使用（通知：平成20年医政発第0710005号）

CT搭載車に準ずる医療装置としてPET搭載車の移動使用が認められている．但し，次のような，患者，放射線業務従事者及び周辺環境の放射線防護と安全対策を十分に考慮した使用計画を使用前検査及び許可を受けるに当たり提出する．

注：この通知で言う「放射線業務従事者」は，「放射線診療従事者」を指すものと解釈される．

①当該病院内からの患者の安全な移動経路の確保．
②被検者の薬剤投与から撮影までの適切な待機場の確保．
③被検者の尿等，排泄物処理に関すること．
④吐瀉物等による汚染が生じたときの防護・除染対策．

4.9 貯蔵施設の基準（第 30 条の 9）

照射装置，照射器具，診療用 RI 又は診療用陽電子 RI を貯蔵する施設を貯蔵施設と言う．貯蔵施設の構造設備の基準として，表 4.8 のような 9 項目が規定されている．図 4.20 は，9 項目の基準を備えた貯蔵室，貯蔵箱，図 4.21 は貯蔵容器の例を示している．以下で No. 5 を除く 8 項目に説明を加える．

表 4.8 貯蔵施設の構造設備の基準

No.	項　目	基　準
1	区画	貯蔵室，貯蔵箱等により，外部と区画する．
2	実効線量	貯蔵施設の外側における実効線量を，1 mSv/週以下とする． 但し，人が通行する又は停在することがない場所は除く．
3	貯蔵室	主要構造部等を耐火構造とし，開口部には特定防火設備に該当する防火戸を設ける． 但し，照射装置又は照射器具を耐火性の貯蔵容器に入れて貯蔵する場合を除く．
4	貯蔵箱等	貯蔵箱等は，耐火構造とする． 但し，照射装置又は照射器具を耐火性の貯蔵容器に入れて貯蔵する場合を除く．
5	出入口	人が常時出入する出入口は 1 箇所とする．
6	閉鎖方法	扉，ふた等外部に通ずる部分には，鍵等を設ける．
7	標識	貯蔵施設である旨を示す標識を付す．
8	貯蔵容器	貯蔵施設には，基準に適合する貯蔵容器を備える． 但し，扉，ふた等を開放した場合に 1 m の距離における実効線量率が，100 μSv/h 以下に遮蔽された貯蔵箱等に照射装置又は照射器具を貯蔵する場合を除く．
9	汚染対策	受皿，吸収材その他の汚染の広がりを防止するための設備又は器具を設ける．

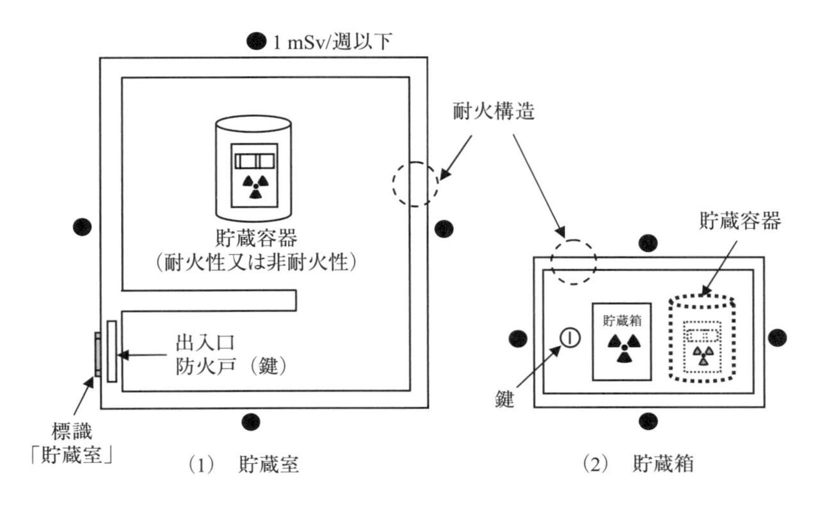

図 4.20 貯蔵室及び貯蔵箱の例
貯蔵室又は貯蔵箱が耐火性であれば，貯蔵容器は耐火性でなくてもよい．

> **豆知識 4.3　小規模施設の工夫**
> 小規模施設で使用量も少なく，かつ貯蔵室を設置するスペースがない場合は，準備室等の一隅に貯蔵箱を設置し，診療用 RI 等を貯蔵することがある．

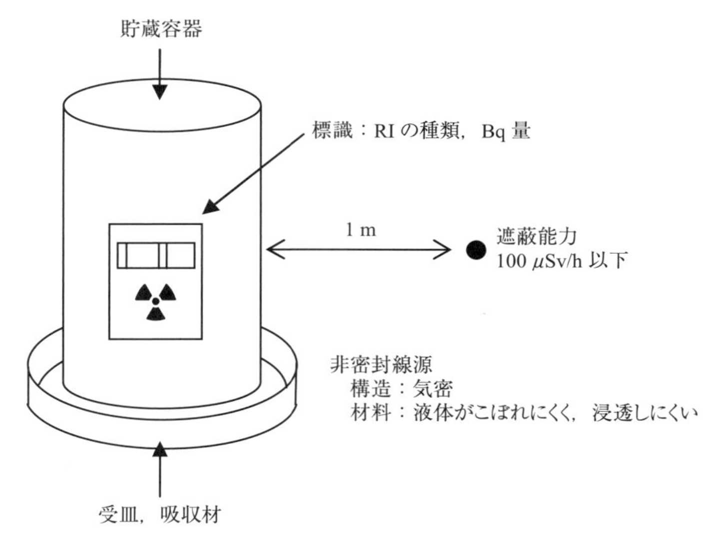

図 4.21　貯蔵容器に要求される性能

(1)　表 4.8 の No. 1 の区画

図 4.20 は，(1)貯蔵室及び(2)貯蔵箱の例である．貯蔵施設としては，貯蔵室又は貯蔵箱のいずれかを設置すればよい．貯蔵室の中に貯蔵箱を置いてもよいが，その義務はない．

(2)　表 4.8 の No. 2 の実効線量

貯蔵施設の防護は，1 週間当たりの実効線量で評価する．線量の測定は，使用状態を考慮して，通常使用する量を用いて貯蔵施設の外側で行う．

(3)　表 4.8 の No. 3，4 の貯蔵室，貯蔵箱等の耐火構造，耐火性，及び特定防火設備

1）耐火構造とは

壁，柱，床その他の建築物の部分の構造のうち，耐火性能（通常の火災が終了するまでの間火災による建築物の倒壊及び延焼を防止するために建築物の部分に必要とされる性能を言う）に関して政令で定める技術的基準に適合する鉄筋コンクリート造，れんが造その他の構造で，国土交通大臣が定めた構造方法を用いるもの又は国土交通大臣の認定を受け

たもの（建築基準法第 2 条第 7 号）.

2）特定防火設備に該当する防火戸とは

建築物の屋内又は周囲で発生する通常火災を 1 時間遮炎する性能を有する戸を指す.

豆知識 4.4　特定防火設備

1. 特定防火設備（建築基準法施行令第 109 条第 1 項，第 112 条第 1 項）

特定防火設備とは，防火戸，ドレンチャー，その他火炎を遮る防火設備であって，通常の火災による火熱が加えられた場合に，加熱開始後 1 時間加熱面以外の面に火炎を出さないものとして，国土交通大臣が定めた構造方法を用いるもの又は国土交通大臣の認定を受けたものを言う.

2. ドレンチャー

ドレンチャーとは，建物の屋根，軒，外壁等に配管し，火災の際に放水して延焼を防止する装置である．建物外周部からの火災の場合に，建物全体を水幕で包む防火装置の一種で，あくまで防火が目的であり，初期火災の消火を目的とするスプリンクラーとは位置づけが異なる（広辞苑　第 7 版）.

3）貯蔵容器の耐火性について

照射装置又は照射器具を耐火性の貯蔵容器に入れて貯蔵する場合は，貯蔵室や貯蔵箱は耐火構造でなくてもよい．貯蔵室及び貯蔵箱，又は貯蔵容器のどちらかが耐火性であることを要求されている.

豆知識 4.5　なぜ耐火性が要求されるのか

貯蔵室，貯蔵箱に耐火性が要求される理由は，火災時でも保管されている貯蔵室，貯蔵箱が熱で破損する，あるいは溶融して，貯蔵してある照射装置，照射器具，診療用 RI が散逸することなく安全に保管するためである．例えば，貯蔵箱の遮蔽性能を高めるために鉛を使用する場合は，火災時に鉛は溶融する恐れがあるので，外側に鉄板を張る等の措置をとったものでなければ耐火性の構造とはみなされない.

(4)　表 4.8 の No. 6 の閉鎖方法

貯蔵室及び貯蔵箱の扉，ふた等外部に通ずる部分には鍵等を設ける（通知：平成 31 年医政発 0315 第 4 号第 3　8 (3)）.

(5)　表 4.8 の No. 7 の標識

貯蔵室には，図 4.22(1)のような標識，貯蔵箱には，図 4.22(2)のような標識を付ける（通知：平成 31 年医政発 0315 第 4 号第 3　8 (3)）.

(1)　貯蔵室

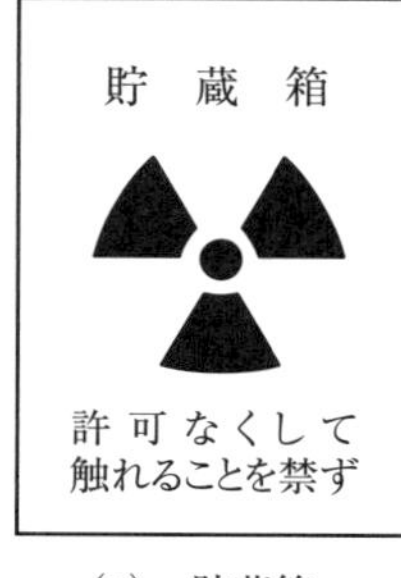

(2)　貯蔵箱

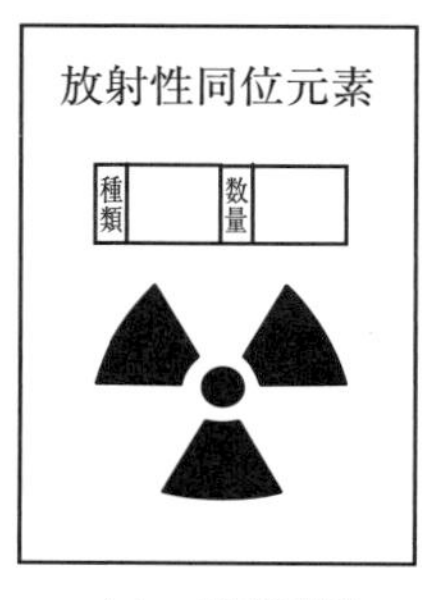

(3)　貯蔵容器
(種類，数量を表示)

図 4.22　貯蔵施設及び貯蔵容器である旨を示す標識の例

(6)　表 4.8 の No. 8 の貯蔵容器

貯蔵容器は，表 4.9 の基準に適合する性能を備えなければならない（通知：平成 31 年医政発 0315 第 4 号第 3　8(4)）．図 4.21 は，これらの基準を満たす貯蔵容器の例を示している．

表 4.9　貯蔵容器の基準

No.	項　目	基　準
1	遮蔽能力	線源を貯蔵時には，1 m の距離における実効線量率を 100 μSv/h 以下に遮蔽できる．
2	構造	容器外の空気を汚染する恐れのある RI を入れる容器は，気密な構造にする．
3	材料	液体状の RI を入れる容器は，こぼれにくい構造で，かつ，浸透しにくい材料を用いる．
4	標識	貯蔵容器である旨を示す標識を付け，かつ，貯蔵する RI の種類及び Bq 量を表示する．

1）表 4.9 の No. 1 の遮蔽能力

貯蔵室，貯蔵箱が貯蔵容器に要求される線量率の基準を満たす場合は，貯蔵容器は，必ずしも 100 μSv/h 以下とする遮蔽能力を満たさなくてもよい．図 4.23 に示すように，貯蔵室，貯蔵箱の扉，ふた等を開放した場合に 1 m の距離における実効線量率が，100 μSv/h 以下に遮蔽された貯蔵箱等に照射装置又は照射器具を貯蔵する場合が，これに相当する．照射装置又は照射器具は密封線源であるので，汚染を考慮する必要はなく，線量率の基準を満たせばよいことを意味する．

実効線量率の測定は，通常貯蔵する量を貯蔵しているときに実施する．

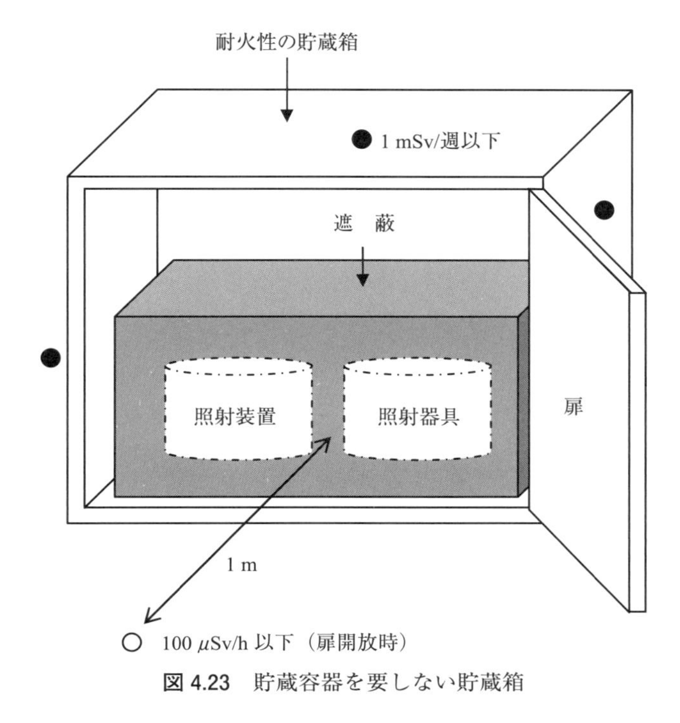

図 4.23　貯蔵容器を要しない貯蔵箱

2）表 4.9 の No. 4 の貯蔵容器の標識

図 4.22(3)のような標識が使用される．標識には，貯蔵する照射装置若しくは照射器具に装備する RI 又は診療用 RI 若しくは診療用陽電子 RI の種類及び Bq 量を表示する．

ここで貯蔵対象とする照射装置又は照射器具は，体内に挿入して治療を行うために用いるもの及び吸収補正用線源として用いるものに限る（通知：平成 31 年医政発 0315 第 4 号第 3　8 (5)）．例えば，体外照射を行うガンマナイフ用の線源を貯蔵してはならない．

(7)　表 4.8 の No. 9 の汚染対策

図 4.21 に示すように，貯蔵容器が破損した場合に備えて受皿，吸収材その他の汚染の広がりを防止するための設備又は器具を備える．

4.10　運搬容器の基準（第 30 条の 10）

照射装置，照射器具，診療用 RI 又は診療用陽電子 RI を運搬する容器（運搬容器）の構造の基準は，前節 4.9(6)の貯蔵容器の基準に準じる．運搬する場合は，診療用 RI，診療用陽電子 RI，体内に挿入して治療を行うために用いる照射装置若しくは照射器具又は吸収補正用線源として用いる照射装置若しくは照射器具を病院等で運搬する場合に適用される（通知：平成31年医政発0315第4号第3　9）．

図4.24は，薬剤製造メーカーから病院へ診療用RIを運搬するA型輸送物の施設外運搬容器の例である．運搬容器表面にはRIの種類とBq量を記載した第1類白標識が付してある．段ボール製の外容器の内部には，溶液線源を密封したガラスあるいはプラスチック容器を封入した遮蔽容器が入れられている．外容器表面から1 mの位置で100 μSv/h以下とする遮蔽能力を有しなければならない（RI規制法施行規則第18条の5第1項第1号；RI等車両運搬規則第6条第1項第1号）．

図4.25は，貯蔵室から陽電子診療室まで診療用陽電子RIを施設内で運搬するために使用されている容器の例である．

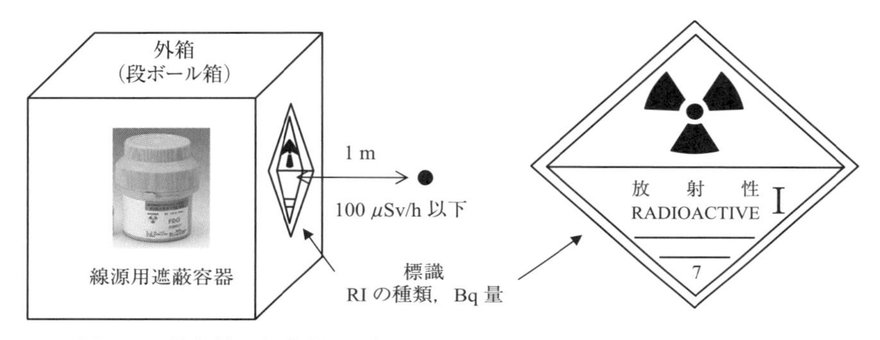

図4.24　施設外運搬容器及び標識の例（写真提供：熊本大学医学部附属病院）

図4.25　診療用陽電子RI用施設内運搬容器の例（写真提供：医療法人総合大雄会病院）

4.11 廃棄施設の基準（第30条の11）

診療用RI，診療用陽電子RI又はRIによって汚染された物を廃棄する施設を廃棄施設と言う．廃棄施設は，図4.26のように排水設備，排気設備，保管廃棄設備，焼却設備の4設備からなる．

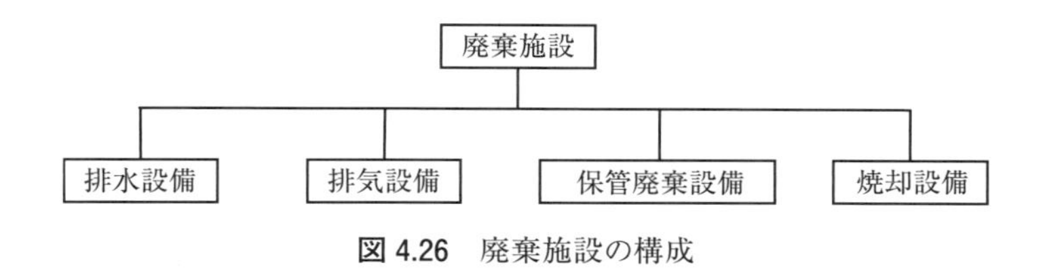

図4.26 廃棄施設の構成

表4.10のようにこれらの4廃棄設備に対する構造設備の基準，及び診療用陽電子RI又はその汚染物の保管廃棄の方法に対する基準が設けられている．

表4.10 基準が設けられている廃棄設備及び保管廃棄方法

No.	構造・設備
1	排水設備
2	排気設備
3	医療用RI汚染物の保管廃棄設備（No. 4に該当するものを除く）
4	診療用陽電子RI又はその汚染物の保管廃棄の方法
5	医療用RI汚染物の焼却設備

これらの4設備，1方法に共通な事項として，実効線量を1 mSv/週以下とすること，測定は通常の使用状態において廃棄施設の外側で行うことが定められている．但し，人が通行する又は停在することがない場所は除く．

◆医療用放射性汚染物の範囲

第30条の11では，第1項の条文の冒頭で医療用放射性汚染物を診療用RI，診療用陽電子RI又はRIによって汚染された物と定義し，更に医療用放射性汚染物を廃棄する施設を廃棄施設と定義している．この定義では，線源である診療用RI，診療用陽電子RI，又はRIを廃棄するための施設は存在しないことになる．このままでは，これらの線源を廃棄できないことになる．しかしながら，現実には，これらの線源も廃棄施設において廃棄されており，問題は生じていない．従って医療用放射性汚染物は，廃棄対象となった線源及び線源によって汚染された物の両方を含むものと解釈される．

一方，第30条の11第1項第6号では，診療用陽電子RI又は診療用陽電子RIによって汚染された物の保管廃棄について規定しており，診療用陽電子RIについては，線源と汚染物を区別して記載してある．つまり保管廃棄するときのみ線源である診療用陽電子RIが廃棄対象とされていることが明記されている．

このように第30条の11の条文の医療用放射性汚染物の定義には整合性が取れないところがあるが，本書では線源である診療用RI，診療用陽電子RI，RI及びこれらの線源によって汚染された物であって廃棄対象とされたものを医療用放射性汚染物（医療用RI汚染物）と言い，医療用RI汚染物のうち診療用陽電子RI及びそれによって汚染された物を陽電子RI等と言うことにする．

(1)　表4.10のNo. 1の排水設備の基準

排水設備とは，排水管，排液処理槽その他液体状の医療用RI汚染物を排水又は浄化する一連の設備のことを言う．液体状の医療用RI汚染物を排水，浄化する場合は，表4.11の基準に適合する排水設備を設ける．図4.27はこれらの基準を満たす排水設備の例である．

条文では，排水設備内の液体状の医療用RI汚染物を排液と称し，排水口から排水設備の外部へ放出された排液を排水と称しており，排液と排水を区別している．

表4.11　排水設備の基準

No.	項　目	基　準
1	排水中濃度	①排水口における排液中のRI濃度を濃度限度以下とする． ②又は排水監視設備を設けて監視し敷地境界のRI濃度を濃度限度以下とする．
2	構造及び材料	排液が漏れにくい構造で，浸透しにくく，かつ，腐食しにくい材料を用いる．
3	排液処理槽	排液を採取することができるか，又は排液中のRI濃度を測定できる構造とし，かつ，排液流出量を調節する装置を設ける．
4	排液処理槽の閉鎖方法	排液処理槽の上部開口部は，ふたのできる構造とするか，又はさく，その他の人がみだりに立ち入らないようにする設備を設ける．
5	標識	排水管及び排液処理槽に排水設備である旨を示す標識を付す．

豆知識4.6　医療用RI汚染物とRI濃度

診療用RIは，医療用RI汚染物になると診療用RIではなくなる．排水中又は排気中の濃度はRI濃度と言い，診療用RI濃度とは言わない．

1）表4.11のNo. 1の濃度限度

①排水口における排液中のRIの濃度を希釈又は減衰待ち（クーリング）によって濃度限度以下とする能力を有しなければならない（濃度限度については，6.2.1節参照）．

②上記①の能力を有しない場合

・排水監視設備を設けて排水中の濃度を監視することにより，病院等の境界（敷地

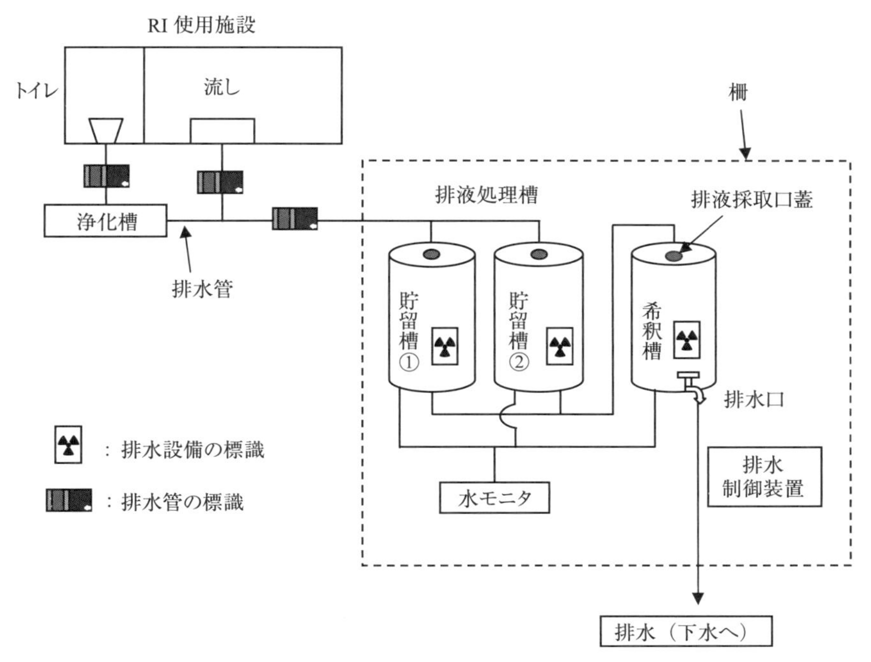

図 4.27　排水設備の例
排水設備＝排水管＋排液処理槽＋排水制御装置＋浄化槽

境界）における濃度を濃度限度以下とする能力を有しなければならない（排水監視設備については，図 6.4 参照）．

・敷地境界に隣接する区域に人がみだりに立ち入らないような措置を講じた場合は，そこを境界とする．

・排水監視設備で測定された濃度を記載し，帳簿を保存する（通知：平成 31 年医政発 0315 第 4 号第 3　10(3)）（帳簿については，5.10 節参照）．

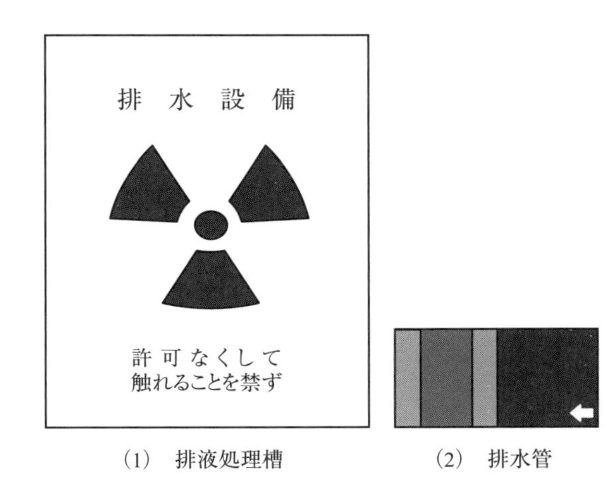

(1)　排液処理槽　　(2)　排水管

図 4.28　排水設備である旨を示す標識の例

③上記①又は②の能力を有する設備を設けることが著しく困難な場合（通知：平成 31 年医政発 0315 第 4 号第 3　10(5)）

・排水設備が病院等の敷地境界の外の実効線量を 1 mSv/年以下とする能力を有すると厚生労働大臣の承認を受けた場合には，①又は②は適用しない．

・但し，承認は厚生労働大臣が個別に行うものであり，病院等の開設許可又は施設設備の使用許可申請に当たり，規定に該当する排水設備がある場合は，あらかじめ厚生労働大臣から当該能力の承認を受けなければならない．

2）表4.11のNo. 5の標識として，図4.28のような標識が用いられている．

3）患者の排泄物及びその洗浄水等（通知：平成31年医政発0315第4号第3　10(2)）

①患者の排泄物及びその洗浄水等は，RIの濃度が濃度限度を超える場合は，排水設備より廃棄する．

②診療用RI又は診療用陽電子RIを投与された患者に伴う固体状の汚染物は，適切な放射線測定器を用いて測定し，放射線管理に関する適切な取扱いを行う．

(2)　表4.10のNo. 2の排気設備の基準

排気設備とは，排風機，排気浄化装置，排気管，排気口等，気体状の医療用RI汚染物を排気又は浄化する一連の設備のことを言う．気体状の医療用RI汚染物を排気，浄化する場合は，表4.12の基準に適合する排気設備を設ける．図4.29はこれらの基準を満たす排気設備の例である．

但し，作業上排気設備を設けることが著しく困難な場合であって，気体状のRIの発生又は空気汚染の恐れがない場合を除く．

表4.12　排気設備の基準

No.	項　目	基　準
1	排気中，空気中濃度	①排気口における排気中のRI濃度を濃度限度以下とする． ②又は排気監視設備を設けて監視し敷地境界外の空気中RI濃度を濃度限度以下とする．
2	空気中濃度	人が常時立ち入る場所の空気中RI濃度を濃度限度以下とする．
3	構造及び材料	気体が漏れにくい構造で，腐食しにくい材料を用いる．
4	故障対策	故障時には，RI汚染物の広がりを急速に防止する装置を設ける．
5	標識	排気浄化装置，排気管及び排気口には排気設備である旨を示す標識を付す．

1）表4.12のNo. 1の濃度限度

①排気浄化装置は，捕集あるいは希釈によって排気口における排気中のRI濃度を濃度限度以下とする能力を有しなければならない（濃度限度については，6.2.1節参照）．図6.4参照．

②上記①の能力を有しない場合は，排気監視設備を設けて排気中の濃度を監視することにより，病院等の敷地境界の外の空気中の濃度を濃度限度以下とする能力を有しなければならない（排気監視設備については，図6.4参照）．

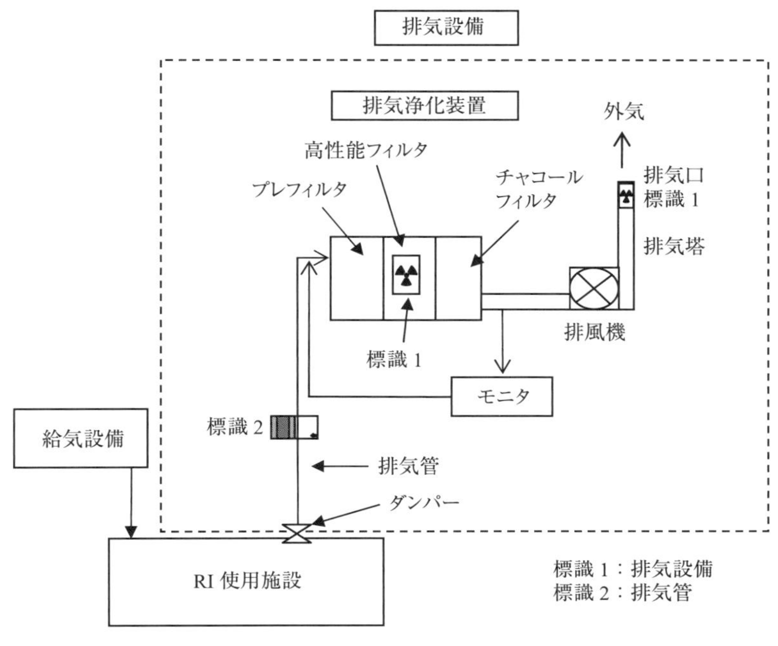

図 4.29　排気設備の例
排気設備＝排風機＋排気浄化装置＋排気管＋排気口

この場合は，排気監視設備で測定された濃度を記載し，帳簿を保存する（通知：平成 31 年医政発 0315 第 4 号第 3　10 (3)）（帳簿については，5.10 節参照）．

③上記①又は②の能力を有する設備を設けることが著しく困難な場合（通知：平成 31 年医政発 0315 第 4 号第 3　10 (5)）

・排気設備が病院等の敷地境界の外の実効線量を 1 mSv/年以下とする能力を有すると厚生労働大臣の承認を受けた場合には，①又は②は適用しない．

・但し，承認は厚生労働大臣が個別に行うものであり，病院等の開設許可又は施設設備の使用許可申請に当たり，規定に該当する排気設備がある場合は，あらかじめ厚生労働大臣から当該能力の承認を受けなければならない．

2）表 4.12 の No. 1 の排気中，空気中濃度限度と No. 2 の空気中濃度限度との関係

No. 1 の濃度は公衆を対象としており，No. 2 の濃度は放射線診療従事者を対象としている．詳細は 6.2.1 節参照．

3）表 4.12 の No. 4 の排気設備の故障対策として設ける，RI によって汚染された物の広がりを急速に防止する装置をダンパーと言う．ダンパーは，通常 RI 使用施設内の複数箇所に設けられている．

4）表 4.12 の No. 5 の排気設備の標識として，図 4.30 のような標識が用いられている．

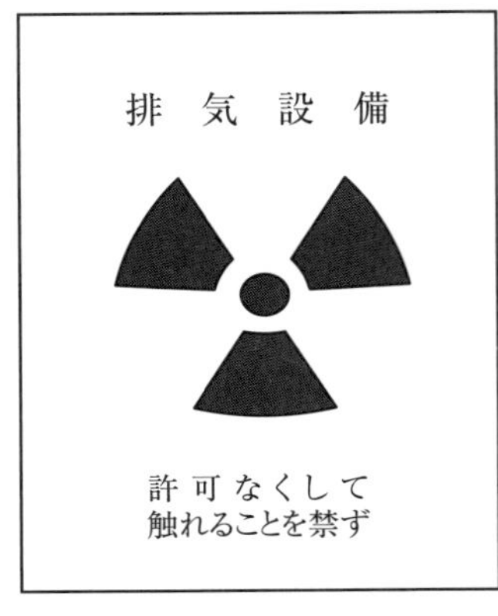

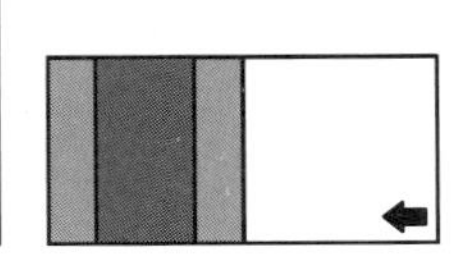

(1)　排気口及び排気浄化装置　　(2)　排気管

図 4.30　排気設備である旨を示す標識の例

豆知識 4.7　排気浄化装置の構成

排気浄化装置は，プレフィルタ，高性能フィルタ，チャコールフィルタから構成されていることが多い．プレフィルタは空気中の比較的大きい埃や粒子をとり除き，高性能フィルタは細かい粒子を捕集し，チャコールフィルタは放射性ヨウ素を捕集するために用いる．

プレフィルタ，高性能フィルタは必須であるが，チャコールフィルタはヨウ素濃度が法定濃度を超える恐れのある場合に設置する．

豆知識 4.8　排水監視設備と排気監視設備

排水監視設備は，敷地境界において排水中の RI 濃度を監視し，濃度限度以下となっていることを実測により担保するために敷地境界に設置される．

排液中の RI 濃度を測定するために水モニタが用いられることが多い．この場合，排水監視設備と水モニタは測定対象，つまり設置場所が異なる．水モニタを排水監視設備として使用することは可能である．

しかしながら，排水中の RI の濃度が濃度限度以下であることを，排水監視設備を用いて実測で担保することは，検出器の検出限界を考慮すると技術的に極めて困難であるか，不可能である．筆者らの知る限り排水監視設備を設置している施設はない．排水設備の排水口で濃度限度以下とならない場合は，申請しても施設の使用が許可されないことが理由ではないかと推測される．

排気監視設備設置の目的も現状も排水監視設備と同様である．

(3)　表 4.10 の No. 3 の保管廃棄設備の基準

医療用 RI 汚染物を保管廃棄する場合は，表 4.13 の No. 1〜4 の基準に適合する保管廃棄設備を設ける．図 4.31 は，これらの基準を満たす保管廃棄室の例である．

1）表 4.13 の No. 3 の保管廃棄容器

①保管廃棄容器は，容器外の空気を汚染する恐れのある医療用 RI 汚染物を入れる場合は気密な構造とし，液体状の医療用 RI 汚染物を入れる場合は，こぼれにくい構

表 4.13　保管廃棄設備の基準

No.	項　目	基　準
1	区画	外部と区画された構造とする.
2	閉鎖方法	扉，ふた等外部に通ずる部分には，鍵その他閉鎖のための設備又は器具を設ける.
3	保管廃棄容器	①耐火性の保管廃棄容器を備える. ②容器表面に保管廃棄容器である旨を示す標識を付す.
4	標識	保管廃棄設備である旨を示す標識を付す.

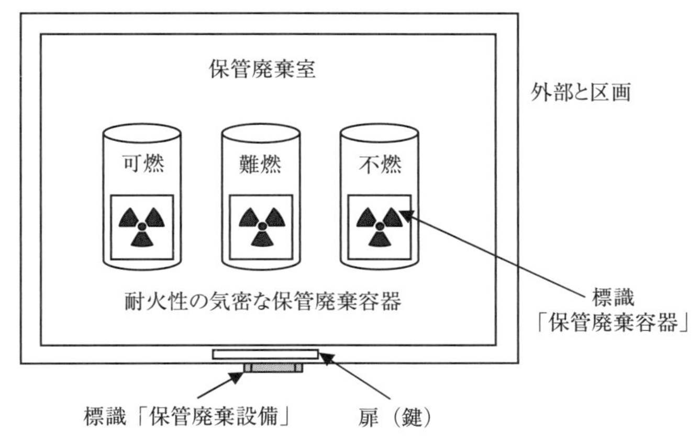

図 4.31　保管廃棄室に保管廃棄容器を置いた場合の例

造で，かつ，浸透しにくい材料を用いる.

②容器表面に保管廃棄容器であることを示す図 4.32(3)のような標識を付ける.

2）表 4.13 の No. 4 の保管廃棄設備の標識

図 4.32(1)，(2)のような保管廃棄設備の標識が用いられている.

(1)　保管廃棄設備

(2)　管理区域（廃棄施設）

(3)　保管廃棄容器

図 4.32　廃棄設備である旨を示す標識の例

⑷　表 4.10 の No. 4 の診療用陽電子 RI 又はその汚染物の保管廃棄の基準

表 4.14 は，陽電子 RI 等（診療用陽電子 RI 又は診療用陽電子 RI によって汚染された物）の保管廃棄についての規定を保管廃棄の対象，方法，期間，場所について整理したものである．

陽電子 RI 等は，所定の保管期間経過後は陽電子 RI 等ではないものとして管理区域から持ち出すことができる．すなわち，医療用廃棄物として処理できる．

表 4.14　陽電子 RI 等の保管廃棄の基準

No.	項　目	基　準
1	対象	1 日最大使用数量が表 4.15 の数量以下の核種.
2	保管方法	陽電子 RI 等以外の物が混入，付着しないように封及び表示をする.
3	保管期間	診療用陽電子 RI の原子数が確実に 1 を下回る期間（7 日間）を超える期間.
4	保管場所	管理区域内.

1）表 4.14 の No. 1 の種類と数量について（通知：平成 31 年医政発 0315 第 4 号第 3　10 (4)）

表 4.15 に示す厚生労働大臣の定める種類ごとにその 1 日最大使用数量が厚生労働大臣の定める数量以下である陽電子 RI 等は，RI 規制法施行規則に定める陽電子 RI の廃棄の基準と同様であるとして，以下の取扱いが認められている．

①診療用陽電子 RI の種類及び数量並びに診療用陽電子 RI の原子数が 1 を下回ることが確実な期間（告示：平成 16 年第 306 号第 1 条）陽電子 RI 等のみを管理区域内の廃棄施設内で保管管理する場合は，技術的基準は適用されないが，廃棄施設の構造設備の基準は適用される．

②①により保管管理する陽電子 RI 等は，他の物の混入を防止し，又は付着しないように封及び表示をし，告示第 306 号第 2 条に規定する 7 日を超えて廃棄施設内で保管すれば，陽電子 RI 等とせず，管理区域から持ち出すことが可能になる．

2）保管廃棄方法の届出について（通知：平成 31 年医政発 0315 第 4 号第 3　10 (6)）

・診療用陽電子 RI の保管廃棄を行う病院等において，陽電子 RI 等を 7 日間保管した後に陽電子 RI 等ではない物とする場合には，診療用陽電子 RI の使用の届出をする際に，保管廃棄する旨も届け出る．また，保管廃棄の方法を変更する場合にも届け出る．

・病院等に設置したサイクロトロン装置等により作成した診療用陽電子 RI についての届出の際には，廃棄方法を記載した RI 規制法上の申請書及び許可証の写しが必要である．

3）厚生労働大臣の定める診療用陽電子 RI の種類及び数量並びに原子数について（告

示：平成 16 年第 306 号）

①厚生労働大臣の定める診療用陽電子 RI の種類及び数量は表 4.15 の通りである（第 1 条）.

②上記の診療用陽電子 RI の原子数が 1 を下回ることが確実な期間は，保管廃棄容器に封をした日から起算して 7 日間である（第 2 条）.

表 4.15　厚生労働大臣が定める核種と 1 日最大使用数量

種類	数量（TBq）
^{11}C	1
^{13}N	1
^{15}O	1
^{18}F	5

(5)　表 4.10 の No. 5 の医療用 RI 汚染物の焼却設備の基準

本項は，医療用 RI 汚染物を焼却する場合の設備の基準を規定している．

病院等における診療用 RI 又は医療用 RI 汚染物の焼却対象物は ^{3}H，^{14}C，^{32}P，^{35}S 及び ^{45}Ca を含む有機廃液で十分な可燃性があり，装置に適した流動性を持つものに限られている（通知：平成 8 年健政発第 263 号）.

これらの核種を含む有機廃液とは，液体シンチレーションカウンタ測定用試料廃液（液シン廃液）である．すなわち，本項は液シン廃液のみを対象としている．しかしながら，実際には，^{3}H，^{14}C，^{32}P，^{35}S 及び ^{45}Ca を使用し，かつ液シン廃液焼却炉を所有している病院等はほとんどないものと推定されるので，焼却設備の構造設備は省略する．

豆知識 4.9　液シン廃液と焼却の実態

^{3}H，^{14}C，^{32}P，^{35}S 及び ^{45}Ca は，主に研究・教育機関で生物学，薬学等の分野においてトレーサとして使用されており，その測定手段として液体シンチレーションカウンタが用いられる．測定後の液シン廃液は専用の焼却炉で焼却されている．かつては，液シン廃液の譲渡，譲受は禁止されていたので，大学，研究機関，企業等の事業所が個別に焼却炉を所持して，液シン廃液を焼却していた．最近は日本アイソトープ協会が有料で引き取るので，個別に焼却する事業所は減少している．

法令では有機廃液の焼却処理が認められているが，実際には焼却炉を設置している病院等はほとんどない．

4.12　放射線治療病室の基準（第 30 条の 12）

照射装置，照射器具，診療用 RI，又は診療用陽電子 RI により治療を受けている患者を入院させる病室を放射線治療病室と言う．

◆ RI 患者と放射線治療病室の関係（通知：平成 31 年医政発 0315 第 4 号第 3　11 (1)）

1)「治療を受けている」とは，照射装置若しくは照射器具の体内への挿入又は診療用 RI 若しくは診療用陽電子 RI の投与により治療を受けている患者（RI 患者）であって，RI

患者以外の患者の被曝線量が 1.3 mSv/ 3 月を超える恐れがある場合を言う.

2）放射線治療病室は，RI 患者を入院させる室であり，外来診療のみの患者を治療する室には，放射線治療病室の基準は適用しない.

3）照射装置及び照射器具を使用する場合は，RI 規制法の適用を受ける.

放射線治療病室の構造設備の基準には，表 4.16 のように 3 項目が定められている．図 4.33 は，これらの基準を満たす放射線治療病室の例である.

表 4.16　放射線治療病室の構造設備の基準

No.	項　目	基　準
1	実効線量	画壁等の外側における実効線量が 1 mSv/週以下となるように遮蔽物を設ける. 但し，人が通行する又は停在することがない場所，又は放射線治療病室相互の画壁等は除く.
2	標識	放射線治療病室である旨を示す標識を付す.
3	汚染，紛失対策	内部の壁，床等の仕上げ材質，汚染対策は診療用 RI 使用室に同じ. 但し，照射装置及び照射器具で治療中の患者のみを入院させる場合は，汚染対策は不要.

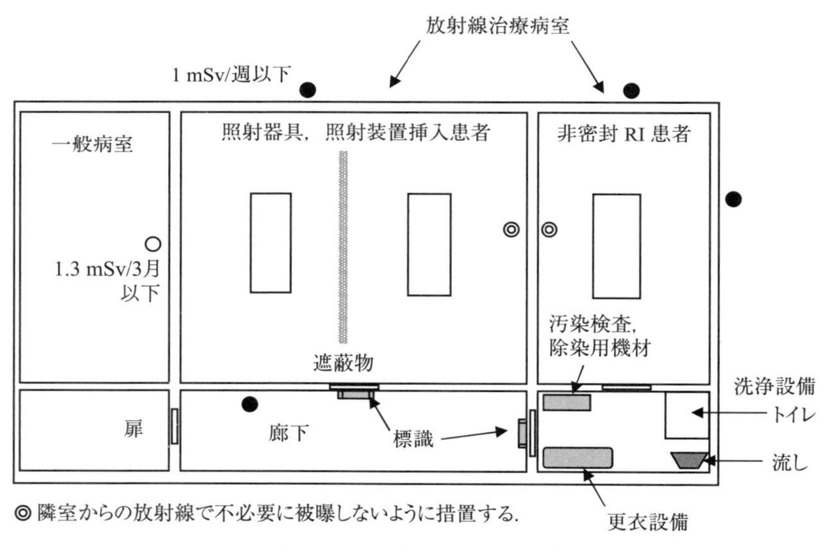

図 4.33　放射線治療病室の例

豆知識 4.10　放射線治療病室の区画

図 4.33 中の廊下は，1 mSv/週以下となっているので，管理区域としなければならない．一般的には廊下に扉を設けて廊下も含めて放射線治療病室の区域を管理区域として一般病室の区域とを区画する.

∵豆知識 4.11　RI 患者が RI 患者ではなくなるとき
他の患者の被曝線量が 1.3 mSv/3 月を超える恐れがない患者は，治療を受けていても放射線治療病室に入院させる必要はない．更に詳しく 5.4 参照．

(1)　表 4.16 の No. 1 の実効線量の測定と防護措置（通知：平成 31 年医政発 0315 第 4 号第 3　11 (2)）

1) 使用実態を考慮し，通常の診療に用いる放射能の量において，患者数及び病床から画壁までの距離を考慮して，画壁等の外側における実効線量を測定する．

画壁の外側の線量率は，患者数，各患者の体内 RI 量，画壁までの距離によって変わる．本項は，最も線量率が高くなると思われる場所で実効線量を測定しなければならないことを意味している．

2) 放射線治療病室相互の画壁は，図 4.33 の 2 重丸◎で示す位置で 1 mSv/週以下とする遮蔽能力を必要とされていないが，隣室の患者が不必要に被曝することがないように措置する．

3) 1 病室に 2 人以上を入院させる病室では，各患者間に適切な遮蔽物を設けるか，又は適当な距離をとる等により，患者が不必要に被曝することがないように措置する．

(2)　表 4.16 の No. 2 の標識

放射線治療病室には，図 4.34 のような標識を付ける．図 4.10 のような「放射性同位元素使用室」の文字が入った標識が用いられる場合もある．

図 4.34　放射線治療病室の標識の例

(3)　表 4.16 の No. 3 の汚染及び線源紛失対策

1) 診療用 RI 又は診療用陽電子 RI を投与された RI 患者を入院させる病室（通知：平成 31 年医政発 0315 第 4 号第 3　11 (3)）

①汚染及び線源紛失対策は，診療用 RI 使用室と同様である（4.7 節 (5)，(6) 及び表 4.6 参照）．

②①の対策は，診療用 RI 又は診療用陽電子 RI により治療を受けている RI 患者の嘔吐物，排泄物等による RI 汚染の除去を容易にするためである．

2) 照射装置又は照射器具で治療中の RI 患者のみを入院させる病室（通知：平成 31 年医政発 0315 第 4 号第 3　11 (4)）

①照射装置又は照射器具のみを使用する場合は汚染する恐れがないので，汚染検査や汚染除去に必要な器材及び設備を設ける必要はない.
②体内に挿入して使用される照射装置又は照射器具の放置等の発見を容易にするため，内部の壁，床等は表4.16のNo. 3の基準が適用される.

4.13　標　　識

(1)　標識を付す場所

規則では，表4.17に示すようにNo. 1～17の場所に標識，No. 18には標示を付すことを定めている．但し，本書は医療用RI汚染物の焼却施設及び廃棄物詰替施設についての記述は省略しているので，これらの施設に関係する標識は除いてある．No. 1～17の標識を付す対象は場所であるが，No. 18のRI患者は標示を付す対象は人間である.

表4.17　標識又は標示を付す対象

No.	対　象	No.	対　象
1	X線診療室	10	貯蔵容器
2	発生装置使用室	11	運搬容器
3	粒子線照射装置使用室	12	排水設備：排水管，排液処理槽
4	照射装置使用室	13	排気設備：排気浄化装置，排気管，排気口
5	照射器具使用室	14	保管廃棄設備
6	装備機器使用室	15	保管廃棄容器
7	診療用RI使用室	16	放射線治療病室
8	診療用陽電子RI使用室	17	管理区域
9	貯蔵施設	18	RI患者

(2)　標識のデザイン

1）医療法施行規則では標識のデザインを指定していない

X線診療室の標識について，X線診療室の構造設備を規定している第30条の4の条文には，「X線診療室である旨を示す標識を付すること.」と記載されている．規則は，標識の大きさ，形，色，文字，その他のデザインについては指定していない．すなわち，X線診療室であることがわかるような標識を使用すれば事足りる．病院等の管理者が，手書きの標識を作成して使用することも可能であることを意味している.

表4.17のNo. 1～17の，標識に関する条文は，全てX線診療室と同様に「……である

旨を示す標識……」となっており，デザインは指定されていない．

No. 18 の RI 患者については，第 30 条の 20 第 2 項において「RI 患者には適当な標示を付すること．」と記載されている．この場合も，標示のデザインは指定されていない．

2）RI 規制法等における標識のデザイン

RI 規制法では，施行規則の別表において，標識に記入する文字，大きさ，標識を付ける箇所を指定している．運搬に関する標識は，事業所内は原子力規制委員会告示第 1 号（令和元年），事業所外は原子力規制委員会告示第 13 号（令和 2 年）に定められている．

別表第 1 では，例えば，RI に対して，JIS 規格の放射能標識の上部に「放射性同位元素使用室」の文字を記入すること，放射能標識は半径 10 cm 以上とすること，RI を使用する室の出入口又はその付近に標識を付けることとしている．他の標識に対しても同様に文字，大きさ，箇所が定められている．これらの RI 規制法で定められた標識は，市販されている．

JIS 規格では，標識の基本形，図記号，文字，色，その他を規定しているが，診療用 RI 使用室等の標識を個別に規定しているわけではない．

労働安全衛生法では，電離放射線障害防止規則において，管理区域その他を標識で明示することを定めているが，デザイン等については規定していない．一方，医薬・機器法では，厚生労働省告示第 491 号（平成 17 年）において運搬に関する標識のみ様式を定めている．

3）実際に使用されている標識

病院等において実際に使用されている標識のうち，X 線診療室の標識は JIS 規格の標識が使用されている（図 4.4 及び図 4.5 参照）．

表 4.17 の No. 2〜17 の標識は，市販されている RI 規制法に適合する標識が使用されることが多い．

照射装置使用室，照射器具使用室，診療用 RI 使用室，診療用陽電子 RI 使用室等には，RI 規制法の「放射性同位元素使用室」の標識が使用されることが多い．これらの室では，密封又は非密封の RI が使用されるので，「放射性同位元素使用室」であることには，間違いない．

豆知識 4.12　ピッタリではないが，旨は理解できる

診療用陽電子 RI 使用室には，「陽電子断層撮影診療用放射性同位元素使用室」である旨を示す標識を付さなければならない．実際には，RI 規制法の「放射性同位元素使用室」の標識を付してあり，別途「PET 室」等の表示が付されていることもある．「陽電子断層撮影診療用放射性同位元素使用室」と明示してはないが，「放射性同位元素使用室」の標識であっても誤りではないし，「PET 室」の表示と合わせて，ピッタリではないが，「陽電子断層撮影診療用放射性同位元素使用室」を示そうとする旨は理解できる．このように，医療法施行規則の条文の趣旨に沿って，市販されている RI 規制法での標識を準用することが慣習化している．他の標識についても事情は同じである．

4.14　線量等の算定方法（通知：平成 31 年医政発 0315 第 4 号第 6）

X 線診療室等が構造設備の基準を満たしていることを示すために，放射線測定器を用いる実測による評価と，計算による線量の評価とが認められている．線量等の算定方法について，通知 0315 第 4 号では次の 6 項目について具体的な線量算定方法等を詳細に記載している．なお，本書では，線量算定方法については，省略する．

①放射線の線量等の評価方法について

②放射線取扱施設等及び管理区域の境界における線量等の算定

③病院等の境界等における線量の算定

④排水・排気等に係る RI の濃度の算定

⑤自然放射線による被曝線量の除外

⑥X 線診療室等の構造設備に係る遮蔽算定に関する参考事項

第5章

管理者の義務

本章は，医療法施行規則第4章第4節に対応している．本章では，病院等の管理者に課されている，放射線障害を防止するために措置しなければならない注意事項の掲示から事故時の措置に至るまでについて学ぶ．

5.1 注意事項の掲示（第30条の13）

管理者は，表5.1の放射線取扱施設の目に付きやすい場所に放射線障害の防止に必要な注意事項を掲示する．

表5.1 放射線取扱施設

1	X線診療室	7	診療用RI使用室
2	発生装置使用室	8	診療用陽電子RI使用室
3	粒子線照射装置使用室	9	貯蔵施設
4	照射装置使用室	10	廃棄施設
5	照射器具使用室	11	放射線治療病室
6	装備機器使用室		

図5.1は，X線診療室に掲示する注意事項の例である．患者及び介助者と放射線診療従事者とでは，注意事項が異なることがわかる．

患者及び介助者に対しては，不用意な行動による不慮の被曝を防止し，医療被曝の直接的な利益を受けない介助者及び胎児の安全管理について注意喚起を行う．注意事項は，患者待合室や更衣室等に掲示する．放射線診療従事者に対する注意事項は，自己，患者，介助者及び公衆の不要な被曝を防止するために，操作室から使用室に入室する扉等の目につきやすい場所に掲示する．RIを経口摂取する恐れがある場所では内部被曝を防止するため，飲食及び喫煙を禁止する項目を追記する．

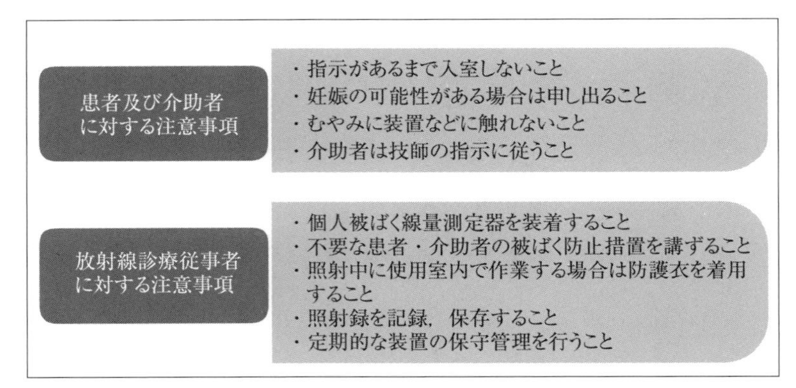

図 5.1　X 線診療室の注意事項の例

5.2　使用の場所等の制限（第 30 条の 14）

新しい診断技術の開発や治療技術の高精度化に伴い，医療機器は日々進歩している．医療法施行規則は，このような放射線医療の進化や在宅医療の拡充等の社会的なニーズに合わせて改正が行われ，使用場所の制限も条件付きで緩和されてきている．

5.2.1　放射線業務と使用の場所等の関係

表 5.2 は，放射線業務と使用の場所等の関係を示している．第 2 欄に記載されている，No. 1 の X 線装置の使用から No. 11 の医療用 RI 汚染物の廃棄に至る 11 放射線業務は，原則として対応する第 3 欄の決められた使用室，施設にて行うか，または容器を用いて行う（使用の場所等）．但し，No. 1，2，4，5，6，7 の X 線装置，発生装置，照射装置，照射器具，装備機器，診療用 RI の使用の 6 業務については，適切な防護措置を講じた場合を条件として，第 4 欄の特別な理由又は一時的使用に相当する場合のみ，例外的に当該使用室以外で使用できる．No. 3 の粒子線照射装置の使用と No. 8〜11 の診療用陽電子 RI の使用，線源の貯蔵，線源の運搬，廃棄の 5 業務については，例外は認められていない．

使用室における特別な理由及び一時的に使用可能な場合については，通知：平成 31 年医政発 0315 第 4 号第 4　1 に示されている．使用の場所等の制限に関連して，この通知では放射線診療室における一般的な管理義務に対しては注意点を 4 点挙げており，X 線診療室における複数の X 線装置の使用に対しては留意点を 4 点挙げている．更に，表 5.2 の例外的に特別な理由により使用可能な場合又は一時的に使用する場合の具体例を挙げている．装備機器の使用の場所の例外については簡単に説明している．

表 5.2　放射線業務と使用の場所等の関係

No.	業　務	使用の場所等	使用の場所等の例外
1	X線装置の使用	X線診療室	特別な理由で ①移動して使用する場合 ②発生装置使用室，粒子線照射装置使用室，照射装置使用室，照射器具使用室，診療用RI使用室，診療用陽電子RI使用室で使用する場合 ＊適切な防護措置を講じた場合に限る．
2	発生装置の使用	発生装置使用室	特別な理由で，移動して手術室で使用する場合 ＊適切な防護措置を講じた場合に限る．
3	粒子線照射装置の使用	粒子線照射装置使用室	例外なし
4	照射装置の使用	照射装置使用室	特別な理由で，X線診療室，診療用RI使用室，診療用陽電子RI使用室で使用する場合 ＊適切な防護措置を講じた場合に限る．
5	照射器具の使用	照射器具使用室	①特別な理由で，X線診療室，照射装置使用室，診療用RI使用室，診療用陽電子RI使用室で使用する場合 ②手術室で一時的に使用する場合 ③移動困難な患者に対して放射線治療病室で使用する場合 ④集中強化治療室又は心疾患強化治療室において一時的に使用する場合 ＊適切な防護措置を講じた場合に限る．
6	装備機器の使用	装備機器使用室	装備機器使用室と同等の構造設備の基準（第30条の7の2）に適合している室
7	診療用RIの使用	診療用RI使用室	①手術室で一時的に使用する場合 ②移動困難な患者に対して放射線治療病室で使用する場合 ③集中強化治療室又は心疾患強化治療室において一時的に使用する場合 ④特別な理由で，診療用陽電子RI使用室において一時的に使用する場合 ＊適切な防護措置及び汚染防止措置を講じた場合に限る．
8	診療用陽電子RIの使用	診療用陽電子RI使用室	例外なし
9	照射装置および照射器具，診療用RI，診療用陽電子RIの貯蔵	貯蔵施設	例外なし
10	照射装置，照射器具，診療用RI，診療用陽電子RIの運搬	運搬容器	例外なし
11	医療用RI汚染物の廃棄	廃棄施設	例外なし

5.2.2 放射線診療室における一般的な管理義務（通知：平成31年医政発0315第4号第4 1 (1)）

X線装置，発生装置，粒子線照射装置，照射装置，照射器具，診療用RI，診療用陽電子RI（放射線源）は，それぞれX線診療室，発生装置使用室，粒子線照射装置使用室，照射装置使用室，照射器具使用室，診療用RI使用室，診療用陽電子RI使用室（放射線診療室）において使用する.

放射線診療室は 7 室であり，この中には装備機器使用室が含まれていない．表 5.3 は，放射線診療室における一般的な管理義務に関して定められている事項の原則と例外を示している.

表 5.3　放射線診療室使用時の原則と例外

No.	事　項	原　則	例　外
1	放射線源の使用	各放射線源の使用室で使用する.	13 例の例外あり
2	複数患者の診療	放射線診療室で同時に 2 人以上の患者の診療禁止	2 例の例外あり
3	放射線診療室に設置できる機器	放射線診療室での放射線診療と無関係な診療及び機器等の保管の禁止	3 例の例外あり
4	歯科診療	X 線診療室内に X 線装置を操作する場所を設けない.	1 例の例外あり

⑴　表 5.3 の No. 1 の放射線源の使用の場所の例外

放射線源は，原則として各使用室で使用しなければならない．但し，表 5.2 の第 4 欄に示すように例外が，X 線装置の使用：2 例，発生装置の使用：1 例，照射装置の使用：1 例，照射器具の使用：4 例，装備機器の使用：1 例，診療用 RI の使用：4 例，計 13 例認められている．これらの例外では，定められた使用の場所以外でも例外的に使用できる.

5.2.3～5.2.9 節において，これらの例外の特別な理由及びその際に必要とされる防護措置について述べる.

⑵　表 5.3 の No. 2 の複数患者の診療

1 つの放射線診療室に複数の装置等を備えていても同時に 2 人以上の患者の診療を行ってはならない．但し，次の 2 例は例外的に認められている.

1）診療用 RI を投与された患者を診療する場合.

2）照射装置及び照射器具を診療用 RI 使用室又は診療用陽電子 RI 使用室で使用する場合．詳細は，5.2.6.2 節及び 5.2.7.1 節参照.

⑶　表 5.3 の No. 3 の放射線診療室に設置できる機器

1）放射線診療室において認められていない機器等の設置等

①放射線診療室において，放射線診療と無関係な機器を設置し，放射線診療に関係のない診療を行うこと.

②当該放射線診療室の診療と無関係な放射線源を操作する場所を設けること.

③放射線診療室を一般の機器又は物品の保管場所として使用すること.

2）例外として設置できる機器等

①放射線診療に必要な患者監視装置，超音波診断装置又はその他の医療工学機器等を放射線診療室に備える場合（豆知識 5.1 参照）.

②発生装置使用室に RI 規制法の許可を受けた放射化物保管設備又は放射化物のみを保管廃棄する保管廃棄設備を備える場合．3）参照.

但し，発生装置使用室の放射線障害防止に関する構造設備及び予防措置の概要，その他の事項を記載し，あらかじめ届け出る.

③診療用陽電子 RI 使用室に PET-MRI 装置を備える場合．4）参照.

豆知識 5.1　放射線診療室に設置可能な ME 機器の例

画像診断に ME 機器が用いられる例として，CT，MRI，RI による心臓検査において心電図モニタを使用した心電同期による画像収集がある．収集期間の動画像を 2 D や 3 D 画像として観察できる.

血管撮影室における検査・治療は侵襲度が高いため，術中の患者の心電図，血圧，動脈血酸素飽和度等の生体情報を把握するために患者監視装置（ベッドサイドモニタ）が用いられる．ME 機器はモニタ以外にも，画像診断用の超音波装置，容体急変時の治療機器として除細動器，呼吸管理として人工呼吸器等が必要に応じて放射線診療室内に用意される.

血管内超音波装置は造影撮影では得られない血管の内部構造を観察できるので，造影剤が使用できない患者の血管内治療の術前・術後の診断に使用される．超音波画像撮影時に，超音波プローブが観察箇所に到達していることを透視して確認する必要があるため，この装置は放射線診療室内で使用される．一般的に，使用頻度の高い ME 機器は放射線診療室内に常備されている.

3）発生装置使用室に設置できる放射化物保管設備又は保管廃棄設備

発生装置（リニアック装置）の使用後に生じる放射化物の保管は，放射線診療室以外の保管設備で保管することが望ましいが，図 5.2 に示すように，発生装置使用室に RI 規制法の許可を得た放射化物保管設備又は放射化物のみを保管廃棄する保管廃棄設備を備えることができる．放射化物については 3.2.1 節(2)参照.

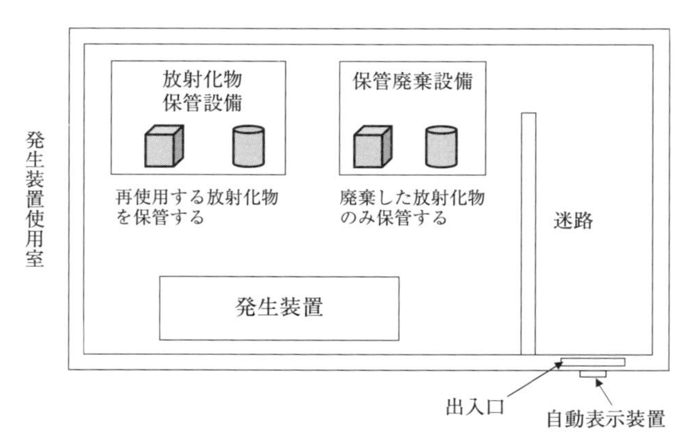

図 5.2　発生装置使用室に設置した放射化物保管設備および保管廃棄設備の例

☢豆知識 5.2　リニアック装置使用室での放射化物保管について（放射線治療装置における放射化物の管理に関する学会標準，平成 26 年 4 月）

RI 規制法により，6 MeV を超えるリニアックのターゲット周辺部品を修理交換あるいは更新する場合は，放射化物として保管あるいは廃棄しなければならない．機器更新のように計画的に日本アイソトープ協会による廃棄が可能な場合は医療機関で放射化物を保管する必要はないが，交換部品を再利用する場合はこれらを保管するための保管設備，突発的な故障により修理交換する場合は廃棄物を日本アイソトープ協会へ引き渡すまでの間保管するための保管廃棄設備が必要となる．一般的な医療機関において，新たにこれらの設備を設けることは極めて難しいため，リニアック室内に設備を設けることが認められた．10 MeV を超えるリニアックの廃棄はガントリーヘッドのシールドも規制対象となり，容量，重量，廃棄費用は増加する．

4）診療用陽電子 RI 使用室における磁気共鳴画像診断（MRI）装置の使用

診療用陽電子 RI 使用室で使用することができる MRI 装置は，陽電子 RI 撮影（PET）装置と MRI 装置が一体となった装置（陽電子–MRI 複合装置：PET–MRI 装置）に限る．図 5.3 は PET–MRI 装置の例である．

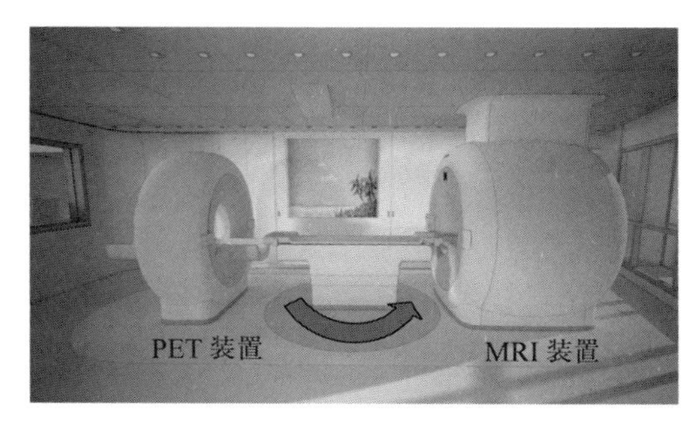

図 5.3　PET–MRI 装置の例（写真提供：PHILIPS 社）

次の 2 つの場合に限り診療用陽電子 RI 使用室で PET–MRI 装置を用いることが認められている．但し，この場合であっても，診療用陽電子 RI 使用室内に PET–MRI 装置を操作する場所を設けてはならない．

①PET 画像と MRI 画像を重ね合わせるために PET–MRI 装置で MRI 撮影する場合．

②MRI 単独撮影する場合．PET 画像を得ることを目的とせず，MRI 画像のみを得るために，PET–MRI 装置を用いて撮影を行う場合を MRI 単独撮影と言う．

◆防護措置

(A)核医学診療に関する安全管理の責任者である医師又は歯科医師が，診療用陽電子 RI 使用室における安全管理の責任者となること．又，研修を受けた専門知識と経験を有する診療放射線技師が診療用陽電子 RI 使用室の安全管理を行うこと．

(B)MRI 単独撮影を受ける患者等が，診療用陽電子 RI による不必要な被曝を受けることのないよう，適切な放射線防護の体制を確立すること．

(C)安全確保および放射線防護については関係学会等の作成するガイドラインを参考に行う（FDG PET–MRI 診療ガイドライン 2019 Ver. 1.0 日本医学放射線学会，日本核医学会，日本磁気共鳴医学会）．

(4)　表5.3のNo. 4の歯科診療

1台のチェアで一時に2人以上の診療を行わない構造の室の場合は，X線診療室と診察室を兼ねても差し支えない（詳細は4.2.1節(2)参照）.

5.2.3　X線診療室における複数のX線装置の使用（通知：平成31年医政発0315第4号第4　1(2)）

◆防護措置

(A)同一X線診療室に2台以上のX線装置を備えた場合は，装置ごとに設置後10日以内に届け出る．届出時には，「構造設備及び予防措置の概要」に使用の条件を具体的に記載し，構造設備，障害の防止措置の基準を満たすことを示す.

(B)複数の装置から患者に同時に照射してはならない.

(C)同時照射を防ぐ装置を設ける（3.1.1節(2)参照）.

(D)可動壁がある場合の留意点

可動壁で隔てられたX線診療室にそれぞれX線装置を設置し，必要に応じて可動壁を開放し1つの装置を他方の室に移動させて2台以上のX線装置を使用する場合においても，(A)から(C)を満たすことが前提となり，以下についても留意すること．図5.4及び5.5は独立した2室として使用する場合と可動壁を開放して1室として使用する場合とを示している（豆知識5.3参照）.

1）可動壁で隔てられたX線装置を設置した2つのX線診療室はそれぞれ独立した室として，規則第30条の4の規定に基づく構造設備の基準を満たす必要がある.

2）X線装置の使用中は可動壁を開放できない構造とする.

3）それぞれのX線診療室にいずれのX線装置の操作場所も設けてはならない.

豆知識5.3　可動壁を有するX線診療室と血管撮影室

救急医療施設に搬送される患者には高エネルギー外傷などにより体内の血管を損傷している人も多く，直ちに止血処置を施さないと生命に危険が及ぶことがある．一般的に搬送された患者は処置ベッド上で初期診療が行われ，次の診断としてCTによる全身検索が行われる．そして止血のため血管を閉塞させる手術を行うために血管撮影室あるいは手術室に搬送される．一刻を争う外傷患者にとって搬送およびベッド移乗は大きなリスクを伴う．そのため移動型CT装置と血管撮影装置を同室に設置し，初期診療から撮影台上で行うHybrid Emergency Room（ER）が開発され，搬送や移乗がなくなり救命率の向上に寄与している．しかしながら，5.2.2節(2)のように一室で複数の患者の診療は認められていない．このHybrid ERシステムの移動型CT装置を単独で使用するために専用の検査台と可動壁を設けたシステムがDual Room Hybrid ERである（図5.4，5.5）.

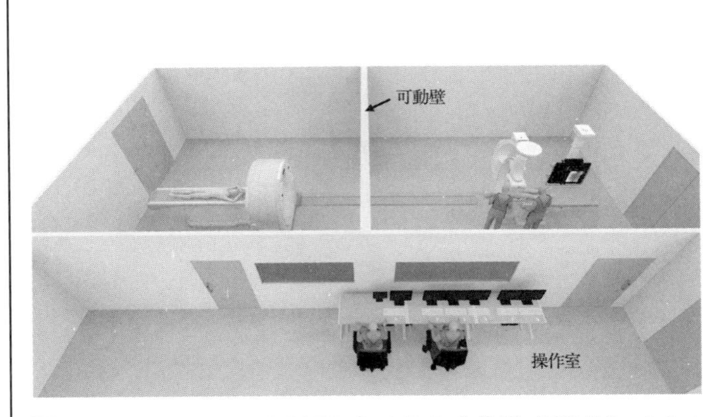

図 5.4　Dual Room Hybrid ER システム全体図（画像提供：キヤノンメディカルシステムズ）
操作室はX線診療室の外に設置され，CTのガントリ部が移動しても操作室は移動しない．

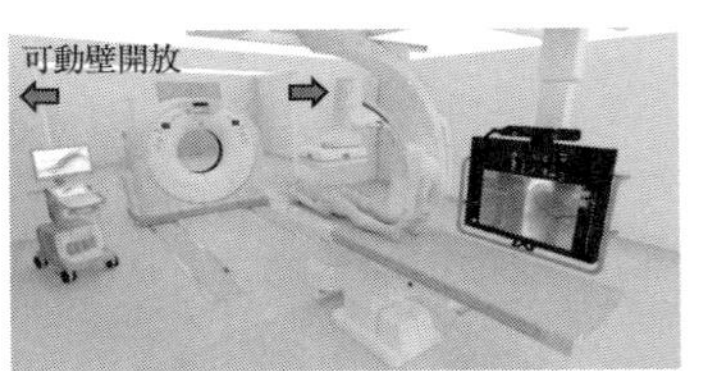

(1) 可動壁を開放し移動型CT装置を移動

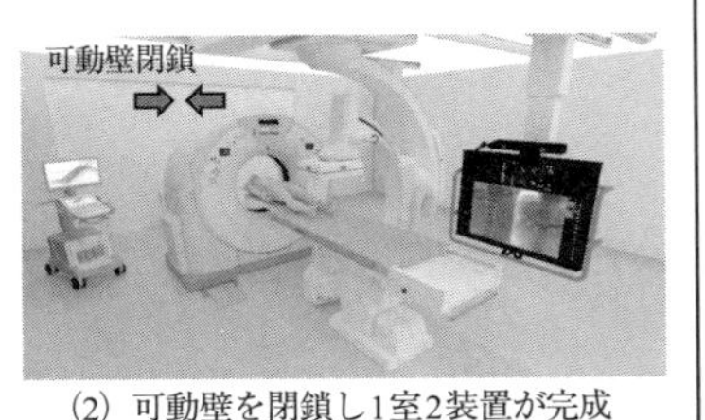

(2) 可動壁を閉鎖し1室2装置が完成

図 5.5　可動壁の使用例（画像提供：キヤノンメディカルシステムズ）

5.2.4　X線装置のX線診療室以外の場所における使用

5.2.4.1　X線装置の移動使用（通知：平成31年医政発0315第4号第4　1(3)）

(1)　表5.2のNo. 1①の特別な理由でX線装置の移動使用が認められる場合

移動使用が認められるのは，次の3つの場合である．

1）移動困難な患者に対して，移動型X線装置，携帯型X線装置を移動して使用する場合．但し，移動型透視用X線装置，携帯型透視用X線装置，移動型CT装置は除く．

2）口内法撮影用X線装置を臨時に移動使用する場合．

3）手術中の病変部位の位置確認や手術直後に結果の確認等を行うため，手術中又は手術直後にX線診療室ではない手術室に移動型透視用X線装置，携帯型透視用X線装置又は移動型CT装置を移動使用する場合．

図5.6は，手術室内に置かれた移動型透視用X線装置の写真である．移動型CT装置は，室内に敷設されたレール上をガントリ部が自走する装置である．豆知識5.3参照．

注：CT装置搭載車移動式医療装置は，移動型CT装置とみなされていない（通知：平成10年医薬安第69号）．CT装置搭載車については，4.2.2節参照．

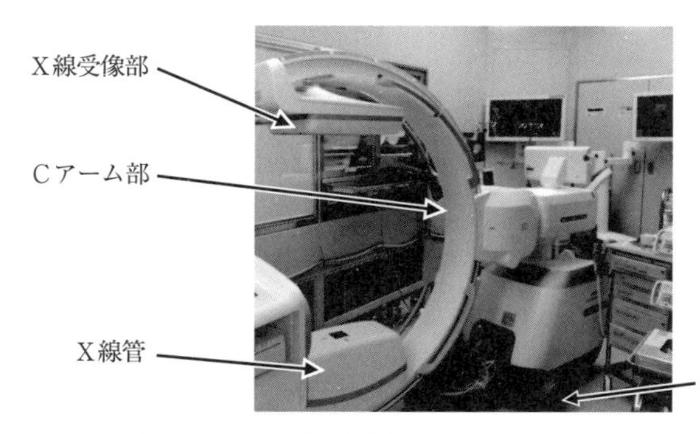

図 5.6　手術室内の移動型透視用 X 線装置の例（写真提供：日赤愛知医療センター名古屋第二病院）

豆知識 5.4　C アームを用いる術中 CT 画像

図 5.6 のように移動型透視用 X 線装置を手術室へ移動させ，透視装置の C アームを回転させて断層像や 3D 画像を構築することができる．図の装置は 16 cm × 16 cm × 16 cm の範囲を一辺 0. 3 mm のボクセルデータで取得し，術中ナビゲーションシステムと組み合わせて手技を補助している．ナビゲーションシステムは術中の透視の機会を少なくすることができ，患者や術者の被爆低減に寄与している．

◆防護措置

(A)一時的な管理区域

上記(1) 3）の場合は必ず，1）及び 2）の場合は必要に応じて規則第 30 条の 16 に定める一時的な管理区域の設定および記録を行う．

(B)装置の管理

1）装置は鍵のかかる等の適切な場所に保管する．

2）装置のキースイッチ等は適切に管理する．

(C)上記(1) 3）における移動型 CT 装置の操作

1）移動型 CT 装置の操作は，図 5.7(1)のように原則として室外から行う．

2）撮影時には患者以外の者（当該装置を操作する者のみならず，麻酔，手術，介助を行う者等を含む）は室外に退出する．

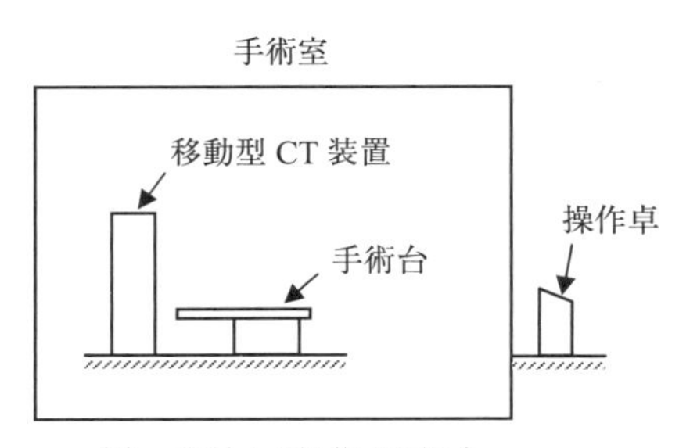

（1）　室外から操作する場合

手術室

防護衝立

操作卓

（2）　室内で操作する場合

図 5.7　移動型 CT 装置を使用する場合の操作位置

3）診療上やむを得ず室外に退出できない場合にあっては，図5.7(2)のように，防護衝立の使用，必要に応じて防護衣の着用等により，放射線診療従事者等の被曝線量の低減に努める．

豆知識 5.5　ポータブルX線装置を用いた病室での撮影時の散乱線から受ける隣の患者及び術者の被曝線量の推定

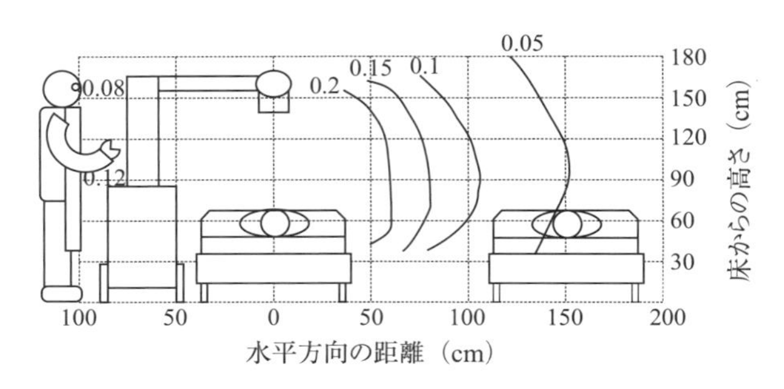

図 5.8　ポータブルX線装置の線束中心における散乱線分布（μSv）（撮影条件：80 kV, 1 mAs（インバータ式，グリッド無），電離箱式サーベイメータ：FLUKE 451P

図5.8は，移動型（ポータブル）X線装置を用いて病室で胸部X線写真を一枚撮影した時の線束中心における散乱線分布の実測例を示している．撮影患者から1.5 m離れた隣の患者の位置における1 cm線量当量0.05 μSvは，放射線診療を受けていない入院患者の被曝線量の限度1.3 mSv/3月の26,000分の1に相当する．撮影時に，静養が必要な隣の患者を退室させる必要はないことがわかる．

ただし，公衆が立ち入る病室で撮影を行う場合は，一時的に高線量率の場を発生させるため管理区域の設定や，撮影中の表示は必要である．

ここに示した線量分布は一例であり，線量分布はグリッドの有無や照射野の大きさ等の撮影条件によって変化するので，実際に使用する条件下で装置ごとに線量分布をあらかじめ調べておく必要がある．また，X線管周囲の線量が高いので，X線装置の操作者は自身の防護に注意を払う．

豆知識 5.6　移動型CT装置の現状

国内ではレール上を移動するCT装置のみ医薬・機器法で許可されているが，海外ではICUなどで移動が困難な患者に対して頭部専用のモバイルタイプのCT装置が稼働している国もある．

(2)　移動型透視用X線装置，携帯型透視用X線装置及び移動型CT装置の放射線診療室における使用

移動型透視用X線装置，携帯型透視用X線装置及び移動型CT装置を放射線診療室において使用する場合は，据置型透視用X線装置又は据置型CT装置と同様の扱いとする．これら3装置を放射線診療室で使用する場合には，X線診療室で使用する場合と，X線診療室を除く放射線診療室で使用する場合とがある．前者の例として，CT装置を備えたX線診療室で移動型透視用X線装置をCTアンギオグラフィのために使用する場合がある．

X 線診療室で使用する場合の防護措置は 5.2.3 節に，X 線診療室を除く放射線診療室で使用する場合の防護措置は 5.2.4.2 節参照.

豆知識 5.7 CT アンギオグラフィの現状

CT アンギオグラフィは，当初血管撮影検査あるいは IVR において透視下で経動脈的にカテーテルを用いて造影 CT を行っていた．しかしながら，近年の CT 装置やインジェクター装置をはじめとする造影技術の進歩によって経静脈的撮影で鮮明な血管描出や腫瘍の鑑別診断が可能となったため，診断目的のみで侵襲度の高い経動脈的 CT アンギオグラフィを行うことは少ない.

最近ではフラットパネルディテクターを搭載した血管撮影装置の普及により，血管の 3D 画像あるいはコーンビーム CT 画像を取得できるようになっている．さらに手術室内に血管撮影装置を設置し，手術台上で術中に血管撮影を行うハイブリッド手術室も一般的になりつつある.

このように，現在では CT 検査室へ移動型透視用 X 線装置を運び込んで CT アンギオグラフィを実施する機会は少なくなっている.

豆知識 5.8 管理はきめ細やかに

図 5.9 は，移動型透視用 X 線装置の保管例を示している．盗難防止や放射線安全管理の観点から，使用時以外は移動型透視用 X 線装置からキーを外して操作者が保管する．装置は，決められた保管室の決められた位置に保管し，室には施錠する．また，移動型透視用 X 線装置は構造上 X 線管が前面にあるため，保管中や移動時に壁や他の器材と衝突し，X 線管容器，遮蔽容器やコリメータ部が破損することがある．X 線管容器等が破損すると多額の修繕費を要するばかりでなく，遮蔽容器が破損した場合は漏洩線量の増大による被曝の問題も生じる．衝突させないように注意して取り扱う．図 5.6 参照.

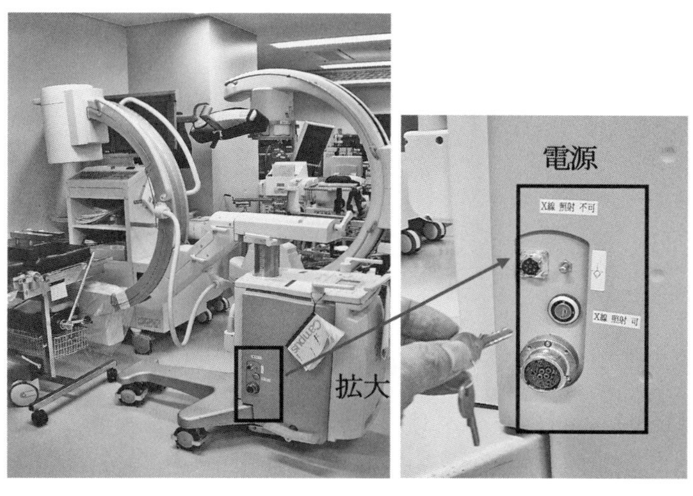

図 5.9 移動型透視用 X 線装置の保管例．電源キーは外して保管する（写真提供：日赤愛知医療センター名古屋第二病院）

(3)　在宅医療及び災害時の救護所等において X 線撮影を行う場合

在宅医療で X 線撮影を行う場合は，更に詳しく 5.1「在宅医療における X 線撮影装置の安全な使用に関する指針」に従う（通知：平成 10 年医薬安第 69 号）.

災害時の救護所等において X 線撮影を行う場合は，更に詳しく 5.2「災害時の救護所等における X 線撮影装置の安全な使用に関する指針」に従う（通知：平成 21 年医政指発第 0107003 号）.

☒更に詳しく 5.1　在宅医療における X 線撮影装置の安全な使用に関する指針（通知：平成 10 年医薬安第 69 号）

高齢化社会の進行，在宅医療の普及に伴い，患者の居宅における X 線撮影の必要性が高まっているので，特別の理由により，X 線装置を移動して患者の居宅において使用が可能とされた．本指針には，在宅医療における X 線撮影の基準がまとめられている．

1. X 線撮影の適用

(1)　患者：医師（歯科医師を含む．以下同じ）が必要と認めた患者．
　　但し，画質，安全面上は X 線診療室で撮影する方が，望ましい．

(2)　撮影の部位：医師が必要と認めた部位．

(3)　撮影方法：X 線撮影のみとする．透視は行わない．

2. X 線撮影時の防護

(1)　X 線撮影に関する説明

X 線撮影を行う時には，患者，家族，及び介助者に対して，状況に応じて以下の内容をわかりやすく説明する．

1）X 線撮影の必要性．

2）放射線防護と安全に充分配慮されていること．

3）安全確保のために，医師又は診療放射線技師の指示に従うこと．

(2)　X 線撮影時の防護

1）医療従事者の防護

①X 線撮影装置を直接操作する医師，診療放射線技師は放射線診療従事者として登録し，個人被曝線量計を着用する．図 5.10 は，不均等被曝を想定して防護衣着用時に個人被曝線量計を着用した状態を示している．

②医療従事者が撮影時に頻繁に患者の身体を支える場合は放射線診療従事者として登録し，個人被曝線量計を着用する．

③操作者は，図 5.10 のように 0.25 mmPb 当量以上の防護衣を着用する．その他防護に配慮する．

④操作者は，介助する医療従事者が撮影時に患者の身体を支える場合には 0.25 mmPb 当量以上の防護衣・防護手袋を着用させる．

⑤X 線撮影に係わらない医療従事者は，図 5.11 のように，X 線管容器及び患者から 2 m 以上離れて，撮影終了まで待機する．2 m 以上離れることができない

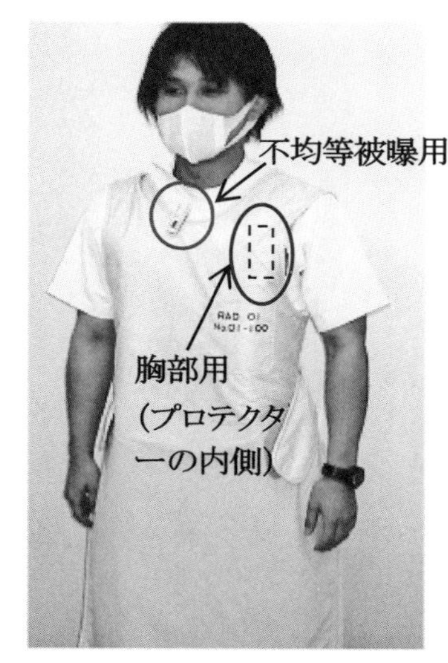

図 5.10　防護衣着用時の個人被曝線量計着用状況
（写真提供：日赤愛知医療センター名古屋第二病院）

場合は，0.25 mmPb 当量以上の防護衣等で防護する．

2）家族・介助者及び公衆の防護

①患者の家族，介助者，訪問者（家族等）

・家族等は，図5.11のように，X線管容器及び患者から2m以上離れて，撮影終了まで待機させる．

・家族のうち子供，妊婦は，2m以上離れた位置へ移動させるように，特に配慮する．

・2m以上離れることができない場合は0.25 mmPb 当量以上の防護衣等で防護する．

②患者の家族，介助者が撮影時に患者の身体を支える場合

・0.25 mmPb 当量以上の防護衣・防護手袋を着用させる．

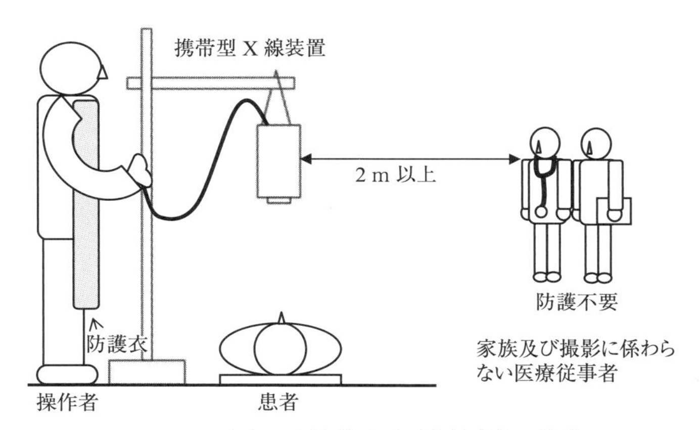

図5.11　患者の家族等及び医療従事者の防護

3）歯科口内法X線撮影における防護

①歯科口内法X線撮影における防護は，基本的に一般X線撮影と同じである．

②歯科口内法X線撮影では多様な照射方向から照射する特徴がある．又，患者によってはフィルムの保持が困難な場合もあり得る．このような特殊性を考慮して，一般X線撮影における防護策1)及び2)に加えて，歯科口内法では次の3防護策を講じる．

・照射方向の設定に十分注意し，確認する．

・照射筒を皮膚面から離さない．照射野の直径は8cmを超えない．

・原則として，フィルム保持と照射方向支持用補助具（インジケータ）を使用する．

(3)　X線撮影装置の保守・管理

1）X線装置の安全・性能を維持するように定期的に点検する．保守・管理は被曝低減及び良質な画像を得るうえで重要である．

2）診療に適したスクリーン，フィルム，イメージングプレート等を選択する．

⊠更に詳しく5.2　災害時の救護所等におけるX線撮影装置の安全な使用に関する指針

本指針は，災害時の救護所等におけるX線撮影装置の安全な使用について（通知：平成21年医政指発第0107003号）の別添として出されている．この指針は，災害時の救護所等におけるX線撮影装置の安全な使用を確保し，医療機関及び搬送手段の適切な選定等に資することを目的としている．

災害時の救護所等におけるX線撮影装置の使用については，規則中には記載されていない．この指針におけるX線撮影装置の使用は，5.2.4.1節(1)特別な理由でX線装置の移動使用が認められる場合，1)移動困難な患者に対して使用する場合，に相当するものと解釈できないこともないが，特別な

理由として，災害時の救護所等におけるX線撮影装置を使用する場合を規則に明記することが望まれる．

1. 対象となる救護所等

表5.4の救護所等であって，放射線防護に関する専門的知識を有する医師，歯科医師又は診療放射線技師がX線撮影装置の管理を行う場所が本指針の対象となる．

表5.4　災害時の救護所等

No.	救護所等
1	救護所
2	避難所
3	傷病者を集めてトリアージを行うトリアージポスト
4	広域搬送拠点
5	臨時医療施設（SCU；Staging Care Unit）
6	災害によりX線診療室が使用できなくなった医療機関の屋外

2. 救護所等におけるX線撮影の適用

⑴　対象患者と撮影部位

適切な災害医療を行うためにX線撮影が必要であると医師又は歯科医師が認めた者及び部位．

⑵　撮影方法及び撮影体位

1）X線撮影のみを行うこととし，透視は行わない．X線撮影時の照射野は必要最小限に絞る．

2）原則として臥位撮影とする．立位又は座位でのX線撮影を行う際には次に掲げる要件を満たす等，適切な放射線防護措置を講ずる．

①照射方向に0.25 mmPb当量以上の防護衝立，防護スクリーン等の遮蔽物又は防護衣を設置することにより公衆に対する放射線防護措置を講ずる．

②照射方向に，人が通行し，又は停在することのない場所で撮影する．

3. 災害時の救護所等におけるX線撮影時の放射線防護措置

⑴　X線撮影に関する説明

X線撮影を行う際には，患者，家族及び介助者に対し，個々のX線撮影の状況に応じて，次の内容について，分かりやすく説明を行う．

1）臨床上の判断から救護所等におけるX線撮影が必要であること．

2）放射線防護と安全に十分に配慮がなされていること．

3）安全確保のため，医師，歯科医師又は診療放射線技師の指示に従うこと．

⑵　X線撮影時の放射線防護措置

1）医療従事者の防護

①X線撮影装置を直接操作する医師，歯科医師又は診療放射線技師は，放射線診療従事者として記録し，個人被曝線量計を着用する．

②医療従事者が頻繁に患者の撮影時に身体を支える場合には，当該医療従事者は，放射線診療従事者として記録し，個人被曝線量計を着用する．

③操作者は0.25 mmPb当量以上の防護衣を着用する等，防護に配慮する．

④操作者は，介助する医療従事者がX線撮影時に，患者の身体を支える場合には，0.25 mmPb当量以上の防護衣及び防護手袋を着用させる．

⑤X線撮影に必要な医療従事者以外の者は，X線管容器及び患者から2 m以上離れた場所で，X線撮影が終了するまで待機する．また，2 m以上離れることができない場合には0.25 mmPb当量以上の防護衣等により，放射線防護措置を講じる．

2）公衆の防護

①撮影患者以外の患者に対しては，X 線管容器及び撮影患者から 3 m 以上離れた場所で診療を行う．特に，子供及び妊婦に対しては，さらに十分な配慮が必要である．

②3 m 以上離れることができない場合には，0. 25 mmPb 当量以上の防護衣等により，放射線防護措置を講ずる．

③撮影を要する多数の患者がいる場合は，前の撮影患者の撮影が終了するまで 3 m 以上離れ待機させる．

④X 線管容器及び撮影患者から 3 m 以内の場所に人がみだりに立ち入らないように，一時的な管理区域の標識を付す等の措置を講じる．

(3)　X 線撮影装置の保守管理等

X 線撮影装置の安全や性能が維持できているか定期的に点検を行うとともに，診療に適したイメージングプレート，フラットパネル等を選択し，適正な撮影，画像表示，及び出力を行うように注意する．X 線撮影装置の保守管理や器材の選択は，被曝の低減のみならず，良質な X 線写真を得るためにも重要だからである．

5.2.4.2　X 線装置の X 線診療室を除く放射線診療室における使用（通知：平成 31 年医政発 0315 第 4 号第 4　1 (4)）

表 5.2 の No. 1②の特別な理由により X 線装置を，X 線診療室を除く発生装置使用室，粒子線照射装置使用室，照射装置使用室，照射器具使用室，診療用 RI 使用室，診療用陽電子 RI 使用室の放射線診療室において使用することが認められている．

1）特別な理由とは，当該放射線診療室に備えられた X 線装置を除く装置等による診療の補助等が目的の場合を指す．

2）但し，核医学画像を得ることを目的とせず CT 撮影画像のみを得るために，CT 装置と SPECT 装置が一体となったもの（SPECT-CT 装置）又は PET 装置と CT 装置が一体となったもの（PET-CT 装置）による X 線撮影を行うことは，従前通り認められる．図 5.

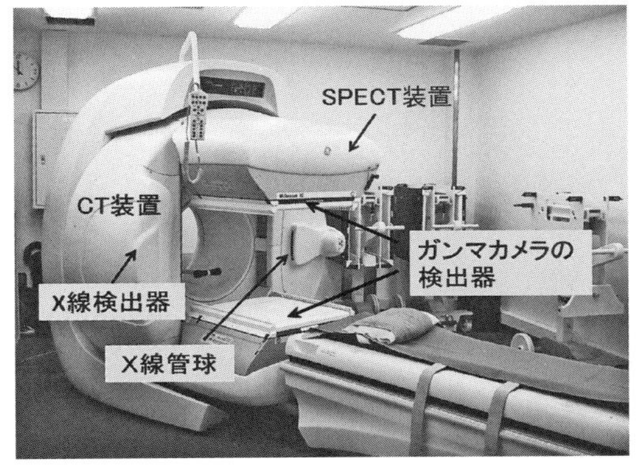

図 5.12　SPECT-CT 装置の例（写真提供：医療法人総合大雄会病院）

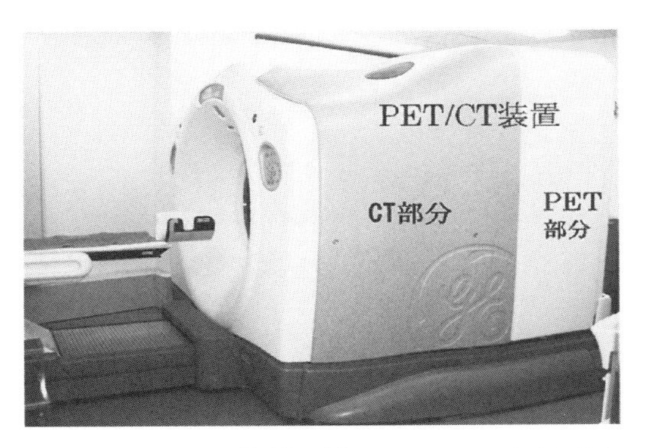

図 5.13　PET-CT 装置の例（写真提供：医療法人総合大雄会病院）

12はSPECT-CT装置，図5.13はPET-CT装置の例である．

3）同時に2人以上の患者の診療を行うことは認められない．

◆防護措置

(A)当該放射線診療室は，室に備えられたX線装置以外の装置等とX線装置を同時に使用するものとして，この同時使用の条件下での放射線障害の防止に関する構造設備の基準を満たしている必要がある．同時使用時の制御例については豆知識5.9参照．

(B)当該放射線診療室の放射線障害の防止に関する構造設備及び予防措置として，当該X線装置を使用する旨を届出書に記載する．

(C)既存の放射線診療室における予防措置の概要を(B)のように変更しようとする場合は，規則第29条第2項により，あらかじめ届出を行う．

豆知識5.9　発生装置使用室で発生装置とX線装置を同時使用する2種類の方式

高精度な放射線治療では正常組織に対する被曝低減のために，腫瘍に限局した線量集中が行われる．線量集中のために照射中のX線撮影が必要とされる場合に同時曝射が行われる．

図5.14(1)は共通の制御装置を使用する例である．発生装置にX線装置を組み込み，共通した1つの制御装置で制御する．照射前にX線装置で取得した画像を計画画像と照合し，寝台を調整する画像誘導による放射線治療を行う．この装置は，照射中にも同時曝射により画像を取得することができ，照射精度の検証を行うことができる．

図5.14(2)はシンクロナイザーで別系統の発生装置とX線装置を制御する方式の例である．近年，腫瘍近辺に埋め込まれたマーカーなどの動体追跡技術により腫瘍への線量集中が可能になった．動体追跡治療とは，X線装置を用いてマーカーの画像を連続的に取得し，計画された照射範囲にある時にのみ出力される信号により発生装置等から照射を行うものである．シンクロナイザーは照射のタイミングを制御するために使用される．

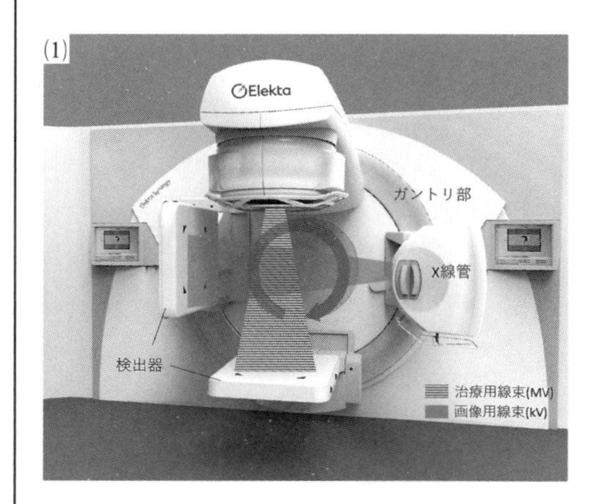

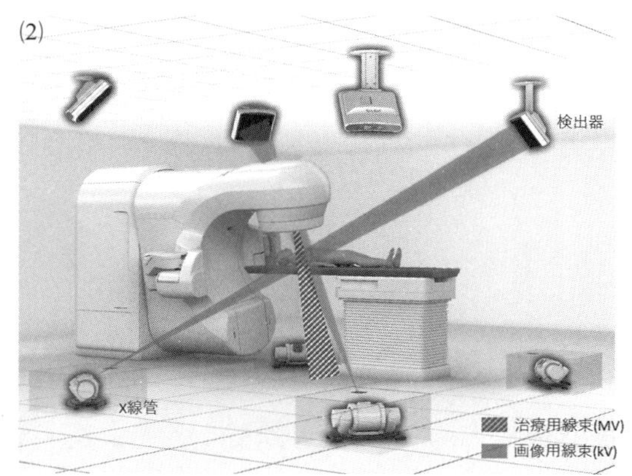

図5.14　(1)共通の制御装置を使用する放射線治療装置の例．ガントリを回転させて取得したコーンビームCT（kV）の画像と治療計画時の画像を照合し，寝台位置を調整することによって放射線治療精度を向上させる（写真提供：エレクタ株式会社）

(2)シンクロナイザーを使用する放射線治療装置の例．2方向以上の連続した画像で動体追跡を行い体内マーカーが設定された範囲にある間，同期信号がシンクロナイザーから発生装置に出力され，治療用ビームが照射される（写真提供：株式会社島津製作所）

5.2.5　発生装置の手術室における移動使用（通知：平成 31 年医政発 0315 第 4 号第 4　1(5)）

表 5.2 の No. 2 の発生装置を移動して手術室で使用する特別な理由とは，手術室で開創状態の患部に術中照射を行う場合を言う．図 5.15(1)は電子線を発生させる直線加速器の外観図であり，(2)は，電子線を術中照射している状況を示している．

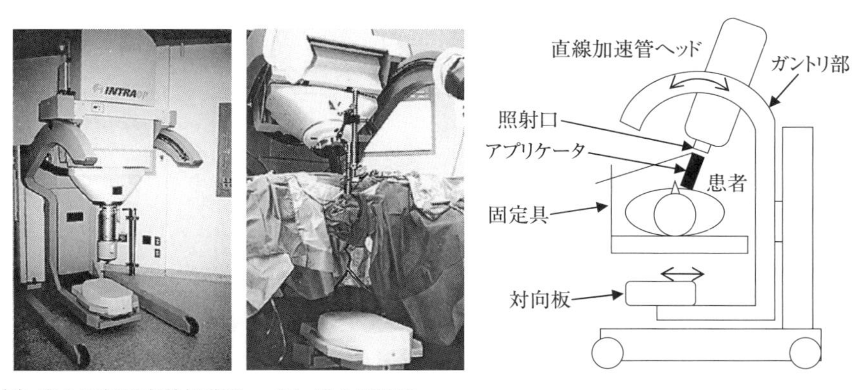

（1）術中照射用直線加速器　（2）術中照射時

図 5.15　手術室で使用する直線加速器の例（写真提供：千代田テクノル）

◆留意点

(A)手術室で発生装置を使用する場合は，あらかじめ届け出る．

(B)発生装置については，RI 規制法の適用を受けるものであり，RI 規制法の規定を遵守しなければならない．

◆防護措置

(A)当該手術室で使用する場合は，発生装置の障害防止措置の基準及び発生装置使用室の構造設備の基準を満たさなければならない．

(B)障害防止に必要な注意事項を目につきやすい場所に掲示する．図 5.16 は，注意事項の例である．

(C)手術室に法定の基準を満たす管理区域を設ける．管理区域設定に係わる記録を行う．

(D)発生装置は，手術室外から遠隔操作する．

使用者への注意事項

・使用者は管理責任者の指示に従うこと
・管理区域内の立ち入りに当たっては放射線障害予防規定を遵守すること
・使用者は本装置のトレーニングを修了し，放射線治療に熟知していること
・照射エネルギー，MU 値を確認すること
・MU 値の校正を定期的に行うこと
・ペースメーカ使用者の立ち入りは避けること
・使用後の高温部へ接触しないこと

図 5.16　注意事項の例

室外から患者の状態等を監視する装置を設ける．

室内の ME 機器で測定した患者の血圧等の生体情報を室外に設置した監視装置で把握

するとともに，可動カメラで照射装置の固定状況を確認する．このような患者の監視は，ライナックやラルスで遠隔治療する場合と同じである．

(E)手術室内に照射を予告するための表示灯，ブザー及び異常時に照射を停止する非常ボタン等を設置する．

(F)管理体制

1）放射線防護に関する専門知識を有する医師，歯科医師，診療放射線技師の中から管理責任者を選任する．

2）管理体制を明確にする組織図を作成する．

(G)発生装置は鍵のかかる部屋等に保管し，装置のキースイッチ等を適切に管理する（豆知識 5.8 参照）．

(H)安全確保及び保守点検

1）発生装置を保管場所から手術室へ移動させる間の安全を確保する．

2）発生装置の校正，整備，保守点検を行う．発生装置のモニタリングを含む．

(I)保管場所での発生装置からの漏洩線量が外部被曝に対する実効線量限度 1.3 mSv/3 月を超える恐れがある場合は，管理区域を設けて保管する（豆知識 5.10 参照）．

(J)発生装置の電源の形状を特定化する等，当該手術室内でのみ電源供給できる構造にする．

豆知識 5.10　移動型発生装置の残留放射能

術中照射では直接患部に放射線を当てるために使用される線種は飛程の短い電子線である．しかし，装置の部材との相互作用により線束には電子線に加えて制動 X 線が含まれる．X 線の最大エネルギーは電子線の最大エネルギーに等しい．移動型発生装置の最大エネルギーは 10 MeV を超えるため，部材に含まれるアルミニウム，銅等が X 線によって放射化される（発生装置の放射化については 3.2.1 節(2)，豆知識 3.11 及び 3.12 参照）．

5.2.6 照射装置の X 線診療室，診療用 RI 使用室，診療用陽電子 RI 使用室における使用

5.2.6.1 照射装置の X 線診療室における使用（通知：平成 31 年医政発 0315 第 4 号第 4　1(6)）

表 5.2 の No. 4 の照射装置を X 線診療室で使用する特別な理由とは，照射装置の体内挿入部位の位置確認のために X 線装置を使用する必要がある場合を言う．

◆留意点

(A)照射装置と X 線装置とを同時使用する条件下で，構造設備の基準を満たさなければならない．

(B)RI 規制法が適用される．
(C)届出時には，構造設備及び予防措置に照射装置を使用する旨を記載する．
(D)X 線診療室に照射装置を備える場合は，あらかじめ届け出る．

◆防護措置

(A)使用核種は 3 種類に限る．^{32}P，^{90}Y，^{90}Sr/^{90}Y
(B)RI 患者以外の患者の被曝線量が 1.3 mSv/3 月を超える恐れがある場合は，放射線治療病室を有していること．
(C)X 線及び照射装置からの放射線診療従事者の被曝線量の低減を図るための防護措置を講じる．
(D)照射装置の紛失等の発見を容易にするために，X 線診療室の床等は，突起物，くぼみ及び仕上げ材の目地等のすきまが少ないものとする．
(E)照射装置使用後は，線量測定を行い，紛失，放置のないことを確認する．
(F)照射装置を貯蔵する施設は，貯蔵施設の構造設備の基準に従う（4.9 節参照）．
(G)照射装置を運搬する容器は，運搬容器の構造基準に従う（4.10 節参照）．
(H)管理体制
1）放射線防護に関する専門知識を有する医師，歯科医師，診療放射線技師等の中から，管理責任者を選任する．
2）管理体制を明確にする組織図を作成する．

5.2.6.2　照射装置の診療用 RI 使用室又は診療用陽電子 RI 使用室における使用
（通知：平成 31 年医政発 0315 第 4 号第 4　1(8)）

表 5.2 の No. 4 の照射装置を診療用 RI 使用室又は診療用陽電子 RI 使用室で使用する特別な理由とは，診療用 RI 投与患者の画像診断精度を高めるために，照射装置を核医学撮像装置の吸収補正用線源として用いる場合を言う．

◆留意点

(A)診療用 RI 又は診療用陽電子 RI と照射装置とを同時使用する条件下で，構造設備の基準を満たさなければならない．
(B)RI 規制法が適用される．
(C)届出時には，構造設備及び予防措置に照射装置を使用する旨を記載する．
(D)診療用 RI 使用室又は診療用陽電子 RI 使用室に照射装置を備える場合は，あらかじめ届け出る．

◆防護措置及び汚染防止措置

(A)放射線防護

1）診療用RI又は診療用陽電子RIによる放射線防護措置及び汚染防止措置を講じる.

2）遮蔽物（防護衝立，スクリーン等）を用いて，他の患者と放射線診療従事者の被曝を低減する.

(B)照射装置を貯蔵する施設は，貯蔵施設の構造設備の基準に従う.

(C)照射装置を運搬する容器は，運搬容器の構造基準に従う.

(D)確認

1）照射装置の使用後は線量測定するとともに，数量を確認する.

2）照射装置の紛失，放置がないことを確認する.

(E)管理体制

1）放射線防護に関する専門知識を有する医師，歯科医師，診療放射線技師等の中から，管理責任者を選任する.

2）管理体制を明確にする組織図を作成する.

5.2.7　照射器具の他の放射線診療室及び手術室，ICU，CCUにおける使用

5.2.7.1　照射器具のX線診療室，診療用RI使用室，診療用陽電子RI使用室における使用（通知：平成31年医政発0315第4号第4　1(6)及び(8)）

表5.2のNo. 5①の中の照射器具をX線診療室，診療用RI使用室，診療用陽電子RI使用室で使用する特別な理由及び関連防護措置は，5.2.6節の照射装置と同じである．但し，照射装置は照射器具に読み替えるものとする.

5.2.7.2　照射器具の照射装置使用室における使用（通知：平成31年医政発0315第4号第4　1(7)）

表5.2のNo. 5①の中の照射器具を照射装置使用室で使用する特別な理由とは，医療資源の活用のため「やむを得ず」照射器具である密封線源を照射装置使用室において永久挿入して組織内照射を行う場合を言う.

「やむを得ず」とは，照射装置使用室を有しているが，照射器具使用室を有しない医療機関において照射装置使用室で照射器具を使用する場合を指す．照射装置使用室の防護の設備基準は，照射器具使用室の設備基準より厳しい．従って，照射装置使用室において照射器具を使用したとしても，放射線防護上の問題は生じない.

◆留意点

(A)照射器具は，^{125}I又は^{198}Auに限る.

(B)照射装置使用室は，ラルス使用を目的とする室に限られるとともに，照射器具を使用する条件での放射線障害の防止に関する構造設備の基準を満たさなければならない．
(C)届出時には，構造設備及び予防措置に照射器具を使用する旨を記載する．
(D)照射装置使用室での照射器具の使用は，あらかじめ届け出る．

◆防護措置

(A)照射装置使用室に備えている照射装置は，次のような安全保持機構を備えていなければならない．

1）アプリケータが接続できる機構．

2）チャンネル合わせをしないと線源を使用できない機構．

(B)照射装置と照射器具を同時に使用することは認められない．又，同時に 2 人以上の患者の診療は行ってはならない．
(C)照射装置と患者及び放射線診療従事者の間に①適切な遮蔽物を設ける，②適当な距離を取る，等の防護措置を行う．患者や放射線診療従事者等の被曝線量をできるだけ小さくするためである．
(D)紛失対策

1）内部の壁，床，その他照射器具が入り込む恐れのある部分は，突起物，くぼみ，及び仕上げ材の目地等のすきまの少ないものとする．

2）排水口等の照射器具を紛失する恐れのある個所は，シートで被覆する等の適切な紛失防止措置を講じる．

3）室内に容易に動かせない機器等がある場合は，照射器具が入り込まないように，目張りを行い，すきまのないようにする．

4）脱落した照射器具を容易に検索できるようにするために，室内の線量率を十分に下げる．線量率を十分に下げられない場合は，照射器具の紛失を避けるために，作業範囲をシートで覆う．必要に応じてバットを使用する等限定された区域に照射器具を閉じ込めるように措置する．

5）照射器具使用後は，紛失，放置がないことを確認する．確認は，測定と記帳で行う．測定時には，使用機材，シート，使用場所等の線量を測定する．放射線測定器は，^{125}I に対しては ^{125}I 用シンチレーションサーベイメータを用いる等，核種に適した測定器を使用する．記帳では，保管簿を用いて数量を確認し，確実に記載する．

(E)管理体制

1）放射線防護に関する専門知識を有する医師，歯科医師，診療放射線技師等の中から，管理責任者を選任する．

2）管理体制を明確にする組織図を作成する．

5.2.7.3　照射器具の手術室，ICU，CCU における一時的使用（通知：平成31年医政発0315第4号第4　1(9)）

表5.2の No. 5②及び④の照射器具を手術室，集中強化治療室（Intensive Care Unit：ICU）又は心疾患強化治療室（Coronary Care Unit：CCU）（手術室等）において一時的に使用する場合とは，手術室等における医学的な管理が必要な患者に対して照射器具の使用が必要かつやむを得ない場合に限り一時的に使用する場合を言う．

手術室等で管理が必要でない患者への使用は認められない．

◆防護措置

(A)照射器具使用室を有していること．

(B)RI 患者以外の患者の被曝線量が 1.3 mSv/3 月を超える恐れがある場合は，放射線治療病室を有していること．

(C)照射器具を貯蔵する施設は，貯蔵施設の構造設備の基準に従う．

(D)照射器具を運搬する容器は，運搬容器の構造基準に従う．

(E)確認と記録

1）照射器具使用後は，線量測定するとともに，数量を確認し，紛失，放置のないことを確認する．

2）測定結果は記録する．

(F)管理体制

1）放射線防護に関する専門知識を有する医師，歯科医師，診療放射線技師等の中から，管理責任者を選任する．

2）管理体制を明確にする組織図を作成する．

5.2.8　装備機器について（通知：平成31年医政発0315第4号第4　1(10)）

装備機器の基準及び装備機器使用室の構造設備の基準に適合している場合，また管理区域の基準以下である場合は，専用の装備機器使用室を設けなくても装備機器を使用することができる．

5.2.9 診療用RIの診療用RI使用室以外の室における使用

5.2.9.1 診療用RIの手術室，ICU，CCUにおける一時的使用（通知：平成31年医政発0315第4号第4 1⑾）

表5.2のNo. 7①及び③の診療用RIを手術室等で一時的に使用する場合とは，手術室等における医学的な管理が必要な患者に対して診療用RIの使用が必要かつやむを得ない場合に限り一時的に使用する場合を言う．

手術室等で管理が必要でない患者への使用は認められない．

◆防護措置及び汚染防止措置

⒜使用時には汚染検査用放射線測定器を備える．使用後はスミア法等で汚染検査を行う．

測定結果は記録する．

⒝汚染除去に必要な器材，薬剤を備える．汚染が検出された場合は，除去する．

⒞汚染される恐れのある場所の壁，床は気体，液体が浸透しにくく，平滑で腐食されにくい構造とする．

⒟他の患者の被曝線量が100 μSv/週以下となるように措置する．

⒠診療用RI使用室を有すること．診療用RIの準備，汚染物の処理は診療用RI使用室で行う．

⒡管理体制

1）放射線防護に関する専門知識を有する医師，歯科医師，診療放射線技師等の中から，管理責任者を選任する．

2）管理体制を明確にする組織図を作成する．

5.2.9.2 診療用RIの診療用陽電子RI使用室における使用（通知：平成31年医政発0315第4号第4 1⑿）

表5.2のNo. 7④の特別の理由により，診療用RIを診療用陽電子RI使用室で使用する場合とは，次の3つの場合を言う．

1）陽電子準備室において，診療用RIの準備室で行うべき行為又は作業を行う場合．

2）陽電子診療室において，診療用RIによる診療を受ける患者等に，当該診療用RIを投与する場合．

3）陽電子診療室にPET-SPECT装置を設置し，診療を行うために診療用RIを投与する場合．

PET装置であって，これに診療用RIを投与された患者等の撮影を行うSPECT装置が付加され一体となったものを陽電子-SPECT複合装置（PET-SPECT装置）と言う．

◆防護措置及び汚染防止措置

(A)陽電子診療室において，同時に2人以上の患者等の診療を行うことは認められない．

(B)PET-SPECT装置の使用時の安全管理

1）陽電子RI診療の責任者である医師又は歯科医師を，診療用陽電子RI使用室の安全管理の責任者とし，所定の研修を修了した診療放射線技師を診療用陽電子RI使用室の安全管理に専ら従事させる（更に詳しく2.1参照）．これによって，診療用RIによって核医学検査を受ける患者等が，診療用陽電子RIにより不必要に被曝することがないように適切な放射線防護の体制を確立する．

2）区分した1つの陽電子診療室に複数のPET-SPECT装置を設置してはならない．

(C)届出時には，構造設備及び予防措置として，当該診療用RIを使用する旨と，その年に使用を予定する数量等を記載する．届出の詳細は2.9節参照．

(D)診療用陽電子RI使用室に診療用RIを備える時は，あらかじめ届け出る．

5.2.10　照射器具及び診療用RIの放射線治療病室における使用

表5.2のNo. 5③の照射器具及び表5.2のNo. 7②の診療用RIを，移動させることが困難な患者に対して放射線治療病室において使用する場合については，通知：平成31年医政発0315第4号中で説明がなされていない．これは，放射線治療病室における防護措置及び汚染防止措置（措置）の内容が自明であるので，省略したものと推測される．

放射線治療病室において要求される措置の内容は，照射器具を患者の体内に挿入する際に要求される照射器具使用室における措置，及び診療用RIを患者に投与する際に要求される診療用RI使用室における措置の内容を満足しているので，追加の措置を必要としないからであると解釈される．放射線治療病室の基準は4.12節参照．

5.2.11　例外使用が認められている場所と管理責任者の選任

表5.5は，表5.2の特別な理由等により放射線源の使用が例外的に認められている場所を整理したものである．但し，装備機器は除いてある．○印は放射線源の使用が認められている室を示しており，◎印は使用が認められている室のうち管理責任者の選任が義務づけられている室を表している．X線装置の一般病室における使用は規則又は通知に明記さ

表 5.5　放射線源の使用が例外的に認められている場所○と管理責任者の選任を要する場所◎

No.	室	放射線源				
		X 線	発生装置	照射装置	照射器具	診療用 RI
1	X 線診療室			◎	◎	
2	発生装置使用室	○				
3	粒子線照射装置使用室	○				
4	照射装置使用室	○			◎	
5	照射器具使用室	○				
6	診療用 RI 使用室	◎		◎	◎	
7	診療用陽電子 RI 使用室	◎		◎1)	◎1)	◎
8	放射線治療病室	○			◎	○
9	手術室	○	◎		◎	◎
10	ICU, CCU	○			◎	◎
11	一般病室	○				

注 1）通知：平成 31 年医政発 0315 第 4 号には明記されていないが，照射装置又は照射器具の使用の有無にかかわらず診療用陽電子 RI 使用室には安全管理の責任者の選任が義務づけられている．更に詳しく 2.1 参照．

れてないが，一般病室は移動型，携帯型 X 線装置を移動使用する場所となるので，わかりやすいように明示した．

5.3　診療用放射性同位元素の廃棄の委託（第 30 条の 14 の 2 及び 3）

管理者（病院等の管理者）は，法定の位置，構造及び設備に関する基準に適合する廃棄物詰替施設，廃棄物貯蔵施設，又は廃棄施設を有する厚生労働省令で指定する者へ医療用 RI 汚染物の廃棄を委託できる．

現在，厚生労働省令第 202 号（平成 13 年 9 月 28 日）で指定されているのは，日本アイソトープ協会のみである．但し，実際の指定日は昭和 59 年 3 月 12 日であり，平成 13 年 9 月 28 日は省令第 202 号が改正された日付を表している．

本条文は日本アイソトープ協会のみが係わる条文であり，病院等は係わりがないので，第 30 条の 14 の 2 及び 3 は説明を省略する．

5.4　患者の入院制限（第 30 条の 15）

RI 患者（照射装置又は照射器具を持続的に体内に挿入して治療を受けている患者，又は診療用 RI 若しくは診療用陽電子 RI によって放射線治療を受けている患者）の入院は，次のように制限されている（4.12 節参照）．

⑴RI 患者を放射線治療病室以外の病室に入院させてはならない．

但し，適切な防護措置及び汚染防止措置を講じた場合は，放射線治療病室以外の病室に入院させることができる．

＊本規定の趣旨は以下の 3 点にある（通知：平成 31 年医政発 0315 第 4 号第 4　3⑵）．

1）患者を診療する放射線診療従事者等の被曝線量が実効線量限度及び等価線量限度を超えないようにする（規則第 30 条の 18）．

2）放射線治療を受けている患者以外の患者の実効線量が 1.3 mSv を超えないようにする（規則第 30 条の 19）．

3）当該放射線治療を受けている患者に適当な標識を付す（規則第 30 条の 20 第 2 項第 2 号）．

⑵放射線治療病室には，RI 患者以外の患者を入院させてはならない．

◆防護措置及び汚染防止措置（通知：平成 31 年医政発 0315 第 4 号第 4　3⑶）

(A)放射線治療病室から一般病室へ退出時には他の患者の線量が 1.3 mSv/ 3 月以下でなければならない．

1）診療用 RI を投与された患者の退出に係る取扱いは，更に詳しく 5.3 の指針（医薬品退出基準）に，照射装置又は照射器具を永久的に挿入された患者の退出に係る取扱いは，更に詳しく 5.4 の指針（照射器具退出基準）に従う．

2）各退出基準を参照し，患者及び介護者等への指導及び退出を記録することを徹底する．

3）診療用 RI 投与患者の取扱いについては，医薬品退出基準及び「放射性医薬品を投与された患者の退出について」（平成 10 年 6 月 30 日付厚生省医薬安全局安全対策課事務連絡）における退出基準算定に関する資料を参考とする．

(B)照射装置又は照射器具が患者から脱落した場合等には適切な措置を講ずる．

なお，照射器具脱落に関わる取扱いは照射器具退出基準を参照する．

(C)診療用陽電子 RI 投与患者は体内放射能が(A)の基準を満たすまで十分減衰したのち，管理区域から退出させる場合を想定している．

⊠更に詳しく 5.3　放射性医薬品を投与された患者の退出の指針（通知：平成 10 年医薬安第 70 号；平成 28 年医政地発 0511 第 1 号；令和 3 年医政地発 0819 第 1 号）

1. 指針の目的と対象核種

放射性医薬品を利用した治療法の進歩により，癌患者の生存期間が著しく延長したことから，患者の延命のみならず，生活の質（QOL）も向上しているが，放射性医薬品を投与された患者が医療機関より退出・帰宅する場合，公衆及び自発的に患者を介護する家族等が患者からの放射線を受けることになり，その安全性に配慮する必要がある．

この指針は，^{131}I，^{89}Sr，^{90}Y，^{223}Ra 及び^{177}Lu を用いた放射性医薬品による癌等の治療患者の退出基準等を示している．

2. 適用範囲

この指針は，放射性医薬品を投与された患者が病院内の診療用 RI 使用室又は放射線治療病室等から退出する場合に適用する．

3. 退出基準

公衆に対して 1 mSv/年及び介護者に対して 5 mSv/件を線量限度として，表 5.6 の 3 種類の量を指標として退出基準が算出されており，No. 1～3 のいずれかの基準に該当する場合には退出・帰宅が認められる．

なお，1 年間に複数件の被曝が起こる可能性がある場合は，件数を考慮する．

退出基準の算出方法は，平成 10 年事務連絡「放射性医薬品を投与された患者の退出について」に詳細に記載されている（課長通知：平成 10 年 6 月 30 日付事務連絡）．

表 5.6　退出基準

No.	指標量	基　準
1	投与量又は体内残留放射能量	^{89}Sr：200 MBq[1)]
		^{131}I：500 MBq[2)]
		^{90}Y：1,184 MBq[1)]
2	測定線量率	患者の体表面から 1 m における 1 cm 線量当量が下記を超えない． ^{131}I：30 μSv/h
3	患者ごとの算出された積算線量	患者の体表面から 1 m の位置で算出する． 積算線量算出記録を保存する．
		適合例：適用範囲及び実施条件等 ^{131}I：1,110 MBq[2)] ^{223}Ra：12.1 MBq/回[3)]，72.6 MBq/治療[4)] ^{177}Lu：18 μSv/h[5)]

注 1）最大投与量
注 2）患者からの外部被曝と患者の呼気中の ^{131}I による内部被曝の合算値から導いた値
注 3）1 投与当たりの最大投与量，投与回数は最大 6 回
注 4）1 治療当たりの最大投与量
注 5）患者の体表面から 1 m の点における 1 cm 線量当量率

1）表 5.6 の No. 1 の投与量又は体内残留放射能量に基づく退出基準

この基準値は，投与量，物理的半減期，患者の体表面から 1 m の点における被曝係数 0.5，及び 1 cm 線量等量率定数を用いて算出された．

2）表 5.6 の No. 2 の測定線量率に基づく退出基準

1)の算出方法及び表 5.6 の注 2)に同じ．

3）表 5.6 の No. 3 の患者ごとの算出された積算線量に基づく退出基準

①積算線量は，患者の状態に合わせて実効半減期やその他の因子を考慮し，患者ごとに患者の体表面から 1 m の点における積算線量を算出する．

②適用範囲及び実施条件等

・^{131}I の適合例：遠隔転移のない分化型甲状腺癌で甲状腺全摘術後の残存甲状腺破壊（アブレーション）治療．
但し，関連学会が作成した実施要綱（「残存甲状腺破壊を目的とした^{131}I（1,110 MBq）による外来治療」）に従って実施する場合に限る．

・^{223}Ra の適合例：骨転移のある去勢抵抗性前立腺癌の治療．^{223}Ra の投与量が 1 回当たり 12.1 MBq 以下であれば退出が認められる．

但し，関連学会が作成した実施要綱（「塩化ラジウム（Ra-223）注射液を用いる内用療法の適正使用マニュアル」）に従って1投与当たり55 kBq/ kgを4週間間隔で最大6回まで投与する場合に限る．

・^{177}Luの適合例：ソマトスタチン受容体陽性の神経内分泌腫瘍の治療．患者の体表面から1 mの点における1 cm線量当量率が18 μSv/ h以下であれば退出が認められる．
但し，関連学会が作成した実施要綱（「ルテチウムオキソドトレオチド（Lu-177）注射液を用いる核医学治療の適正使用マニュアル」）に従って1投与当たり7.4 GBqを8週ごとに計4回まで投与する場合に限る．

③放射能1,110 MBqの算出方法は，表5.6の注2)に同じ．

4．退出の記録

退出を認めた場合は，表5.7の事項を記録し，退出後2年間保存する．

表5.7　退出時の記録事項

No.	事　項
1	投与量，退出日時，退出時の実測線量率
2	授乳中の乳幼児がいる母親に対して注意・指導した内容
3	(1)表5.6のNo.3の患者ごとの積算線量計算に基づいて退出を認めた場合の積算線量の算出方法 (2)次の①〜④にあっては根拠も示す． ①体内残留放射能量で判断した場合 ②1 mにおける被曝係数を0.5未満とした場合 ③生物学的半減期又は実効半減期を考慮した場合 ④人体（臓器・組織）の遮蔽効果を考慮した線量率定数を用いた場合

5．注意事項

退出・帰宅を認める場合は，書面及び口頭で日常生活等の注意・指導を行う．

1）退院後の第3者に対する不必要な被曝をできる限り避けるための注意及び指導を口頭及び書面で行う．

2）患者に授乳中の乳幼児がいる場合は，十分な説明，注意及び指導を行う．

3）RIの物理的特性に応じた防護並びに患者及び介護者への説明，その他の安全管理に関して，放射線関係学会等団体の作成するガイドライン等を参考に行う．

☒更に詳しく5.4　照射器具を永久的に挿入された患者の退出及び挿入後の線源の取扱いについて（通知：平成30年医政地発0710第1号）

1．指針の目的と被曝の限度値

^{198}Auグレインは舌がん等の頭頸部がんの放射線治療に使用されており，^{125}Iシードは前立腺がんに対する放射線治療に使用されている．これらの線源を挿入された患者（RI患者）が照射器具使用室あるいは放射線治療病室等から退出する場合，一般公衆及び自発的に患者を介護する家族等への患者からの放射線被曝を制限しなければならない．

本指針は，RI患者からの一般公衆及び家族の被曝が表5.8の限度値を超えないようにすることを目的として設けられた基準である．基準は，放射能及び線量率による基準，挿入後の照射器具の線源取扱い，患者への注意及び指導事項，その他の留意事項の4項目からなる．退出基準の算出方法は，平成30年の事務連絡に詳細に記載されている（平成30年11月14日付事務連絡，厚生省医薬安全局安全対策課長通知）．

表 5.8　被曝の限度値

対　象	被曝線量の限度
公衆及び患者を訪問する子供	1 mSv/1 年（一般公衆の被曝線量の年限度値）
介助者及び介護者	5 mSv/1 回

2. 放射能又は線量率による基準

退室時には，表 5.9 に与えられる(1)適用量あるいは残存放射能に基づく基準又は(2)測定線量率に基づく基準のいずれかを満たさなければならない．

1）適用量あるいは減衰を考慮した残存放射能に基づく基準では，^{125}I は 2,000 MBq，^{198}Au は 700 MBq を超えてはならない．

2）線量率に基づく基準では，患者の体表面から 1 m 離れた地点における 1 cm 線量当量率が ^{125}I では 2.8 μSv/h，^{198}Au では 48.0 μSv/h を超えてはならない．

3）1)及び 2)の値は，適用量，物理的半減期，患者の体表面から 1 m 離れた地点における占有係数，実効線量率定数（^{125}I シードを前立腺に用いる場合は，臓器等による吸収を考慮した見かけの実効線量定数）を用いて計算されている．占有係数とは，無限時間の積分値と実際に第 3 者が患者から受ける線量の比を意味する．

表 5.9　照射器具を永久的に挿入された患者の退出における放射能又は 1 cm 線量当量率の基準[1)]

照射器具	適用量又は体内残存放射能（MBq）	測定線量率：1 cm 線量当量率（μSv/h）
^{125}I シード[2)]（前立腺に適用した場合）	2,000	2.8
^{198}Au グレイン	700	48.0

注 1）4. 1）参照.
注 2）前立腺以外の部位に^{125}I シードを適用する場合，組織等の吸収を考慮して放射能と線量率を求め，表5.8 の線量限度を遵守する.

3. 挿入後の照射器具の取扱い

線源の脱落確認のための入院期間は，表 5.10 にまとめてある．線源の脱落対策の基本は，短期間入院させることである．入院させる理由は，脱落した線源が管理区域から一般病室や公共の場所へ拡散することを防ぐためである．

1）^{125}I シード

①膀胱や尿道への脱落が術中に確認されたときには，膀胱鏡による検査を施行して脱落シードを回収する．

②術後は，管理区域とした一般病室に 1 日以上入院させる．これは，経験上，^{125}I シードは，約 1％の確率で膀胱や尿道へ脱落し，膀胱や尿道へ脱落したシードはほぼ 1 日以内に尿中に排泄されるからである．

③尿中に排泄された線源の有無を確認した後，帰宅あるいは一般病室へ移動させる．

2）^{198}Au グレイン

挿入後少なくとも 3 日間は放射線治療病室へ入院させる．この場合も，脱落は挿入後 3 日以内に生じることがわかっているからである．

3）入院は管理区域で行う．当該患者が表 5.9 における照射器具使用室又は放射線治療病室等からの退出基準を満たし，一般病室に入院させる場合は，一般病室を一時的な管理区域とする．

4）患者を退出させる際には，必要に応じて迅速に連絡がとれるよう，当該患者の連絡先を記録し，退出後少なくとも 1 年は保存する．

5）患者を退出させた後一定期間内に，挿入された線源が脱落し，又は当該患者が死亡した場合

①脱落線源を提出させ，又は線源摘出のための剖検の手配を行う等，早急に線源を回収するための手続きを行う．

②回収された線源は，照射器具の入手及び廃棄として記帳した上で，医療用 RI 汚染物として廃棄施設において廃棄するか，廃棄の委託をする．

③廃棄又は廃棄の委託に当たっては，当該線源は，その他の診療用 RI，診療用陽電子 RI 又は RI によって汚染された物と分別して管理する．

表 5.10　線源脱落確認のための入院期間

線　源	挿入後の最低入院期間
^{125}I シード	1 日間[1)]
^{198}Au グレイン	3 日間

注 1）前立腺に適用した場合.

4. 患者への注意，指導事項

患者及び家族に対して，口頭及び書面で注意及び指導を行う．

1）適切な防護措置を必要とする場合

放射能及び線量率の基準値は，第 3 者の被曝線量を，患者から 1 m の地点で第 3 者が無限時間被曝する線量の 25% であると仮定して算出されている．患者と第 3 者が接触するような場合は，条件が仮定とは異なる．このような状況では，過剰に被曝する恐れがある．患者と近接する可能性のある患者の家族等の過剰被曝を防止するために口頭及び書面で注意及び指導を行う．

次の場合は一定期間防護具等で遮蔽する等の適切な防護措置を講じる．防護措置は ^{125}I シード及び ^{198}Au グレインに共通である．

①患者を訪問する子供あるいは妊婦と接触する場合.

②公共交通機関を利用する場合.

③職場で勤務する場合.

④同室で就寝する者がいる場合.

2）脱落線源発見時の対応

退出後一定期間内に脱落線源を発見した場合は，スプーン等で拾い上げ，瓶等に密閉して，速やかに担当医に届ける．

3）患者が退出後一定期間内に死亡した場合，当該患者の家族等から速やかに担当医に届け出る．

4）その他の留意事項

上記の他，RI の物理的特性に応じた防護及び患者，患者家族等への説明その他の安全管理に関して，関連学会が作成した実施要綱を参考に行う．

＊上記 1），2），3）の一定期間について（通知：平成 30 年医政地発 0710 第 1 号別添）

一定期間として，日本放射線腫瘍学会，日本泌尿器科学会及び日本医学放射線学会が共同で作成した「シード線源による前立腺永久挿入密封小線源治療の安全管理に関するガイドライン」において，治療（挿入）から 1 年としているが，退出後，1 年を下回ることがないようにすることとしている．但し，ガイドラインは，逐次見直されるものとされているので留意する．

5. 記録

退出時には，適用量（放射能）又は体内残存放射能，退出時の実測線量率，退出した日時，患者への具体的な注意及び指導事項を記録する．記録は，1 年ごとに閉鎖し，2 年間保存する．

5.5　管理区域（第 30 条の 16）

病院等の管理区域に

⑴管理区域である旨を示す標識を付す（標識については 4.13 節参照）.

⑵管理区域内に人がみだりに立ち入らないような措置を講じる.

◈**留意点**（通知：平成 31 年医政発 0315 第 4 号第 4　4 ⑴ 及び ⑵）

(A)管理区域の定義

⑴ の管理区域は，第 30 条の 14 の 3 第 1 項第 5 号に次のように定義されている（限度値の詳細は 6.2.3 節参照）.

1）外部放射線の線量が線量限度値を超える恐れのある場所.

2）空気中の RI 濃度が濃度限度値を超える恐れのある場所.

3）RI によって汚染される物の表面の RI 密度が表面密度限度値を超える恐れのある場所.

4）1)の線量の線量限度値に対する比と，2)の RI 濃度の濃度限度値に対する比の和が 1 を超える恐れのある場所.

注：4)は筆者が追加した．第 30 条の 16 に記載されていないが，濃度限度等（第 30 条の 26）には明記されているからである．6.2.3 節参照.

(B)一時的な管理区域

管理区域外であって一時的に線量限度，濃度限度，表面密度限度を超える恐れのある病室等には，一時的な管理区域を設け，適切な防護措置及び汚染防止措置を講じて，放射線障害の防止に留意する.

(C)管理区域における措置

⑵の管理区域内に人がみだりに立ち入らないような措置とは，標識を付す，注意事項を掲示する，に加えて，柵を設ける等により放射線診療従事者等以外の者の立ち入りを制限することである.

5.6　敷地の境界等における防護（第 30 条の 17）

放射線取扱施設又はその周辺に適当な遮蔽物を設ける等の措置を講ずることにより，居住区域又は敷地境界における線量を線量限度 250 μSv/3 月以下とする（詳細は，6.2.4 節参照）.

この条文は，病院等の敷地内に居住する者及び病院等の近隣に居住する者等の一般人の放射線被曝を防止することを目的としている（通知：平成 31 年医政発 0315 第 4 号第 4　5）.

5.7　放射線診療従事者等の被曝防止（第30条の18）

5.7.1　放射線診療従事者等の被曝の制御

管理者は，放射線診療従事者等を防護するために表5.11の措置を講じるとともに，放射線診療従事者等の被曝線量が実効線量限度及び等価線量限度を超えないようにする．

ここで，放射線診療従事者等とは，X線装置，発生装置，粒子線照射装置，照射装置，照射器具，装備機器，診療用RI，診療用陽電子RI（放射線源）の取扱い，管理，又は付随する業務に従事するものであって管理区域に立ち入る者を言う．

管理者が措置すべき事項として定められている表5.11の6項目のうち，外部被曝防止の3原則No. 1，2，3は，状況に応じていずれか，又は全部を措置する．内部被曝防止の3原則No. 4，5，6は，内部被曝の恐れのある場合は必ず措置する．

表5.11　放射線診療従事者等の防護のために措置すべき事項

No.	措置すべき事項	備　考
1	遮蔽する．	外部被曝対策
2	遠隔操作，鉗子等を用いてX線装置等と人体との間に距離を設ける．	
3	被曝時間を短くする．	
4	診療用RI使用室，診療用陽電子RI使用室，貯蔵施設，廃棄施設又は放射線治療病室（各室）において放射線診療従事者等が呼吸する空気中のRI濃度が濃度限度を超えないようにする．	内部被曝対策
5	各室の人の触れるもののRI表面密度が表面密度限度を超えないようにする．	
6	RIを経口摂取する恐れのある場所での喫煙，飲食を禁止する．	

◆放射線診療従事者等について（通知：平成31年医政発0315第4号第4　6(1)及び(2)）

1）放射線診療従事者等とは，放射線診療に従事する又は放射性医薬品を取り扱う下記の者等を言う．

医師	歯科医師
診療放射線技師	看護師
准看護師	歯科衛生士
臨床検査技師	薬剤師

注：放射線源の保守点検業務を業者に委託している場合，保守点検を実施する者（作業員）の当該業務による職業被曝の管理は，病院等の管理者ではなく労働安全衛生法（昭和47年法律第57号）に基づく業務受託業者の義務である．作業員は放射線診療従事者等とはみなされない．

2）被曝の恐れがある場合は，原則として放射線診療従事者等以外の者を管理区域に立ち入らせない．

3）放射線診療従事者等以外の者を管理区域に立ち入らせる時に，実効線量が 100 μSv/週を超える恐れのある場合は線量測定を行う．

5.7.2　被曝線量の測定並びに実効線量及び等価線量の算定

5.7.2.1　女子の区分

女子は，妊娠の有無その他によって表 5.12 のように女子 1～女子 4 に 4 区分することができる．区分によって被曝の限度値，測定部位（測定器の装着部位），測定期間，記録期間，集計期間が異なる．

注：女子の区分の名称（女子 1～女子 4）は，筆者によるものであり，法令用語ではない．

表 5.12　女子の区分と対象者

No.	女子の区分	対象者
1	女子 1	妊娠の可能性のある者
2	女子 2	妊娠する可能性がないと診断された者
3	女子 3	妊娠する意思がない旨を管理者に書面で申し出た者[1)]
4	女子 4	妊娠中の者

注 1）書面については 6.3.5 節参照．

5.7.2.2　被曝線量の測定

実効線量及び等価線量は，外部被曝線量及び内部被曝線量について測定し，厚生労働大臣が定める方法で算定する．

実効線量は外部被曝による線量と内部被曝による線量を分けて測定し，それらの線量の和とする．等価線量は，外部被曝による線量の測定によるものとする（通知：平成 31 年医政発 0315 第 4 号第 4　6 (3)）．

(1)　外部被曝線量の測定

1）測定

①1 cm 線量当量，3 mm 線量当量及び 70 μm 線量当量のうち当該外部被曝線量を算定するために適切と認められる線量を，放射線測定器を用いて測定する．放射線測定器は実効線量及び等価線量に応じて放射線の種類とエネルギーに基づいて適切に選択する．

②放射線測定器による測定が著しく困難な場合は，計算によって算出することができる．

③外部被曝線量は，管理区域内に立ち入っている間継続して測定する．

2）中性子線による皮膚の等価線量（通知：平成31年医政発0315第4号第4　6(4)）

中性子線による皮膚の等価線量の測定は，1 cm線量当量とする．中性子線の場合は，70 μm線量当量の値は，1 cm線量当量の値とほぼ等しいからである．

3）眼の水晶体の等価線量（通知：令和2年医政発1027第4号第1）

眼の水晶体における等価線量は，3 mm線量当量（中性子線は1 cm線量当量）を測定する．

①但し，1 cm線量当量及び70 μm線量当量を測定・確認することによって眼の等価線量限度を超えないように管理できる場合には，1 cm線量当量及び70 μm線量当量を測定することで良い．

②①は，特定エネルギーの電子線による直接被曝と言う極めて特殊な場合を除けば，1 cm線量当量又は70 μm線量当量のうち値が大きい方を採用することで眼の水晶体の等価線量を安全側に評価することができることを意味する．又，個人被曝線量計から得られる外部被曝による3 mm線量当量，1 cm線量当量又は70 μm線量当量のうち，放射線の種類やエネルギー等を考慮して適切と判断される方をもって評価量とすることを意味する．安全側に評価することになる．

③防護眼鏡その他の眼の等価線量を低減するために効果のある個人用防護具（防護眼鏡等）を使用する場合がある．この場合は，法定部位（規則第30条の18第2項第2号に規定する部位）に加えて，防護眼鏡等の内側に放射線測定器を装着する等によって低減された測定値を用いて眼の水晶体の等価線量とすることができる．但し，眼の水晶体の等価線量を正確に算定できなければならない．

(2)　外部被曝線量測定部位

図5.17のように，人体の体幹部（頭部，頸部，胸部，上腕部，腹部，大腿部）を①頭部及び頸部，②胸部及び上腕部，③腹部及び大腿部の3つに区分する．

外部被曝線量は，表5.13のように，基本部位及び追加部位について測定する．この表は，

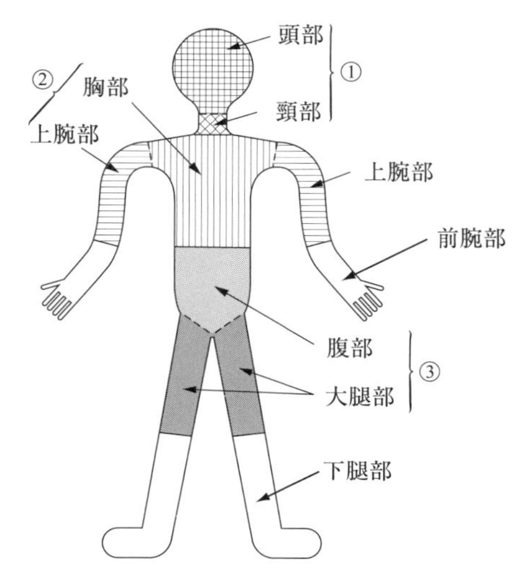

図5.17　人体の体幹部の区分

個人被曝線量測定器の着用部位を示している．

1）基本部位は必ず測定する．

男子の基本部位は胸部であり，女子1，4の基本部位は腹部である．

女子2，3にあっては，使用の状況に応じて，腹部又は胸部のうち適切な方を基本部位とする（通知：平成31年医政発0315第4号第4　6(6)）．

2）基本部位以外の部位が最大線量となる恐れがある（最大線量部位）場合は追加部位も測定する．男子及び女子2，3の最大線量部位が胸部及び上腕部以外の体幹部である場合は，追加部位1として胸部及び上腕部以外である①頭頸部，又は③腹部，大腿部を測定する．この場合は，2か所に個人被曝線量計を着用して外部被曝を測定することになる．

更に，体幹部①②③以外の部位である前腕部あるいは下腿部が最大線量部位となる場合は，追加部位2として当該部位も測定する．指が最大線量部位である場合は，リングバッジ等を使用する．体幹部以外の追加部位2では，皮膚線量70 μm線量当量を測定し，中性子線にあっては，1 cm線量当量を測定すれば充分である．

女子1，4の場合も同様に，③腹部及び大腿部以外が最大線量部位となる場合は，当該部位を追加測定する．

なお，女子3は，妊娠する意思がない旨を管理者に書面で申し出たことによって5 mSv/3月間の実効線量限度の適用を受けないこともできるが，この規定の具体的な運用に当たっては，通知0315第4号の別紙1に示す「女子の線量限度の変更に伴う書面の運用に係る留意事項」を参考にする（通知：平成31年医政発0315第4号第4　6(6)）．詳細は6.3.5節参照．

表5.13　外部被曝測定部位

No.	放射線診療従事者の区分	基本部位	追加部位（基本部位以外で外部被曝線量が最大となる恐れのある場合）	
			追加部位1（追加部位が体幹部の場合）	追加部位2（追加部位が体幹部以外の場合）
1	男子	胸部	①頭頸部，又は ③腹部，大腿部	前腕部あるいは下腿部のうち線量が最大となる部位
2	女子2，3	胸部又は腹部のうち適切な方	基本部位を胸部とした場合：男子に同じ 基本部位を腹部とした場合：女子1，4に同じ	
3	女子1，4	腹部	①頭頸部，又は ②胸部及び上腕部	

(3)　内部被曝線量の測定

1）誤って，吸入又は経口摂取した場合は，その都度測定する．

2）吸入又は経口摂取する恐れのある場所に立ち入る場合は，3月以内ごとに1回測定する．

3）女子 4 は，妊娠について本人の申出があったときから出産まで 1 月以内ごとに 1 回測定する．

4）内部被曝線量測定方法（告示：平成 12 年第 398 号）に従う．

内部被曝線量測定は，吸入摂取，又は経口摂取した RI について別表第 3 の第 1 欄の RI の種類ごとに適切な方法で，摂取した RI の摂取量を計算する．但し，厚生労働大臣が認めた方法により測定する場合は，この限りでない．

5.7.2.3　実効線量及び等価線量の算定（告示：平成 12 年第 398 号）

実効線量及び等価線量は，外部被曝線量及び内部被曝線量の測定結果に基づき，厚生労働大臣が定める方法により算定する．

⑴　外部被曝による実効線量の算定

外部被曝による実効線量（1 cm 線量当量）は，放射線の種類に応じて次の式により計算する．

1）放射線が X 線又は γ 線である場合

$E = f_X D$

但し，

E：実効線量（Sv）

f_X：告示第 398 号別表第 1 の第 1 欄の放射線のエネルギーに応じて，同表の第 2 欄に掲げる値

D：自由空気中の空気カーマ（Gy）

2）放射線が中性子線である場合

$E = f_n \Phi$

但し，

E：実効線量（Sv）

f_n：告示第 398 号別表第 2 の第 1 欄の放射線のエネルギーに応じて，同表の第 2 欄に掲げる値

Φ：自由空気中の中性子フルエンス（個/cm^2）

3）放射線の種類が 2 種類以上ある場合

放射線の種類ごとに計算した実効線量の和をもって，実効線量とする．

(2) 内部被曝による実効線量の算定

内部被曝による実効線量の算出は，告示第 398 号別表第 3 の第 1 欄に掲げる RI の種類ごとに次の式により行う．2 種類以上の RI を吸入摂取，又は経口摂取したときは，それぞれの種類につき算出した実効線量の和を内部被曝による実効線量とする．

$E_i = eI$

但し，

E_i：内部被曝による実効線量（mSv）

e：告示第 398 号別表第 3 の第 1 欄に掲げる RI の種類に応じて，それぞれ，吸入摂取の場合は同表の第 2 欄，経口摂取の場合は同表の第 3 欄に掲げる実効線量係数（mSv/Bq）

I：吸入摂取又は経口摂取した RI の摂取量（Bq）

(3) 実効線量及び等価線量の算定

表 5.14 は，線量と被曝の種類及び評価量との関係を示している．被曝が，外部被曝のみ，又は内部被曝のみの場合は，それぞれの実効線量で評価する．外部被曝と内部被曝が複合する場合は，それぞれの実効線量の和をもって，複合被曝の実効線量とする．眼の水晶体は 3 mm 線量当量を等価線量とする．皮膚の等価線量は 70 μm 線量当量とするが，中性子線にあっては 1 cm 線量当量とする．又，妊娠中の女子の腹部表面の等価線量は，1 cm 線量当量とする．

表 5.14　線量と被曝の種類及び評価量との関係

線量	被曝の種類	評価量
実効線量	外部被曝のみ	外部被曝の実効線量
	内部被曝のみ	内部被曝の実効線量
	複合被曝	外部被曝の実効線量と内部被曝の実効線量の和
等価線量	眼の水晶体	3 mm 線量当量（ただし，1 cm 線量当量と 70 μm 線量当量で評価できる場合は大きい方の値）
	皮膚	70 μm 線量当量，中性子線は 1 cm 線量当量
	妊娠中の女子の腹部表面	1cm 線量当量

5.8　患者の被曝の防止及び取扱者の遵守事項（第30条の19及び第30条の20）

5.8.1　患者の被曝の防止（第30条の19）

1）遮蔽壁，その他の遮蔽物を用いて患者を防護する．
2）入院中の患者の被曝線量を1.3 mSv/3月以下とする．
3）診療による被曝線量を除く．

5.8.2　取扱者の遵守事項（第30条の20）

⑴　医療用RI汚染物を取り扱う者の遵守事項

診療用RI使用室，診療用陽電子RI使用室（RI使用室）又は廃棄施設において医療用RI汚染物を取り扱う者は，下記1)の管理体制の下に2)～6)の事項を遵守する（医療用RI汚染物については，4.11節参照）．

1）放射線管理体制を明確にする．医療用RI汚染物を取り扱う実務者の中から責任者を選任する（通知：平成31年医政発0315第4号第4　8⑴）．
2）作業衣等を着用する．
3）作業衣等を着用したまま，RI使用室又は廃棄施設外へ出ない．
4）表面密度限度を超えている医療用RI汚染物を，RI使用室，廃棄施設，放射線治療病室から持ち出さない．
5）表面密度限度の1/10を超えている医療用RI汚染物を管理区域から持ち出さない．
6）汚染除去は，室内の汚染除去用に設けた場所又は専用の洗濯場で行う（通知：平成31年医政発0315第4号第4　8⑵）．

⑵　医師又は歯科医師の遵守事項

1）X線装置使用中はX線診療室の出入口にその旨表示する．
2）RI患者（照射装置，照射器具，診療用RI，診療用陽電子RIで治療中の患者）に適当な標示を付す．

RI患者に標示を付すのは，放射線治療を受けている患者等以外の者の実効線量が1.3 mSv/3月を超える恐れのある場合のみである．なお，診療用陽電子RIを投与された患者等の体内放射能が減衰し，管理区域外へ退出させてもかまわない程度十分な時間留め置いた場合は，標示は不要である（通知：平成 31 年医政発 0315 第 4 号第 4　8(3)）.

5.9　測定（第 30 条の 21 及び第 30 条の 22）

5.9.1　X 線装置等の測定（第 30 条の 21）

治療用 X 線装置，発生装置，粒子線照射装置及び照射装置は，6 月以内ごとに 1 回以上線量を測定し，結果を 5 年間保存する.

＊治療用の装置の測定は，精度を確保するために行う（通知：平成 31 年医政発 0315 第 4 号第 4　9）.

5.9.2　放射線障害が発生する恐れのある場所の測定（第 30 条の 22）

(1)　測定の頻度と記録の保存

表 5.15 は，測定する場所と頻度を示している．放射線障害が発生する恐れのある場所について，診療開始前に 1 回，開始後は原則として 1 月以内ごとに 1 回，放射線量及び汚染の状況の 2 項目を測定し，結果を 5 年間保存する.

但し例外として，X 線装置，発生装置，粒子線照射装置，照射装置，装備機器を固定して取り扱う場合であって，使用方法や遮蔽が一定している場合の放射線量の測定は，場所

表 5.15　測定の場所と頻度

項　目	場　所	頻　度
放射線量	1. X 線診療室，発生装置使用室，粒子線照射装置使用室，照射装置使用室，装備機器使用室， 2. 照射器具使用室，診療用 RI 使用室，診療用陽電子 RI 使用室 3. 貯蔵施設 4. 廃棄施設 5. 放射線治療病室 6. 管理区域の境界 7. 病院等内の人が居住する区域 8. 病院等の敷地の境界	1. 診療開始前に 1 回 2. 開始後 原則：1 月以内ごとに 1 回 例外：6 月以内ごとに 1 回 X 線装置，発生装置，粒子線照射装置，照射装置，装備機器を固定使用し，使用方法，遮蔽が一定している場合．但し，場所 2～5 は除く.
RI による汚染の状況	1. 診療用 RI 使用室，診療用陽電子 RI 使用室 2. 放射線治療病室 3. 排水口 4. 排気口 5. 排水監視設備のある場所 6. 排気監視設備のある場所 7. 管理区域の境界	1. 診療開始前に 1 回 2. 開始後 原則：1 月以内ごとに 1 回 例外：排気，排水の都度．連続排水，連続排気する場合は連続測定

欄に示す1のX線診療室等の5室及び6～8の3箇所においては6月以内ごとに1回行う．

RIによる汚染の状況は，場所欄の3～6の4箇所については，排水又は排気する都度測定する．連続的に排気，排水する場合は，連続して測定する．

照射装置使用室において照射器具を使用する場合は，診療を開始した後にあっては1月以内ごとに1回，放射線の量を測定し，結果を記録し，5年間保存しなければならない（通知：平成31年医政発0315第4号第4　10(1)）．

豆知識5.11　排気と排水の測定方法の違い

旧式の地下埋設型の排水設備では，連続して排水するようになっており，流下式と呼ばれる．この方式では，連続して濃度を測定しなければならない．又，流下式では，濃度限度を超える廃水を排水してしまう可能性がある．更に，地下埋設型の排水設備は漏水を点検することが困難である．これらの問題点を解決するために，現在は，漏水を6面から目視点検が可能な地上設置型の排水設備を採用し，排水設備内の放射能濃度が濃度限度以下であることを確認した後排水する．つまり，排水の都度測定している．

一方，排気に関しては，RI施設を使用している間，施設内は連続して換気されているので，排気も連続して行われる．従って排気は常に連続して測定することになる．

(2)　放射線量及び汚染の状況の測定

放射線量及びRIによる汚染の状況の測定は，表5.16に従って各測定量に対して適切な測定方法で行う．

表5.16　測定対象と測定量及び測定方法の関係

測定対象	測定量	測定方法
放射線量	①1 cm線量当量率又は1 cm線量当量 ②70 μm線量当量率が1cm線量当量率の10倍を超える恐れのある場所，又は70 μm線量当量が1cm線量当量の10倍を超える恐れのある場所では70 μm線量当量率又は70 μm線量当量	①測定は最も適した位置で，測定器を用いて測定する． ②測定が著しく困難な場合は計算によって算出する．
汚染の状況	濃度又は表面密度[1]	

注1）筆者による追加．規則，通知には記載されていない．

(3)　測定量及び測定方法について

1）積算線量と線量当量率の関係

表5.16の測定量の①では，放射線量を1 cm線量当量率又は1 cm線量当量で測定するとしており，どちらで測定してもよい．豆知識5.12参照．

注：線量当量を測定する場合は，管理区域境界等の線量限度が3月当たりで規定されているため積算型の測定器で測定する．

2）線量当量率を用いる積算線量の算出方法（通知：平成 31 年医政発 0315 第 4 号第 4　10 (2)）

使用実態を考慮して線量率から 3 月線量を算定しても良い．

①1 時間当たりの線量率の測定値から 3 月線量を算定する場合は，8 時間/日，40 時間/週，500 時間/3 月とする．

②1 週間又は 1 月間の測定値を 13 倍又は 3 倍して 3 月線量を算定しても良い．

3）測定方法（通知：平成 31 年医政発 0315 第 4 号第 4　10 (3)）

①表 5.16 の測定方法の①における「最も適した位置」とは，通常使用する頻度が最も高い場所及び位置で，適切な方法で測定することを言う．

②表 5.16 の測定方法の②における「放射線測定器を用いて測定することが著しく困難である場合」とは，物理的に測定することが困難な場合に限定される．この場合にのみ，計算による算出が認められる．

豆知識 5.12　線量当量で測定することの意味と適切な測定方法との関係

場の測定は，通常サーベイメータを用いて線量率を測定し，限度値と比較する．管理区域境界や事業所境界の線量率は低いので，線量率計の精度では境界の限度値に相当する線量率とバックグラウンドとを識別することは困難であることがある．そのため，積算線量計を用いて線量当量を測定する．積算時間が 3 月より短い場合は，積算時間との比を用いて 3 月線量に換算する．

考え方としては合理的であるが，実際に 3 月間の積算線量を測定する作業は非常に煩わしくなる．例えば，1 日当たりの放射線を使用する時間は労働時間 8 時間以内であるとすると，積算時間は 8 時間となる．毎日積算線量を記録し，これを 91 回繰り返して，その和を 3 月間の積算線量としなければならない．3 月間毎日放射線業務を繰り返すと仮定して，典型的な日を選んで 1 日 8 時間の積算値から 3 月間の積算線量を推定する場合は，比較的労力が少なくて済む．

5.10　記帳（第 30 条の 23）

2 種類の帳簿を備え，定められた事項を記載する．第 1 の帳簿は，X 線装置等の週当たりの使用時間を記載する．第 2 の帳簿は，照射装置，照射器具，診療用 RI，診療用陽電子 RI（RI 等）の入手から廃棄までを記載する．

5.10.1　X 線装置等の帳簿と記載事項

表 5.17 の各使用室で使用する装置又は器具の帳簿には，1 週間当たりの延べ使用時間を記載する．但し，各使用室の画壁等の外側における実効線量率が表 5.17 の値以下となるように遮蔽されている室については，延べ使用時間の記録を要しない．

表 5.17　使用室と使用時間の記録を要しない画壁等の外側の実効線量率

No.	使用室	装置又は器具	画壁等の外側の実効線量率（μSv/h）
1	治療用X線装置を使用しないX線診療室	治療用X線装置以外のX線装置	40
2	治療用X線装置を使用するX線診療室	X線装置	20
3	発生装置使用室	発生装置	20
4	粒子線照射装置使用室	粒子線照射装置	20
5	照射装置使用室	照射装置	20
6	照射器具使用室	照射器具	60

帳簿の取扱いについては，表5.18の4項目が定められている．

表 5.18　帳簿の取扱い

No.	項　目	取扱い
1	記載事項	週当たりの延べ使用時間
2	閉鎖	帳簿は1年ごとに閉鎖する．
3	保存	帳簿は閉鎖後2年間保存する．
4	例外	画壁等で各室の外側の実効線量率が表5.17の値以下となるように遮蔽されている室では，帳簿を備えなくてもよい．

(1)　表5.18のNo. 1の記載事項について（通知：平成31年医政発0315第4号第4　11(1)及び(2)）

1）1週間の延べ使用時間を記載するのは，放射線取扱施設の画壁等の外側の実効線量が1 mSv/週以下であることを検証するためである．

2）管理区域境界の線量限度1.3 mSv/3月に合わせて，3月当たりの使用時間又は実効稼

表 5.19　使用時間等が明らかでない場合の撮影1回当たりの実効稼働負荷

No.	X線装置	単位（mA・s）
1	骨撮影用（1枚当たり）	
	①手，腕，足，幼児	10
	②頭，頸椎，胸椎，大腿骨，骨盤	50
	③腰椎	100
2	透視用（1枚当たり）	
	①消化器系	1,000
	②血管系	15,000
3	CT撮影用（1スライス当たり）	300
4	口内法撮影用及び歯科用パノラマ断層撮影（1枚当たり）	10
5	胸部集検用間接撮影（1枚当たり）	10
6	その他の撮影用（1枚当たり）	
	①胸部	5
	②腹部	40

働負荷（使用時間等）も記載する．実効稼働負荷＝使用時間（秒）×管電流

3）週当たり，3月当たりの装置ごとの使用時間等の算出

①撮影1回当たりの使用時間等が明らかな場合は，それらを累積した値を使用時間等とする．

②使用時間等が明らかでない場合は表5.19の値を撮影1回当たりの実効稼働負荷とみなし，週又は3月当たりの撮影回数を乗じて算出した値を使用時間等とする．

⑵ 表5.18のNo. 4の例外（通知：平成31年医政発0315第4号第4　11⑶）

表5.17の各室の画壁等の外側における実効線量率は，X線装置等の実際の使用状態の下で適切な方法で積算線量等を実測した線量でなければならない．測定が困難な場合は，表5.18のNo. 1に従って1週間及び3月間当たりの使用時間等を記載する．

5.10.2 RI等の帳簿と記載事項

⑴ RI等に関する帳簿と記載事項

表5.20は，RI等（照射装置，照射器具，診療用RI，診療用陽電子RI）の入手，使用，廃棄，RI汚染物の廃棄について帳簿（RI等の保管に関する帳簿：⑵注参照）に記載する事項を表している．

帳簿は，1年ごとに閉鎖し，閉鎖後5年間保存する．

表5.20　RI等に関する帳簿の記載事項

No.	記載事項
1	RI等の入手，使用又は廃棄の年月日
2	入手，使用，廃棄に係わる照射装置，照射器具の型式及び個数
3	入手，使用，廃棄に係わる照射装置，照射器具に装備したRIの種類及びBq量
4	入手，使用，廃棄に係わるRI汚染物の種類及びBq量
5	使用者の氏名，廃棄に従事した者の氏名並びに廃棄の方法及び場所

⑵ RI等の保管に関する帳簿の取扱い（通知：平成31年医政発0315第4号第4　11⑷）

保管に関する帳簿は，表5.21のように取り扱う．

注：規則に定められている「RI等の入手，使用，廃棄，RI汚染物の廃棄についての帳簿」を，通知では「保管に関する帳簿」としている．

表 5.21　RI 等の保管に関する帳簿の取扱い

No.	取扱い
1	帳簿は，1 年ごとに閉鎖する.
2	閉鎖時には，数量等の保管状況を確認する.

◆表 5.21 の No. 1 及び 2 について

1）RI 等の保管に関する帳簿については，過去に密封された RI の紛失等の事故が多発したことを踏まえ，帳簿の 1 年ごとの閉鎖時に，数量等の保管状況を確認することを義務づけている.

2）保管の記録は閉鎖後 5 年間保存することとしているが，病院等において照射装置，照射器具，診療用 RI 及び診療用陽電子 RI を保管している間継続することが望ましい.

5.11　廃止後の措置（第 30 条の 24）

診療用 RI，診療用陽電子 RI を備えなくなった時には，30 日以内に下記の措置を講ずる.

⑴汚染を除去する.

⑵汚染物を譲渡又は廃棄する.

診療用 RI 使用室，診療用陽電子 RI 使用室又は放射線治療病室を別の用途に変更する場合は，あらかじめ上記⑴⑵を措置する．又，⑵の汚染物の譲渡は厚生労働大臣が指定した廃棄業者（日本アイソトープ協会）に限る（通知：平成 31 年医政発 0315 第 4 号第 4　12).

5.12　事故の場合の措置（第 30 条の 25）

⑴地震，火災，その他の災害又は盗難，紛失その他の事故で，放射線障害が発生し，又は発生の恐れがある場合は，直ちに，管轄する保健所，警察署，消防署その他の関係機関に通報する．放射線障害の防止に努める.

⑵通報体制と放射線障害対策（通知：平成 31 年医政発 0315 第 4 号第 4　13）

1）事故発生に伴う連絡網並びに通報先等を記載した通報基準や通報体制を定めておく.

図 5.18 は，火災等発見時の通報体制の例を示している．この図は，診療用 RI，診療用陽電子 RI 及び発生装置を有しており，RI 規制法の適用を受ける病院を想定して作られている．従って，RI 規制法で定める放射線取扱主任者が選任されていることを前提としている.

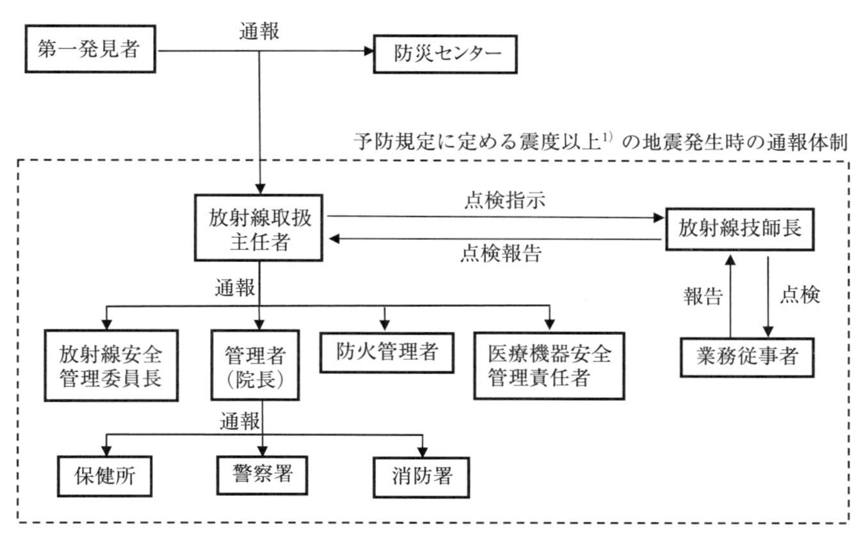

図 5.18　火災等発見時の通報体制の例

注 1）震度 4 以上と定めている場合は，地震時には点検を行い，異常のある場合は規制庁へ連絡する．特定許可使用者は震度 5 強以上の場合には点検を行い，結果を規制庁へ報告する．震度 5 強未満であっても異常があれば規制庁へ報告する．

豆知識 5.13　RI 規制法の適用を受けない病院の通報体制は独自に定める

RI 規制法の適用を受けない病院の場合は，管理者が放射線取扱主任者の役割を果たすことになる．あるいは，管理者が安全委員会委員長，その他適切な者にその職務を委任することもできる．但し，その場合は，委任した者を緊急時の通報の組織図等に明記しておかなければならない．

2）放射線障害を受けたか，受ける恐れのある場合は，遅滞なく医師の診断や保健指導等の措置を講ずる．

3）女子は緊急作業に従事させない．但し，女子 2（妊娠する可能性がないと診断された者）及び女子 3（妊娠する意思がないことを書面で申し出た者）を除く．

第6章

限　度

本章は，医療法施行規則第 4 章第 5 節に対応している．本章では濃度限度，表面密度限度，及び線量限度の対象とその意味，及び具体的な限度値について学ぶ．

6.1　限度の意味

医療法施行規則に規定されている限度には，図 6.1 に示すように濃度限度，表面密度限度，及び線量限度の 3 種類がある．限度とは，放射線による被曝によって，人体が受ける影響を無視できるレベルに保つよう安全側に定められた値である．これらの限度は，国際放射線防護委員会（International Commission on Radiological Protection : ICRP）の 1990 年勧告によって提案された職業被曝と公衆被曝の限度に基づいて定められている．

濃度限度は施設の構造設備のうち排水，排気能力の基準を定めており，表面密度限度は人が触れるものの表面汚染の基準を定めている．線量限度は，個人の被曝線量の基準を定めている．

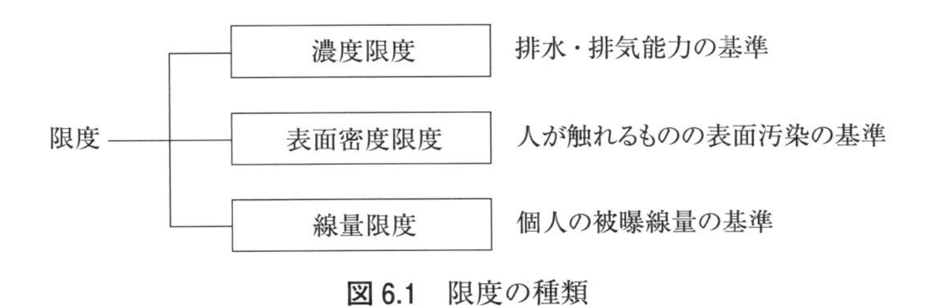

図 6.1　限度の種類

6.2　濃度限度等（第30条の26）

6.2.1　濃度限度

(1)　濃度限度の種類

濃度限度とは，RIを職場環境や自然環境へ放出できる限度である．図6.2のように濃度限度には3種類あり，一般公衆を対象とする排液中又は排水中の濃度限度，排気中又は空気中の濃度限度，及び放射線診療従事者を対象とする空気中濃度限度とに分類されている．これらの濃度限度は，規則別表第3と別表第4に記載されている．

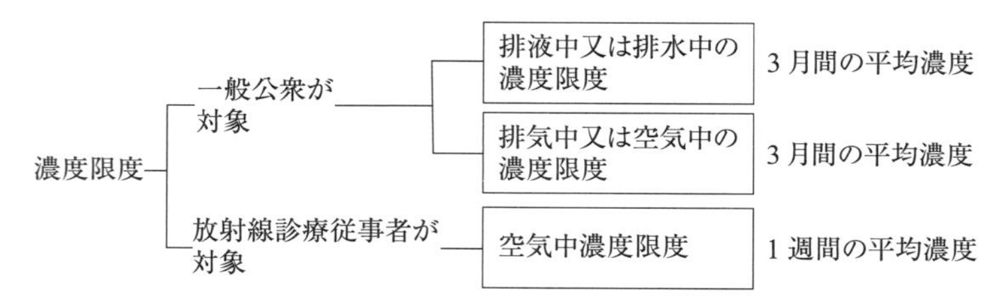

図6.2　濃度限度の対象と種類

表6.1は，規則別表第3に示されているRIの種類が明らかで，かつ，1種類である場合のRIのうち医療で用いられている6核種に対する濃度限度の例である．ここで言うRIの種類とは，核種と化学形等の組み合わせが異なるものを指す．

表6.1のように濃度限度は，第1欄に示される種類ごとに区分されており，第2欄は放射線診療従事者に対する空気中濃度限度，第3欄は一般公衆に対する排液中又は排水中の濃度限度，第4欄は一般公衆に対する排気中又は空気中の濃度限度である．

第2欄と第4欄の気体状のRIに対する濃度限度を核種で比較すると，同じ核種でも化学形等の違いにより限度値が異なっている．^{131}Iのように，気体状（蒸気）の限度値が最も低く，次に低いのが揮発性の化合物であり，その他の化合物の限度値が最も高い値となっている．このように化学形等が気体状や揮発性の化合物は，呼吸による内部被曝の可能性が高くなるため限度値は低くなっている．一方，気体状や揮発性でないものは内部被曝の可能性が低いので，「……以外の化合物」として分けられ，高い限度値になっている．

第2欄と第4欄を比較すると，同じ核種であっても，第4欄の一般公衆に対する限度値は，放射線診療従事者に対する第2欄より1～2桁低い濃度に定められている．

第3欄の排液中又は排水中のRIに対する濃度限度は，同じ核種であれば化学形等が異なっても限度値は同じとなっている．但し，^{3}Hのように化学形等によって限度値が異なる核種もあるが，このような例は極めて少ない．

表 6.1　規則別表第 3 のうち診療で用いられる代表的な RI の濃度限度

第 1 欄		第 2 欄	第 3 欄	第 4 欄
RI の種類		空気中濃度限度 (Bq/cm^3)	排液中又は排水中の濃度限度 (Bq/cm^3)	排気中又は空気中の濃度限度 (Bq/cm^3)
核種	化学形等			
^{67}Ga	酸化物，水酸化物，炭化物，ハロゲン化物及び硝酸塩以外の化合物	2×10^{-1}	4×10^{0}	2×10^{-3}
	酸化物，水酸化物，炭化物，ハロゲン化物及び硝酸塩	7×10^{-2}	4×10^{0}	5×10^{-4}
^{99m}Tc	酸化物，水酸化物，ハロゲン化物及び硝酸塩以外の化合物	1×10^{0}	4×10^{1}	9×10^{-3}
	酸化物，水酸化物，ハロゲン化物及び硝酸塩	7×10^{-1}	4×10^{1}	6×10^{-3}
^{111}In	酸化物，水酸化物，ハロゲン化物及び硝酸塩以外の化合物	9×10^{-2}	3×10^{0}	9×10^{-4}
	酸化物，水酸化物，ハロゲン化物及び硝酸塩	7×10^{-2}	3×10^{0}	5×10^{-4}
^{123}I	蒸気	1×10^{-1}	–	5×10^{-4}
	ヨウ化メチル	1×10^{-1}	–	7×10^{-4}
	ヨウ化メチル以外の化合物	2×10^{-1}	4×10^{0}	1×10^{-3}
^{131}I	蒸気	1×10^{-3}	–	5×10^{-6}
	ヨウ化メチル	1×10^{-3}	–	7×10^{-6}
	ヨウ化メチル以外の化合物	2×10^{-3}	4×10^{-2}	1×10^{-5}
^{201}Tl	すべての化合物	3×10^{-1}	9×10^{0}	3×10^{-3}

豆知識 6.1　濃度限度
濃度限度は，人体への内部被曝を考慮して定められたものである．

表 6.2 は，規則別表第 4 を示している．RI の種類が明らかで，かつ，1 種類である場合であって，規則別表第 3 に記載されていない核種に対する空気中濃度限度等の区分方法の一覧表となっている．核種は，α線を放出するかしないかで 2 区分され，更に物理的半減期によって 4 区分され，計 8 区分されているが，化学形等では区分されていない．従っ

表 6.2　規則別表第 4：規則別表第 3 に記載されていない核種に対する濃度限度

第 1 欄		第 2 欄	第 3 欄	第 4 欄
RI の区分		空気中濃度限度 (Bq/cm^3)	排液中又は排水中の濃度限度 (Bq/cm^3)	排気中又は空気中の濃度限度 (Bq/cm^3)
α 線放出の区分	物理的半減期の区分			
α 線を放出する RI	物理的半減期が 10 分未満のもの	4×10^{-4}	4×10^{0}	3×10^{-6}
	物理的半減期が 10 分以上，1 日未満のもの	3×10^{-6}	4×10^{-2}	3×10^{-8}
	物理的半減期が 1 日以上，30 日未満のもの	2×10^{-6}	5×10^{-3}	8×10^{-9}
	物理的半減期が 30 日以上のもの	3×10^{-8}	2×10^{-4}	2×10^{-10}
α 線を放出しない RI	物理的半減期が 10 分未満のもの	3×10^{-2}	5×10^{0}	1×10^{-4}
	物理的半減期が 10 分以上，1 日未満のもの	6×10^{-5}	1×10^{-1}	6×10^{-7}
	物理的半減期が 1 日以上，30 日未満のもの	4×10^{-6}	5×10^{-3}	2×10^{-8}
	物理的半減期が 30 日以上のもの	1×10^{-5}	7×10^{-4}	4×10^{-8}

て，別表第4は，別表第3のように個別のRIの種類に対して限度値を示していない．

(2) 空気中濃度限度

表6.1の第2欄の空気中濃度限度は，管理区域における空気中濃度の限度であり，1週間の平均濃度に対して適用される．この限度は，図6.3のように管理区域内でRIを扱う放射線診療従事者を対象として，内部被曝を制御するために規定されている．

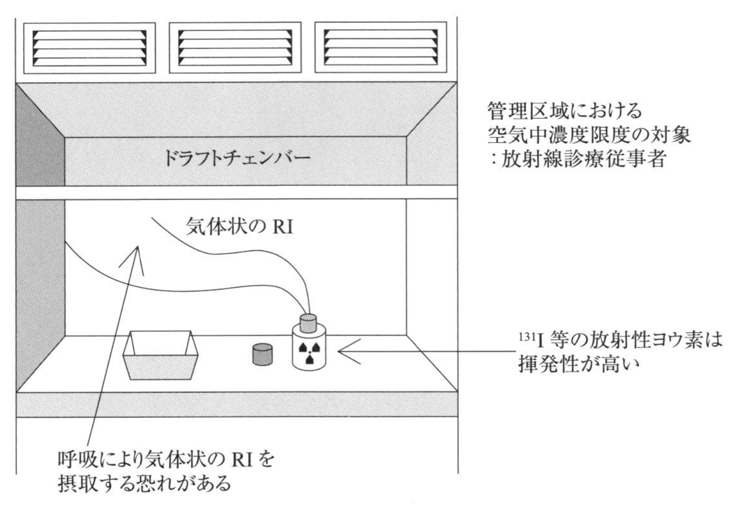

図6.3　空気中濃度限度の対象

表6.3に示すように診療用RI使用室，診療用陽電子RI使用室，貯蔵施設，廃棄施設，及び放射線治療病室のうち人が常時立ち入る場所における空気中濃度は，空気中濃度限度以下でなければならない．人が常時立ち入る場所とは，放射線診療従事者等が通行したり，滞在したりする頻度の高い場所を指す．なお，排気設備に対しては，人が常時立ち入る場所の空気中濃度を空気中濃度限度以下とする能力が求められている（4.11節(2)参照）．

表6.3　空気中濃度限度が適用される場所

No.	場　所	濃　度
1	診療用RI使用室	濃度限度　以下
2	診療用陽電子RI使用室	
3	貯蔵施設	
4	廃棄施設	
5	放射線治療病室	

豆知識6.2　空気中濃度限度と排気中又は空気中の濃度限度

空気中濃度限度と排気中又は空気中の濃度限度は，対象と適用場所が異なることに注意する．空気中濃度限度は，対象が放射線診療従事者であり，管理区域が適用場所である．一方，排気中又は空気中の濃度限度は，対象が一般公衆であり，病院等の排気施設の排気口，又は敷地境界が適用場所である．

(3) 排液中又は排水中の濃度限度

表 6.1 の第 3 欄の排液中又は排水中の濃度限度は，図 6.4 に示すように病院等の排水設備の排水口，又は敷地の境界における限度であり，3 月間の平均濃度に対して適用される．この限度は，病院等の敷地外へ放出される RI の濃度を規制していることから，対象は一般公衆となる．

通常，管理区域から排水される RI を含んだ排液は図 4.27 のように貯留槽に集められ，濃度限度以下になるまで保管されるか，あるいは貯留槽から希釈槽に移され希釈処理される．これらの排水設備によって濃度限度以下とされた RI 排液は，排水設備の排水口から下水管に放出される．排水時には，水モニタで監視することが多い．

排水監視設備を設ける場合は，敷地境界に設置する．排水監視設備については，豆知識 4.8 参照．

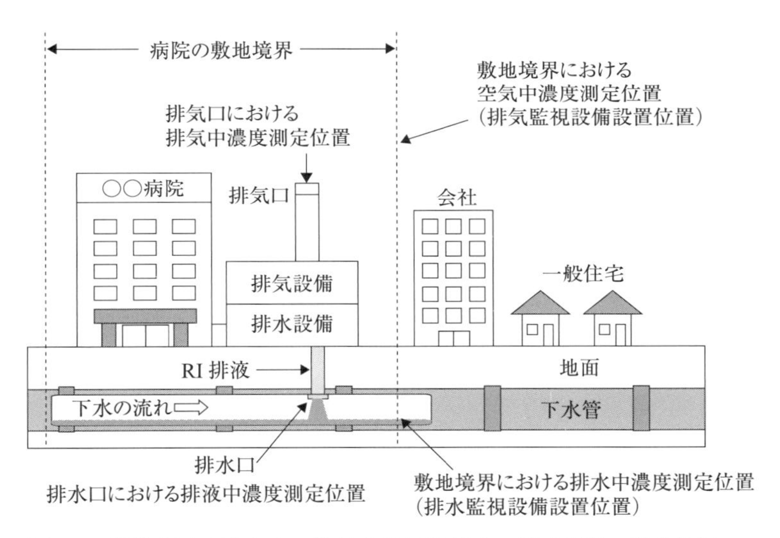

図 6.4　排液中又は排水中，排気中又は空気中の濃度限度の測定位置

(4) 排気中又は空気中の濃度限度

表 6.1 の第 4 欄の排気中又は空気中の濃度限度は，図 6.4 に示すように病院等の排気設備の排気口，又は敷地の境界における限度であり，3 月間の平均濃度に対して適用される．この限度も前項と同様，病院等の敷地外へ放出される RI の濃度を規制していることから，対象は一般公衆である．

管理区域から排気される気体状の RI は，図 4.29 のように濃度限度以下になるよう排気設備で浄化され，排気口から大気中へ放出される．排気中 RI 濃度は，排気モニタで監視することが多い．敷地外に放出されたRIを含む気体は，病院等の近隣で生活している人々に取り込まれる可能性があるが，その濃度は大気拡散により排気口における濃度よりさらに低い濃度となる．

排気監視設備を設ける場合は，敷地境界に設置される．排気監視設備については，豆知識4.8参照．

6.2.2　濃度限度の適用方法

排液中又は排水中の濃度限度，排気中又は空気中の濃度限度，及び空気中濃度限度は，それぞれ表6.4に示すように使用するRIの種類が明らかであるか，及びRIの種類の数によって5区分して適用されている．

表6.4　RIの種類と濃度限度の関係

No.	RIの種類	濃度限度		
		空気中濃度	排液中又は排水中	排気中又は空気中
1	RIの種類が明らかで，1種類のとき	別表第3の第2欄の値	別表第3の第3欄の値	別表第3の第4欄の値
2	RIの種類が明らかで，2種類以上のとき	各RI濃度の別表第3の第2欄の値に対する割合の和が1となる値	各RI濃度の別表第3の第3欄の値に対する割合の和が1となる値	各RI濃度の別表第3の第4欄の値に対する割合の和が1となる値
3	RIの種類が明らかでないとき	別表第3の第2欄で最も低い値（明らかに該当しないRIは除く）	別表第3の第3欄で最も低い値（明らかに該当しないRIは除く）	別表第3の第4欄で最も低い値（明らかに該当しないRIは除く）
4	RIの種類が明らかで，1種類でかつ別表第3にないとき	別表第4の第2欄の値	別表第4の第3欄の値	別表第4の第4欄の値
5	RIの種類が明らかで，2種類以上でかつ別表第3にないとき	各RI濃度の別表第4の第2欄の値に対する割合の和が1となる値	各RI濃度の別表第4の第3欄の値に対する割合の和が1となる値	各RI濃度の別表第4の第4欄の値に対する割合の和が1となる値

注：表中の別表第3及び第4は，規則の別表第3及び第4を指す．

表6.4のNo. 1～5に対する3種類の濃度限度の適用方法はどれも同じであるので，排液中又は排水中の濃度限度を用いて適用方法を説明する．

(1)排液中又は排水中のRIの種類が明らかで1種類のときは，表6.1の第1欄のRIの種類に対して第3欄の値をそのまま濃度限度とする．

(2)排液中又は排水中のRIの種類が明らかで2種類以上のときは，各RIの種類に対応する表6.1の第3欄の濃度限度に対する各RIの濃度の割合の和が1になる濃度が，各RIの種類に対する濃度限度となる（計算例は豆知識6.3参照）．

豆知識 6.3 排液中又は排水中の RI の種類が明らかで 3 種類の場合における割合の和の計算例

^{67}Ga，^{99m}Tc，^{201}Tl の 3 核種の放射性医薬品を使用した時の排液中又は排水中の 3 月間の平均濃度が，表 A のような値であったと仮定する．

表 A 使用核種と 3 月間の平均濃度

核種	放射性医薬品名	3 月間の平均濃度（Bq/cm^3）
^{67}Ga	^{67}Ga-citrate（悪性腫瘍・炎症性病変診断薬）	1×10^0
^{99m}Tc	^{99m}Tc-HMDP（骨疾患診断薬）	2×10^1
^{201}Tl	^{201}Tl-chloride（心臓疾患・副甲状腺・腫瘍診断薬）	3×10^0

表 6.1 より，この 3 核種の化学形等及び排液中の濃度限度は表 B の通りである．

表 B 各核種の化学形と濃度限度

核種	化学形等	濃度限度（第 3 欄）（Bq/cm^3）
^{67}Ga	酸化物，水酸化物，炭化物，ハロゲン化物及び硝酸塩以外の化合物	4×10^0
^{99m}Tc	酸化物，水酸化物，炭化物，ハロゲン化物及び硝酸塩以外の化合物	4×10^1
^{201}Tl	すべての化合物	9×10^0

これら 3 核種に対する割合の和は，次式で与えられる．

$$\frac{^{67}\text{Ga の平均濃度}}{^{67}\text{Ga の濃度限度}} + \frac{^{99m}\text{Tc の平均濃度}}{^{99m}\text{Tc の濃度限度}} + \frac{^{201}\text{Tl の平均濃度}}{^{201}\text{Tl の濃度限度}} = \frac{1 \times 10^0}{4 \times 10^0} + \frac{2 \times 10^1}{4 \times 10^1} + \frac{3 \times 10^0}{9 \times 10^0} = 1.08$$

この場合，割合の和は 1.08 であり，1 を超えているため，このまま排水することはできない．そのため，排液は貯留槽にて割合の和が 1 より低くなるまで保管し，放射能が減衰してから排水するか，希釈槽にて希釈処理してから排水しなければならない．

このように，2 種類以上の RI を用いる場合，1 種類では濃度限度を超えていなくても，割合の和が 1 を超える恐れがあるので注意が必要である．

なお，平均濃度は，核種，減衰，1 日の最大使用予定数量，混入率，貯留槽 1 基の貯留量等の条件を考慮して算定される（通知：平成 31 年医政発 0315 第 4 号第 6　4 (2)）．

豆知識 6.4 貯留槽における処理

貯留槽は，管理区域からの RI 排液を一時的に貯留するものである．通常，診療で用いられる RI は短半減期のものが多いため，貯留槽にて放射能を減衰処理してから排水するのが合理的である．また，貯留中の減衰効率をよくするためにも 2 槽以上設置するのが一般的である．

(3)排液中又は排水中の RI の種類が明らかでないときは，表 6.1 の第 3 欄の濃度のうち最も低い値を濃度限度とする．ただし，使用していないことが明らかな RI はあらかじめ除いてもよい．

豆知識 6.5　排液中又は排水中の RI の種類が明らかでない場合の濃度限度の適用例

届出されている RI が ^{67}Ga, ^{99m}Tc, ^{111}In, ^{123}I, ^{131}I, ^{201}Tl の 6 核種であり，排水前に測定したところ有意な値が検出されたが，核種分析装置がないため核種を決定できない場合を仮定する．核種不明であるので，RI の種類が明らかでない場合に相当する．この場合は，核種を下記の 2 例のように使用記録を基に適用濃度限度を絞り込むことになる．

(1)　全核種が使用されている場合

表 6.1 の第 3 欄よりこれら 6 核種のうち，最も低い濃度限度値は ^{131}I の 4×10^{-2} Bq/cm^3 であるので，この値が排液中又は排水中の濃度限度として適用される．

(2)　一部の RI のみ使用されている場合

RI の使用記録に ^{67}Ga, ^{99m}Tc, ^{201}Tl の 3 種類が使用されたと記録されており，^{111}In, ^{123}I, ^{131}I の 3 種類は使用されていない場合は，排液中又は排水中の濃度限度は，記載のある RI の中で最も低い濃度限度値 ^{67}Ga の 4×10^0 Bq/cm^3 が濃度限度として適用される．

(4)排液中又は排水中の RI の種類が明らかでかつ 1 種類であって，別表第 3 にないときは，表 6.2 に示す別表第 4 の第 1 欄の RI の区分に応じて第 3 欄の値を濃度限度とする．

(5)排液中又は排水中の RI の種類が明らかでかつ 2 種類以上であって，別表第 3 にないときは，表 6.2 の別表第 4 の第 1 欄の RI の区分に対応する濃度限度に対する各区分の RI 濃度の割合の和が 1 になる濃度が，各区分の RI の濃度限度となる．

6.2.3　管理区域

管理区域は，RI を直接取り扱う場であるため，内部被曝と外部被曝を生じる可能性が高い場所である．管理区域の設置には 4 つの基準が設けられており，表 6.5 に示す No. 1〜4 の対象に対する限度値を 1 つでも超える恐れのある場所は管理区域としなければならない．

表 6.5　管理区域の設置基準

No.	対　象	限　度
1	外部被曝：外部放射線による実効線量	1.3 mSv/3 月
2	内部被曝：空気中の 3 月間の平均濃度	1 核種：空気中濃度限度の 1/10 複数核種：空気中濃度限度の 1/10 に対する 3 月間の平均濃度の比の和が 1
3	表面汚染：RI によって汚染された物の表面密度	表面密度限度の 1/10
4	複合被曝（外部被曝＋内部被曝）	割合 I：外部放射線による 3 月間の実効線量の 1.3 mSv に対する割合 割合 II：空気中の 3 月間の平均濃度の，空気中濃度限度の 1/10 に対する割合 割合 I と割合 II の和が 1

(1)　表 6.5 の No. 2 の空気中における 3 月間の平均濃度

RI の種類が明らかで 1 種類のときは，3 月間の平均濃度が表 6.1 の規則別表第 3 第 2 欄の空気中濃度限度の 1/10 を超える恐れのある場所を管理区域とする．RI の種類が明らかであるが別表第 3 第 2 欄にない場合は，3 月間の平均濃度が別表第 4 第 2 欄の空気中濃度限度の 1/10 を超える恐れのある場所を管理区域とする．

RI の種類が明らかで複数のときは，各 RI の空気中濃度限度の 1/10 に対する 3 月間の平均濃度の比の和が 1 を超える恐れのある場所を管理区域とする．

(2)　表 6.5 の No. 4 の外部被曝と内部被曝の両方の恐れがある場合

外部放射線による 3 月間の実効線量の実効線量限度 1.3 mSv に対する割合，及び空気中における 3 月間の平均濃度の空気中濃度限度の 1/10 に対する割合の和が 1 を超える恐れのある場所を管理区域とする．

6.2.4　病院等内の居住区域と敷地の境界における線量限度

図 6.5 に示すように病院等内の居住区域と敷地の境界における線量限度は，250 μSv/3 月以下である．病院等の敷地境界における線量限度は一般公衆を対象とした限度であるが，敷地内であっても宿舎等の居住区域には一般公衆の線量限度が適用される．

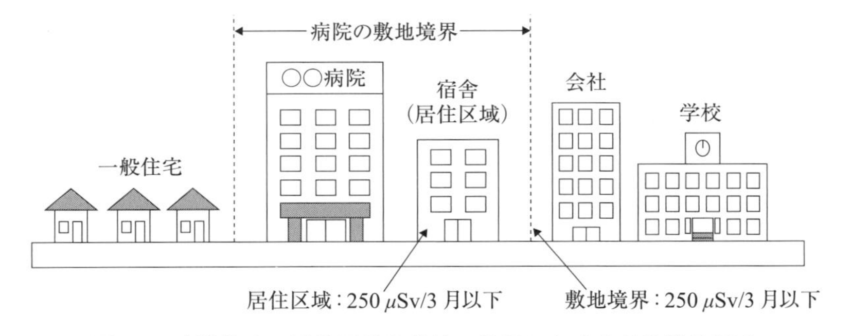

図 6.5　病院等内の居住区域と敷地の境界における実効線量限度

豆知識 6.6　一般公衆の実効線量

一般公衆の実効線量限度は，1 mSv/年である．病院等の敷地の境界における限度は，対象が一般公衆なので，3 月間では 1 mSv/年の 1/4 の 250 μSv となる．

6.2.5　一般公衆の線量限度

一般公衆に対して同時に外部被曝と内部被曝の恐れがある場合は，表 6.6 に示すように各線量又は濃度の限度に対する割合の和が 1 を超えないようにする．割合の和が 1 となる濃度と線量が，それぞれ空気中及び水中の濃度限度と線量限度となる．

表 6.6 の No. 2 の排液中又は排水中の濃度限度は，RI の種類が明らかで 1 核種である場合は表 6.1 の規則別表第 3 の第 3 欄の値を使用し，別表第 3 にない場合は表 6.2 の規則別表第 4 の第 3 欄の値を使用する．RI の種類が明らかでない場合は別表第 3 の第 3 欄の最も低い値を使用し，別表第 3 にない場合は別表第 4 の第 3 欄の値を使用する．

表 6.6 の No. 3 の排気中又は空気中の濃度限度は，RI の種類が明らかで 1 核種である場合は表 6.1 の規則別表第 3 の第 4 欄の値を使用し，別表第 3 にない場合は表 6.2 の規則別表第 4 の第 4 欄の値を使用する．RI の種類が明らかでない場合は別表第 3 の第 4 欄の最も低い値を使用し，別表第 3 にない場合は別表第 4 の第 4 欄の値を使用する．

複数核種の場合は，それぞれの核種に対して割合 I，II，III を求める．全ての核種の割合 I，II，III の和が 1 以下でなければならない．

表 6.6　外部被曝と内部被曝による一般公衆の線量限度

No.	基　準	限　度
1	外部放射線による 3 月間の実効線量の 250 μSv に対する割合：割合Ⅰ	割合Ⅰ，Ⅱ，Ⅲの和が 1（外部被曝と内部被曝の割合の和が 1）
2	水中の 3 月間の平均濃度の排液中又は排水中の濃度限度に対する割合：割合Ⅱ	
3	空気中の 3 月間の平均濃度の排気中又は空気中の濃度限度に対する割合：割合Ⅲ	

6.2.6　表面密度限度

表面密度限度は，表 6.7 に示すようにα線の放出の有無によって RI は 2 分類されている．表面密度限度は，管理区域において放射線診療従事者が触れる物の表面汚染の限度を示している．

表 6.7　表面密度限度

No.	種　類	限度（Bq/cm^2）
1	α 線を放出する RI	4
2	α 線を放出しない RI	40

6.3　線量限度（第 30 条の 27）

6.3.1　線量限度の種類

線量限度は，人体への被曝線量を制限することによって，放射線障害を防止するために定められている．線量限度には，図 6.6 に示すように実効線量と等価線量の限度とがある．実効線量限度は確率的影響，等価線量限度は確定的影響を防止するための指標として用いられる．これらの線量限度は，放射線診療従事者等に対する職業被曝の限度である（放射線診療従事者等の被曝防止については，5.7 節参照）．

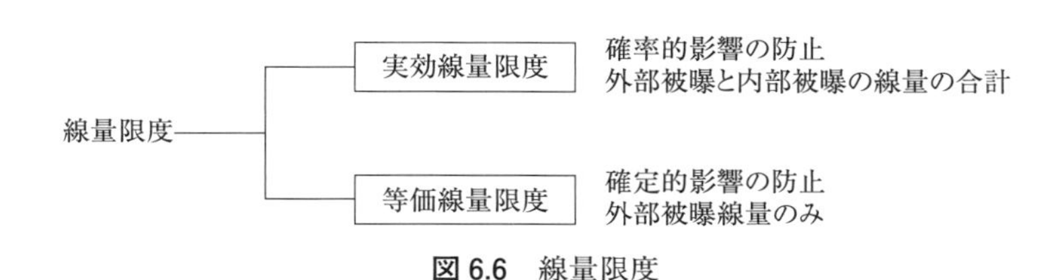

図 6.6　線量限度

実効線量は，外部被曝と内部被曝の線量を合計したものであるが，等価線量は外部被曝による線量のみを対象としている（通知：平成 31 年医政発 0315 第 4 号第 4　6 (3)）．

6.3.2　実効線量限度（通知：平成 31 年医政発 0315 第 4 号第 5）

表 6.8 は，放射線診療従事者等の実効線量限度を示している．表 6.8 の No. 1 の全従事者（男子と女子）に対する実効線量限度には，共通の 2 つの限度値が定められている．毎年 4 月 1 日からの 1 年間で 50 mSv 及び平成 13 年 4 月 1 日以降の 5 年ごとに 100 mSv である．

この 5 年ごとの線量限度は，放射線診療従事者等の使用開始時期に関係なく，平成 13 年 4 月 1 日から平成 18 年 3 月 31 日，平成 18 年 4 月 1 日から平成 23 年 3 月 31 日というように期間が決まっている 5 年間の積算線量に対する規制値である．なお，5 年間の途中から線量測定を開始する放射線診療従事者等についても，当該期間ごとの線量管理となる．ただし，当該期間に他施設での被曝歴がある場合は，その被曝線量についても当該の 5 年間に含めなければならない（通知：令和 2 年医政発 1027 第 4 号第 2　1）．

表 6.8 の No. 2 の女子 1（妊娠する可能性がある女子）の実効線量限度には，4 月 1 日，7 月 1 日，10 月 1 日及び 1 月 1 日からの 3 月間ごとに 5 mSv という追加の規定がある．

この女子1に対する3月間ごとの5 mSvは，1年間に換算すると20 mSv，5年間で100 mSvに相当する．ただし，女子2（妊娠する可能性がないと診断された女子）や女子3（妊娠する意思がない旨を病院等の管理者に書面で提出した女子）は，この規定から除外されている．書面を提出した女子3は，男子と同じ実効線量限度が適用されるが，書面の撤回を望む場合は再度書面にて意思表示をしなければならない（女子1，2，3，4については，5.7.2.1節参照，書面については6.3.5節参照）．

表6.8のNo. 3の女子4（妊娠中の女子）には，本人の申出等により職場の管理者が妊娠の事実を知ったときから出産までの期間における内部被曝が1 mSvという実効線量限度が追加される．この内部被曝の規定は，放射線感受性の高い胎児への影響を考慮したものである．

実効線量は，どれもこれらの定められた期間の限度値を超えないようにしなければならない．

表6.8　放射線診療従事者等の実効線量限度

No.	対　象	期　間	実効線量限度
1	全従事者 （男子と女子）	4月1日を始期とする1年間	50 mSv/年
		平成13年4月1日以後5年ごとの期間	100 mSv/5年
2	女子1 （妊娠可能な女子）	4月1日 7月1日 10月1日 1月1日 を始期とする3月間	No.1 + 5 mSv/3月間
3	女子4 （妊娠中の女子）	本人の申出等により管理者が妊娠の事実を知った時から出産までの間	No.1 + 1 mSv（内部被曝）

豆知識6.7　実効線量限度50 mSv/年と100 mSv/5年の関係

1年間で50 mSvの被曝を5年間続けると100 mSvを超えてしまうため，実際には1年間の実効線量は20 mSvを超えないように管理されている．ただし，1年間の実効線量が20 mSvを超えても，50 mSvを超えていない場合は，5年の期間中に業務内容を変更する等の被曝低減措置によって100 mSvを超えないようにすることができれば，継続して放射線業務に従事することができる．

6.3.3　等価線量限度

表6.9は，放射線診療従事者等の等価線量限度を示している．

表6.9のNo. 1の眼の水晶体と皮膚についての等価線量限度は，男子と女子に共通の値が定められている．眼の水晶体は4月1日からの1年間で50 mSv及び令和3年4月1日以降の5年ごとに100 mSv，皮膚は4月1日からの1年間で500 mSvである．

この5年ごとの線量限度は，実効線量限度のときと同様に令和3年4月1日から令和8

年 3 月 31 日というように期間が決まっている 5 年間の積算線量に対する規制値である.

表 6.9 の No. 2 の女子 4 には，本人の申出等により職場の管理者が妊娠の事実を知ったときから出産までの期間において腹部表面で 2 mSv という等価線量限度が追加されている.

等価線量は，実効線量と同様にこれらの定められた期間の限度値を超えないようにしなければならない.

表 6.9　放射線診療従事者等の等価線量限度

No.	対　象	部位	期間	等価線量限度
1	全従事者（男子と女子）	眼の水晶体	4 月 1 日を始期とする 1 年間	50 mSv/年
			令和 3 年 4 月 1 日以後 5 年ごとの期間	100 mSv/5 年
		皮膚	4 月 1 日を始期とする 1 年間	500 mSv/年
2	女子 4（妊娠中の女子）	腹部表面	本人の申出等により管理者が妊娠の事実を知った時から出産までの間	No.1 + 2 mSv

豆知識 6.8　新たな眼の水晶体の等価線量限度

2011 年のソウル声明で ICRP は，眼の水晶体の等価線量限度を 5 年間平均で 20 mSv/年（最大 50 mSv/年）とする新しい基準を示した. 国内でもこの新基準が法令に取り入れられ，令和 3 年 4 月 1 日より 5 年間の積算で 100 mSv（最大 50 mSv/年）の線量限度が適用された.

6.3.4　緊急放射線診療従事者等の線量限度

管理区域内での事故等の場合には，放射線診療従事者等は放射線障害を防止するための緊急作業に従事することがある. このとき緊急作業に従事する放射線診療従事者等は，緊急放射線診療従事者等と呼ばれ，特別な線量限度が適用される.

表 6.10　緊急放射線診療従事者等の線量限度

No.	種　類	部　位	限　度
1	実効線量限度	—	100 mSv
2	等価線量限度	眼の水晶体	300 mSv
		皮膚	1 Sv

通常の放射線診療従事者等と同様に，緊急放射線診療従事者等の線量限度にも実効線量限度と等価線量限度が規定されており，表 6.10 に示すように実効線量限度は 100 mSv，等価線量限度は眼の水晶体で 300 mSv，皮膚で 1 Sv である. これらの線量限度は，緊急作業中の積算線量に適用される. アラームメータ等を用いて限度値を超えないよう注意しなければならない.

通常，緊急放射線診療従事者等は男子であるが，女子 2 及び女子 3 は，緊急放射線診療従事者等として緊急作業に従事することができる.

> **☢豆知識 6.9　緊急放射線診療従事者等の線量限度**
> 緊急放射線診療従事者等の実効線量限度と皮膚の等価線量限度は，放射線診療従事者等の「1 年間の線量限度の 2 倍」であるが，眼の水晶体の等価線量限度は「1 年間の線量限度の 6 倍」と倍率が高い．この理由は，令和 3 年からの眼の水晶体の等価線量限度が以前より低くなったものの，緊急作業に係る眼の水晶体の等価線量限度については，国際的な動向に変化がないため，国内でもこれまでと同じ 300 mSv が適用されたためである．

6.3.5　女子の線量限度変更に伴う書面について（通知：平成 31 年医政発 0315 第 4 号第 4 6 (6)）

妊娠する意思がない旨を管理者等に書面で申し出た女子は，女子 1 に対して課せられている限度値 5 mSv/3 月の 3 月間管理から除外されることになる．図 6.7 は，書面の様式例である．女子の線量限度変更に伴う書面の運用に関しては，次の 5 つの留意すべき事項が定められている．

(1)書面の運用を徹底するための適切な指導，教育等の実施

管理者等は，書面を受け取る前に線量限度の意味を徹底するために次の事項を教育しなければならない．

①3 月間管理は，妊娠に気づく前の胎児の防護のためにある．
②妊娠が明らかになった場合には，書面を撤回できる．
③再び妊娠の意思を有するようになった場合には，書面を撤回できる．

(2)自発的提出

①書面の提出は，女子が自発的に提出するものである．
②強制，誘導があったとみなされるときは，無効となる．

(3)書面の撤回

①女子は提出した書類をいつでも撤回できる．3 月間の途中であっても撤回できる．
②管理者等は，撤回書面の受け取りを拒否できない．
③撤回の意思は，書面で申し出させる．
④撤回書面の施行日（3 月間管理の再開日）は書面の提出日とする．

(4)プライバシー保護

①プライバシーに充分配慮する．
②書面に妊娠の意思のない理由の記載を求めてはならない．

(5)その他の留意事項

①当該女子に提出書類の写しを保管させる．
②3 月間管理の除外の施行日は受付日以降とする．
③管理者等は，本人からの申出等の何らかの理由で妊娠の事実を知ったときから，妊

管理者※　　　　　殿

私は，　　年　　月　　日より，医療法施行規則（昭和 23 年 11 月 5 日厚生省令第 50 号）第 30 条の 27 第 1 項第 3 号に定める線量限度の適用を必要としないので本書面をもって申し出ます。
なお，再び上記線量限度の適用を必要とする場合には，直ちに本書面を撤回いたします。

年　　月　　日
氏　　名　　　　　　　　　　（署名又は印）

※　申請上の管理者であること。

注意事項）
① この書面を提出することによって，あなたは 5 ミリシーベルト／ 3 月間の線量限度が適用されなくなります。あなたの線量限度は，100 ミリシーベルト／ 5 年間，かつ 50 ミリシーベルト／年間となります。
② この書面を提出する前に，管理者から十分な説明を受けてください。
③ この書面に管理者の受理印を受けたものの写しを保管してください。
④ この書面の撤回は，書面をもって行ってください。

上記書面を確かに受理いたしました。

年　　月　　日
管理者※名　　　　（署名又は印）

図 6.7　女子の線量限度の変更に伴う書面の様式例

娠中の女子に 3 月間管理の限度ではなく妊娠中の女子の線量限度を適用しなければならない．「本人からの申出等の何らかの理由」には，例えば同僚や家族から知り得た場合も含まれる．

第7章

放射線の安全利用

本章では医療法施行規則の第1章の3「医療の安全の確保」のうち放射線の安全利用に係る事項について取り上げる．

7.1　安全利用のための体制の整備（第1条の11）

病院等の管理者は診療用放射線の利用に係る安全管理（安全利用）の体制を確保する．そのために，責任者（医療放射線安全管理責任者）を配置し，次の事項を行わせる．

1）診療用放射線の安全利用のための指針の策定

2）放射線診療に従事する者に対する診療用放射線の安全利用のための研修の実施

3）下記の①～③を用いた放射線診療を受ける者の被曝線量の管理及び記録その他の診療用放射線の安全利用を目的とした改善のための方策の実施

①表7.1の厚生労働大臣の定める放射線診療に用いる機器

②診療用陽電子RI

③診療用RI

①の機器に②診療用陽電子RI及び③診療用RIを加えたものを「管理・記録対象医療機器等」と言う．7.2節(4)参照．

表7.1　厚生労働大臣の定める放射線診療に用いる機器（告示：平成31年第61号）

No.	機　器
1	移動型デジタル式循環器用X線透視装置
2	移動型アナログ式循環器用X線透視装置
3	据置型デジタル式循環器用X線透視装置
4	据置型アナログ式循環器用X線透視装置
5	X線CT組合せ型循環器X線診断装置
6	全身用X線CT診断装置
7	X線CT組合せ型ポジトロンCT装置
8	X線CT組合せ型SPECT装置

7.2　診療用放射線に係る安全管理の体制についての留意事項（通知：平成31年医政発0312第7号第1）

診療用の放射線源（X線装置，発生装置，粒子線照射装置，照射装置，照射器具，半減期が30日以下の照射器具，装備機器，診療用RI及び診療用陽電子RI）のいずれかを備えている病院等は，以下の(1)～(4)の体制を確保しなければならない．

(1)　診療用放射線に係る安全管理のための責任者の配置

医療放射線安全管理責任者は，診療用放射線の安全管理に関する十分な知識を有する下記の者とする．

1）原則として常勤の医師又は歯科医師（医師等）

2）例外として次の3要件を満たす常勤の診療放射線技師

①医師等により正当化が担保されている．

②診療放射線技師が最適化を担保している．

③医師等が診療放射線技師に適切な指示を行う体制が確保されている．

豆知識7.1　正当化と最適化

正当化は放射線被曝を伴う行為を導入する際に，その行為による利益が不利益よりも大きいことを保証することを意味する．正当化の原則に基づき，放射線診療は患者にとっての便益が放射線によるリスクを上回るのでなければ適応にならない．最適化は，正当化される行為を実施する際に，合理的に達成可能な限り放射線被曝を抑えることを意味する．

（引用：診療用放射線の安全利用のための指針に関する参考資料，公益社団法人 日本医学放射線学会 2019年11月改訂，参照：通知：令和元年医政地発1003第5号）

(2)　診療用放射線の安全利用のための指針の策定

以下の事項を文書化した指針を策定する．策定に当たっては，「診療用放射線の安全利用のための指針策定に関するガイドライン」（通知：令和元年医政地発1003第5号）を参考にする．

1）診療用放射線の安全利用に関する基本的考え方

2）放射線診療に従事する者に対する診療用放射線の安全利用のための研修に関する基本的方針

3）診療用放射線の安全利用を目的とした改善のための方策に関する基本方針

4）放射線の過剰被曝その他の放射線診療に関する事例発生時の対応に関する基本方針
5）医療従事者と患者間の情報共有に関する基本方針
　＊患者等に対する当該方針の閲覧に関する事項を含む.

⑶　放射線診療に従事する者に対する診療用放射線の安全利用のための研修

医師，歯科医師，診療放射線技師等の放射線診療の正当化又は患者の医療被曝の防護の最適化に付随する業務に従事する者に対し，下記の 1）及び 2）に従って研修を行う.

1）研修の頻度等
　①研修は 1 年度当たり 1 回以上とする.
　②開催日時又は受講日時，出席者，研修項目等を記録する.
　③研修は当該病院等が実施する，或いは他の医療安全に係る研修又は放射線の取扱いに係る研修と併せて実施できる.
　④病院等が主催する研修の他，当該病院等以外の場所における研修，関係学会等が主催する研修を受講させる場合も，研修とすることができる.

2）研修事項
　①患者の医療被曝の基本的な考え方に関する事項
　②放射線診療の正当化に関する事項
　③患者の医療被曝の防護の最適化に関する事項
　④放射線の過剰被曝その他の放射線診療に関する事例発生時の対応等に関する事項
　⑤患者への情報提供に関する事項

⑷　診療用放射線の安全利用を目的とした改善のための方策

放射線診療を受ける者の当該放射線による被曝線量の管理及び記録その他の診療用放射線の安全利用を目的とした改善のための方策として，医療放射線安全管理責任者は次の 1)～4）の事項を行う.

1）線量管理について
　①管理・記録対象医療機器等を用いた診療に当たっては，放射線診療を受ける者の被曝線量が他の放射線診療と比較して多いことを考慮して，被曝線量を適正に管理する.
　②放射線診療を受ける者の医療被曝の線量管理は，関係学会等の策定したガイドライン等を参考に，被曝線量の評価及び最適化を行う.
　③放射線診療を受ける者の医療被曝の線量管理の方法は，関係学会等の策定したガイ

ドライン等の変更時，管理・記録対象医療機器等の新規導入時，更新時，放射線診療の検査手順の変更時等に合わせて，必要に応じて見直す．

2）線量記録について

①管理・記録対象医療機器等を用いた診療に当たっては，当該診療を受ける者の医療被曝による線量を記録する．

②記録様式

・医療被曝の線量記録は，関係学会等の策定したガイドライン等を参考に，診療を受ける者の被曝線量を適正に検証できる様式を用いて行う．

・医師法に規定する診療録，診療放射線技師法に規定する照射録又は医療法施行規則に規定するX線写真若しくは診療用RIあるいは診療用陽電子RIの使用の帳簿（5.10.2節）等において，当該放射線診療を受けた者が特定できる形で被曝線量を記録している場合は，それらを線量記録とすることができる．

3）その他の放射線診療機器等における線量管理及び線量記録について

管理・記録対象医療機器等以外の放射線診療機器等であって，人体に照射又は投与するものについても，必要に応じて当該放射線診療機器等による診療を受ける者の医療被曝の線量管理及び線量記録を行うことが望ましい．

4）診療用放射線に関する情報等の収集と報告

医療放射線安全管理責任者は，行政機関，学術誌等から診療用放射線に関する情報を広く収集するとともに，得られた情報のうち必要なものは，放射線診療に従事する者に周知徹底を図り，必要に応じて病院等の管理者へ報告等を行う．

豆知識 7.2　医療被曝の線量管理における診断参考レベル（Diagnostic reference level：DRL）の意義

医療被曝には患者の不利益にならないように線量限度がない．そのため，不要な被曝を避けるための線量管理は，診断参考レベル（Diagnostic reference level：DRL）に基づいた医師による被曝の正当化と，医師および診療放射線技師による最適化が重要となる．「関係学会等の策定したガイドライン」がDRLに相当し，国内では2015年にJ-RIME（Japan Network for Research and Information on Medical Exposure）が，学会や団体が集積した国内の線量データをもとにはじめてまとめた．

DRL値は標準体型の人に対する線量の75パーセンタイルの値で示されることが多く，自施設の撮影条件の線量レベルを確認することができる．たとえDRL値を超えていたとしても診断においてその線量が必要であるなら，むやみに下げるべきではない．しかしながら，診断可能なレベルまで最適化の余地があるならば，線量をはじめ，画像を構成するパラメータの見直しをすることにより，診断能を維持しながら，不要な被曝の低減につなげることができる．

7.3 安全利用のための研修及び保守点検の計画策定と実施（通知：令和 3 年医政地発 0708 第 1 号）

医療機器に関わる安全管理体制の確保のための措置の一環として，安全利用のための研修及び保守点検の計画策定と適切な実施が必要とされた．表 7.2 は保守点検の計画策定・実施の対象となっている 5 種類の放射線関連機器等を示している．機種別に保守点検計画を策定し，点検結果は記録しなければならない．No. 2～4 の装置は定期的な研修も義務付けられている．詳細については，「医療機関における放射線関連機器等の研修および保守点検の指針」別添 2（通知：令和 3 年医政地発 0708 第 1 号）参照．

表 7.2　保守点検の計画策定・実施がとくに必要とされている放射線関連機器等

No.	放射線関連機器等
1	CT 装置
2	発生装置（直線加速器等）
3	粒子線照射装置
4	照射装置（ガンマナイフ等）
5	磁気共鳴画像診断装置（MRI 装置）

参考文献

本書の執筆にあたり，以下の文献を参考にした．必要に応じて参照願いたい．

1．公益社団法人日本アイソトープ協会：2020 年版　アイソトープ法令集 I　放射性同位元素等規制法関係法令，丸善，2020.
2．公益社団法人日本アイソトープ協会：2020 年版　アイソトープ法令集 II　医療放射線関係法令，丸善，2020.
3．公益社団法人日本アイソトープ協会：2019 年版　アイソトープ法令集 III　労働安全衛生・輸送・その他関係法令，丸善，2019.
4．株式会社千代田テクノル：Web カタログ　総合カタログ RI 標識，千代田テクノル，2021.
5．西谷源展，鈴木昇一　共編：放射線技術学シリーズ　放射線安全管理学，改訂 2 版，オーム社，2011.
6．青柳泰司，安部真治　監著：改訂新版放射線機器学(I)　診療画像機器，コロナ社，2015.
7．齋藤秀敏，福士政広　監著：改訂新版放射線機器学(II)　放射線治療機器・核医学検査機器，コロナ社，2017.
8．日本核医学技術学会出版委員会　編集：新核医学技術総論　技術編，山代印刷株式会社，2020.
9．国土交通省住宅局，一般社団法人日本建築学会編：建築基準法令集　令和 3 年版，技報堂出版，2021.
10. 新村出　編集：広辞苑，第 7 版，岩波書店，2018.
11. 日本規格協会：JIS ハンドブック 76　放射線計測，日本規格協会，2013.
12. 医用放射線辞典編集委員会　編：医用放射線辞典，第 5 版，共立出版，2013.
13. 川井恵一：放射線関係法規概説—医療分野も含めて—，第 9 版，通商産業研究社，2020.
14. 西澤邦秀，柴田理尋　編：放射線と安全につきあう—利用の基礎と実際—，名古屋大学出版会，2017.
15. 川井恵一，松原孝祐：放射線安全管理学，通商産業研究所，2020.
16. 石綿清雄：冠動脈再狭窄—予防はどこまで可能か—12　Drug eluting stent 出現後の血管内放射線療法のあり方，Heart View, Vol. 9, No. 1, pp. 72–75, 2005.
17. 三浦正：放射線安全管理学，コロナ社，2004.
18. 関根広：血管内放射線治療の基礎と展望，日本放射線技術学会第 28 回秋季学術大会ランチョンセミナー，幕張メッセ国際会議場，2000.
19. Ron Waksman : Vascular brachytherapy : The need of radiation in the world of coated stent, TCT 2001 Conference and Exhibition, Main arena/ Plenary sessions, Manchester International Convention Centre, Manchester, UK, 2001.
20. International Commission on Radiological Protection : The 2007 Recommendations of the International Commission on Radiological Protection. ICRP Publication 103, Elsevier, 2007.
21. 月刊新医療　編集：月刊新医療データブック・シリーズ　医療機器システム白書 2020，株式会社エム・イー振興協会，2019.
22. 日本骨粗鬆症学会：骨粗鬆症の予防と治療ガイドライン 2015 年版，2015.
23. 日本赤十字社血液事業本部：血液事業年度報，令和 2 年度版，2021（https://www.jrc.or.jp/donation/pdf/20210414_R2ketsuekijigyonogenjyo.pdf）.
24. 全国大学病院輸血部会議：Cs 線源の血液照射装置の廃棄ならびに防護措置強化の制度化に対する要望，2016（http://plaza.umin.ac.jp/yuketsuk/styled-2/index.html）.

付録　法令集

目　次

凡　例

・法令は何回か改正されているものもあるが，最新の形を掲載した．なお，法律～告示については最終改正日を記したが，通知は最終改正日を明記していないものもある．
・施行期日など重要度が低い内容，本書と関連が薄い内容等は省略し，省略部は［略］と表記した．他，［　］内は編者による注記である．
・法令中で他の法令の変更を指示する内容については，その変更が収録法令に反映されている場合には，重複を避けるため変更指示部分・変更対照表等を［略］とした．
・法律，施行令，施行規則で2つ以上の項を持つ条文については，各項の冒頭に①，②などの記号を付けて項数を示し，見やすくした．
・ウェブサイト厚生労働省法令等データサービス（https://www.mhlw.go.jp/hourei/index.html）で法令に関する最新の情報が得られる．

1. 法律

医療法（抄）

（昭和23年7月30日法律第205号）
（最終改正：令和元年12月11日法律第71号）

第15条①　病院又は診療所の管理者は，この法律に定める管理者の責務を果たせるよう，当該病院又は診療所に勤務する医師，歯科医師，薬剤師その他の従業者を監督し，その他当該病院又は診療所の管理及び運営につき，必要な注意をしなければならない．
②　助産所の管理者は，この法律に定める管理者の責務を果たせるよう，当該助産所に勤務する助産師その他の従業者を監督し，その他当該助産所の管理及び運営につき，必要な注意をしなければならない．
③　病院又は診療所の管理者は，病院又は診療所に診療の用に供するエックス線装置を備えたときその他厚生労働省令で定める場合においては，厚生労働省令の定めるところにより，病院又は診療所所在地の都道府県知事に届け出なければならない．

第21条①　病院は，厚生労働省令（第1号に掲げる従業者（医師及び歯科医師を除く．）及び第12号に掲げる施設にあっては，都道府県の条例）の定めるところにより，次に掲げる人員及び施設を有し，かつ，記録を備えて置かなければならない．
　一　当該病院の有する病床の種別に応じ，厚生労働省令で定める員数の医師，歯科医師のほか，都道府県の条例で定める員数の看護師その他の従業者
　二　各科専門の診察室
　三　手術室
　四　処置室
　五　臨床検査施設
　六　エックス線装置
　七　調剤所
　八　給食施設
　九　診療に関する諸記録
　十　診療科名中に産婦人科又は産科を有する病院にあっては，分べん室及び新生児の入浴施設
　十一　療養病床を有する病院にあっては，機能訓練室
　十二　その他都道府県の条例で定める施設
②　［略］
③　［略］

2. 施行令

医療法施行令（抄）

（昭和23年10月27日政令第326号）
（最終改正：令和2年11月26日政令第332号）

（広告することができる診療科名）
第3条の2①　法第6条の6第1項に規定する政令で定める診療科名は，次のとおりとする．
　一　医業については，次に掲げるとおりとする．
　　［イ～ハ　略］
　　ニ　イからハまでに掲げる診療科名のほか，次に掲げるもの
　　(1)　精神科，アレルギー科，リウマチ科，小児科，皮膚科，泌尿器科，産婦人科，眼科，耳鼻いんこう科，リハビリテーション科，放射線科，病理診断科，臨床検査科又は救急科
　　(2)　［略］
　二　［略］
②　前項第1号ニ(1)に掲げる診療科名のうち，次の各号に掲げるものについては，それぞれ当該各号に掲げる診療科名に代えることができる．
　一　［略］
　二　放射線科　放射線診断科又は放射線治療科

（開設後の届出）
第4条の2①　病院，診療所又は助産所の開設の許可を受けた者は，病院，診療所又は助産所を開設したときは，10日以内に，開設年月日，管理者の住所及び氏名その他厚生労働省令で定める事項を，当該病院，診療所又は助産所所在地の都道府県知事に届け出なければならない．
②　前項の者は，同項の規定により届け出た事項のうち，管理者の住所及び氏名その他厚生労働省令で定める事項に変更を生じたときは，10日以内に，当該病院，診療所又は助産所所在地の都道府県知事に届け出なければならない．

（医事に関する法律）
第5条の5の7　法第46条の4第2項第3号（法第46条の5第5項において準用する場合を含む．）の政令で定める医事に関する法律は，次のとおりとする．
　［一～四　略］
　五　診療放射線技師法（昭和26年法律第226号）
　［六～十九　略］

3. 施行規則

3.1 医療法施行規則（抄）

（昭和23年11月5日厚生省令第50号）
（最終改正：令和3年3月31日厚生労働省令第83号）

第1章の3　医療の安全の確保

第1条の11① 病院等の管理者は，法第6条の12の規定に基づき，次に掲げる安全管理のための体制を確保しなければならない（ただし，第2号については，病院，患者を入院させるための施設を有する診療所及び入所施設を有する助産所に限る．）．

一 医療に係る安全管理のための指針を整備すること．
二 医療に係る安全管理のための委員会（以下「医療安全管理委員会」という．）を設置し，次に掲げる業務その他の医療に係る安全管理のための業務を行わせること．
　イ 当該病院等において重大な問題その他医療安全管理委員会において取り扱うことが適当な問題が発生した場合における速やかな原因の究明のための調査及び分析
　ロ イの分析の結果を活用した医療に係る安全の確保を目的とした改善のための方策の立案及び実施並びに従業者への周知
　ハ ロの改善のための方策の実施の状況の調査及び必要に応じた当該方策の見直し
三 医療に係る安全管理のため，従業者の医療の安全に関する意識，他の従業者と相互に連携して業務を行うことについての認識，業務を安全に行うための技能の向上等を目的として，医療に係る安全管理のための基本的な事項及び具体的な方策についての職員研修を実施すること．
四 医療機関内における事故報告等の医療に係る安全の確保を目的とした改善のための方策を講ずること．

② 病院等の管理者は，前項各号に掲げる体制の確保に当たっては，次に掲げる措置を講じなければならない（ただし，第3号の2にあってはエックス線装置又は第24条第1号から第8号の2までのいずれかに掲げるものを備えている病院又は診療所に，第4号にあっては特定機能病院及び臨床研究中核病院（以下「特定機能病院等」という．）以外の病院に限る．）．

一 ［略］
二 医薬品に係る安全管理のための体制の確保に係る措置として，医薬品の使用に係る安全な管理（以下「安全使用」という．）のための責任者（以下「医薬品安全管理責任者」という．）を配置し，次に掲げる事項を行わせること．
　イ 従業者に対する医薬品の安全使用のための研修の実施
　ロ 医薬品の安全使用のための業務に関する手順書の作成及び当該手順書に基づく業務の実施（従業者による当該業務の実施の徹底のための措置を含む．）
　ハ 医薬品の安全使用のために必要となる次に掲げる医薬品の使用（以下「未承認等の医薬品の使用」という．）の情報その他の情報の収集その他の医薬品の安全使用を目的とした改善のための方策の実施
　　(1) 医薬品，医療機器等の品質，有効性及び安全性の確保等に関する法律（昭和35年法律第145号．以下「医薬品医療機器等法」という．）第14条第1項に規定する医薬品であって，同項又は医薬品医療機器等法第19条の2第1項の承認を受けていないものの使用
　　(2) 医薬品医療機器等法第14条第1項又は第19条の2第1項の承認（医薬品医療機器等法第14条第15項（医薬品医療機器等法第19条の2第5項において準用する場合を含む．）の変更の承認を含む．以下この(2)において同じ．）を受けている医薬品の使用（当該承認に係る用法，用量，効能又は効果（以下この(2)において「用法等」という．）と異なる用法等で用いる場合に限り，(3)に該当する場合を除く．）
　　(3) 禁忌に該当する医薬品の使用
三 医療機器に係る安全管理のための体制の確保に係る措置として，医療機器の安全使用のための責任者（以下「医療機器安全管理責任者」という．）を配置し，次に掲げる事項を行わせること．
　イ 従業者に対する医療機器の安全使用のための研修の実施
　ロ 医療機器の保守点検に関する計画の策定及び保守点検の適切な実施（従業者による当該保守点検の適切な実施の徹底のための措置を含む．）
　ハ 医療機器の安全使用のために必要となる次に掲げる医療機器の使用の情報その他の情報の収集その他の医療機器の安全使用を目的とした改善のための方策の実施
　　(1) 医薬品医療機器等法第2条第4項に規定する医療機器であって，医薬品医療機器等法第23条の2の5第1項若しくは第23条の2の17第1項の承認若しくは医薬品医療機器等法第23条の2の23第1項の認証を受けていないもの又は医薬品医療機器等法第23条の2の12第1項の規定による届出が行われていないものの使用
　　(2) 医薬品医療機器等法第23条の2の5第1項若しくは第23条の2の17第1項の承認（医薬品医療機器等法第23条の2の5第15項（医薬品医療機器等法第23条の2の17第5項において準用する場合を含む．）の変更の承認を含む．以下この(2)において同じ．）若しくは医薬品医療機器等法第23条の2の23第1項の認証（同条第7項の変更の認証を含む．以下この(2)において同じ．）を受けている医療機器又は医薬品医療機器等法第23条の2の12第1項の規定による届出（同条第2項の規定による変更の届出を含む．以下この(2)において同じ．）が行われている医療機器の使用（当該承認，認証又は届出に係る使用方法，効果又は性能（以下この(2)において「使用方法等」という．）と異なる使用方法等で用いる場合に限り，(3)に該当する場合を除く．）
　　(3) 禁忌又は禁止に該当する医療機器の使用
三の二 診療用放射線に係る安全管理のための体制の確保に係る措置として，診療用放射線の利用に係る安全な管理（以下「安全利用」という．）のための責任者を配置し，次に掲げる事項を行わせること．
　イ 診療用放射線の安全利用のための指針の策定
　ロ 放射線診療に従事する者に対する診療用放射線の安全利用のための研修の実施
　ハ 次に掲げるものを用いた放射線診療を受ける者の当該放射線による被ばく線量の管理及び記録その他の診療用放射線の安全利用を目的とした改善のための方策の実施
　　(1) 厚生労働大臣の定める放射線診療に用いる医療機器
　　(2) 第24条第8号に規定する陽電子断層撮影診療用放射性同位元素
　　(3) 第24条第8号の2に規定する診療用放射性同位元素
四 高難度新規医療技術（当該病院で実施したことのない医療技術（軽微な術式の変更等を除く．）であってその実施により患者の死亡その他の重大な影響が想定されるものをいう．以下同じ．）又は未承認新規医薬品等（当該病院で使用したことのない医薬品医療機器等法第13条第1項に規定する医薬品又は医薬品医療機器等法第2条第5項に規定する高度管理医療機器であって，医薬品医療機器等法第14条第1項，第19条の2第1項，第23条の2の5第1項若しくは第23条の2の17第1項の承認又は医薬品医療機器等法第23条の2の23第1項の認証を受けていないもの（臨床研究法（平成29年法律第16号）第2条第2項に規定する特定臨床研究に該当する研究に用いられるものを除く．）をいう．以下同じ．）を用いた医療を提供するに当たっては，第9条の20の2第1項第7号又は第8号の規定に準じ，必要な措置を講ずるよう努めること．

第1章の4　病院，診療所及び助産所の開設

第6条の4① 特定機能病院は，その診療科名中に内科，外科，精神科，小児科，皮膚科，泌尿器科，産婦人科又は産科及び婦人科，眼科，耳鼻咽喉科，放射線科及び救急科（令第3条の2第1項第1号ハ又はニ(2)の規定によりこれらの診療科名と組み合わせた名称を診療科名とする場合を除く．），同号ハの規定による脳神経外科及び整形外科，歯科（同項第2号ロの規定により歯科と組み合わせた名称を診療科名とする場合を除く．第4項において同じ．）並びに法第6条の6第1項の規定による診療科名（同項の規定により厚生労働大臣の許可を受けた診療科名に限る．）を含むものとする．
［②～⑤　略］

第6条の5の4① 臨床研究中核病院は，その診療科名中に内科，外科，精神科，小児科，皮膚科，泌尿器科，産婦人科，産科，婦人

科，眼科，耳鼻咽喉科，放射線科及び救急科（令第3条の2第1項第1号ハ又はニ(2)の規定によりこれらの診療科名と組み合わせた名称を診療科名とする場合を除く.），同号ハの規定による脳神経外科及び整形外科，歯科（同項第2号ロの規定により歯科と組み合わせた名称を診療科名とする場合を除く.）並びに法第6条の6第1項の規定による診療科名（同項の規定により厚生労働大臣の許可を受けた診療科名に限る.）のうち十以上の診療科名を含むものとする.
② ［略］
③ ［略］

第3章　病院，診療所及び助産所の構造設備

第16条① 法第23条第1項の規定による病院又は診療所の構造設備の基準は，次のとおりとする．ただし，第9号及び第11号の規定は，患者を入院させるための施設を有しない診療所又は9人以下の患者を入院させるための施設を有する診療所（療養病床を有する診療所を除く.）には適用しない.
[※参考：医療法第23条第1項　前三条に定めるもののほか，病院，診療所又は助産所の構造設備について，換気，採光，照明，防湿，保安，避難及び清潔その他衛生上遺憾のないように必要な基準を厚生労働省令で定める.]
一　診療の用に供する電気，光線，熱，蒸気又はガスに関する構造設備については，危害防止上必要な方法を講ずることとし，放射線に関する構造設備については，第4章に定めるところによること.
二 ［以下略］
② ［略］

第19条① 法第21条第1項第1号の規定による病院に置くべき医師，歯科医師，看護師その他の従業者の員数の標準は，次のとおりとする.
［一～六　略］
七　診療放射線技師，事務員その他の従業者　病院の実状に応じた適当数
八 ［略］
② ［略］
③ ［略］

第20条　法第21条第1項第2号から第6号まで，第8号，第9号及び第11号の規定による施設及び記録は，次の各号による.
［一～六　略］
七　エックス線装置は，内科，心療内科，リウマチ科，小児科，外科，整形外科，形成外科，美容外科，脳神経外科，呼吸器外科，心臓血管外科，小児外科，泌尿器科，リハビリテーション科及び放射線科の一を有する病院又は歯科医業についての診療科名のみを診療科名とする病院には，これを設けなければならない.
［八，九　略］
十　診療に関する諸記録は，過去2年間の病院日誌，各科診療日誌，処方せん，手術記録，看護記録，検査所見記録，エックス線写真，入院患者及び外来患者の数を明らかにする帳簿並びに入院診療計画書とする.
十一 ［略］

第21条の5　法第22条第1号から第8号までの規定による施設及び記録は，次のとおりとする.
一 ［略］
二　診療に関する諸記録は，過去二年間の病院日誌，各科診療日誌，処方せん，手術記録，看護記録，検査所見記録，エックス線写真，紹介状，退院した患者に係る入院期間中の診療経過の要約及び入院診療計画書とする.
三 ［略］

第22条の2① 法第22条の2第1号の規定による特定機能病院に置くべき医師，歯科医師，薬剤師，看護師その他の従業者の員数は，次に定めるところによる.
［一～五　略］
六　診療放射線技師，事務員その他の従業者　病院の実状に応じた適当数
② ［略］
③ 第1項の特定機能病院に置くべき医師については，同項第1号の規定による医師の配置基準数の半数以上が，内科，外科，精神科，小児科，皮膚科，泌尿器科，産婦人科，眼科，耳鼻咽喉科，放射線科，救急科，脳神経外科，整形外科又は麻酔科の専門の医師でなければならない.

第22条の3　法第22条の2第2号から第4号までの規定による施設及び記録は，次のとおりとする.
一 ［略］
二　診療に関する諸記録は，過去二年間の病院日誌，各科診療日誌，処方せん，手術記録，看護記録，検査所見記録，エックス線写真，紹介状，退院した患者に係る入院期間中の診療経過の要約及び入院診療計画書とする.
三 ［略］

第22条の7　法第22条の3第2号から第4号までの規定による施設及び記録は，次のとおりとする.
一 ［略］
二　診療及び臨床研究に関する諸記録は，過去二年間の病院日誌，各科診療日誌，処方せん，手術記録，看護記録，検査所見記録，エックス線写真及び研究対象者に対する医薬品等の投与及び診療により得られたデータその他の記録とする.
三 ［略］

第4章　診療用放射線の防護

第1節　届出

（法第15条第3項の厚生労働省令で定める場合）
第24条　法第15条第3項の厚生労働省令で定める場合は，次に掲げる場合とする.
一　病院又は診療所に，診療の用に供する1メガ電子ボルト以上のエネルギーを有する電子線又はエックス線の発生装置（以下「診療用高エネルギー放射線発生装置」という.）を備えようとする場合
二　病院又は診療所に，診療の用に供する陽子線又は重イオン線を照射する装置（以下「診療用粒子線照射装置」という.）を備えようとする場合
三　病院又は診療所に，放射線を放出する同位元素若しくはその化合物又はこれらの含有物であって放射線を放出する同位元素の数量及び濃度が別表第二［略］に定める数量（以下「下限数量」という.）及び濃度を超えるもの（以下「放射性同位元素」という.）で密封されたものを装備している診療の用に供する照射機器で，その装備する放射性同位元素の数量が下限数量に1000を乗じて得た数量を超えるもの（第7号に定める機器を除く．以下「診療用放射線照射装置」という.）を備えようとする場合
四　病院又は診療所に，密封された放射性同位元素を装備している診療の用に供する照射機器でその装備する放射性同位元素の数量が下限数量に1000を乗じて得た数量以下のもの（第7号に定める機器を除く．以下「診療用放射線照射器具」という.）を備えようとする場合
五　病院又は診療所に，診療用放射線照射器具であってその装備する放射性同位元素の物理的半減期が30日以下のものを備えようとする場合
六　病院又は診療所に，前号に規定する診療用放射線照射器具を備えている場合
七　病院又は診療所に，密封された放射性同位元素を装備している診療の用に供する機器のうち，厚生労働大臣が定めるもの（以下「放射性同位元素装備診療機器」という.）を備えようとする場合
八　病院又は診療所に，密封されていない放射性同位元素であって陽電子放射断層撮影装置による画像診断に用いるもののうち，次に掲げるもの（以下「陽電子断層撮影診療用放射性同位元素」という.）を備えようとする場合
イ　第1条の11第2項第2号ハ(2)に規定する医薬品
ロ　医薬品医療機器等法第23条の2の5第1項若しくは第23条の2の17第1項の承認（医薬品医療機器等法第23条の2の5第15項（医薬品医療機器等法第23条の2の17第5項において準用する場合を含む.）の変更の承認を含む.）若しくは医薬品医療機器等法第23条の2の23第1項の認証（同条第7項の変更の認証を含む.）を受けている体外診断用医薬品又は医薬品医療機器等法第23条の2の12第1項の規定

による届出（同条第２項の規定による変更の届出を含む．）が行われている体外診断用医薬品
ハ　第１条の11第２項第２号ハ(1)に規定するもののうち，次に掲げるもの
(1)　治験（医薬品医療機器等法第２条第17項に規定する治験をいう．第30条の32の２第１項第13号及び別表第１において同じ．）に用いるもの
(2)　臨床研究法第２条第２項に規定する特定臨床研究に用いるもの
(3)　再生医療等の安全性の確保等に関する法律（平成25年法律第85号）第２条第１項に規定する再生医療等に用いるもの
(4)　厚生労働大臣の定める先進医療及び患者申出療養並びに施設基準（平成20年厚生労働省告示第129号）第２各号若しくは第３各号に掲げる先進医療又は第４に掲げる患者申出療養に用いるもの
ニ　治療又は診断のために医療を受ける者に対し投与される医薬品であって，当該治療又は診断を行う病院又は診療所において調剤されるもの（イからハまでに該当するものを除く．）
八の二　病院又は診療所に，密封されていない放射性同位元素であって陽電子放射断層撮影装置による画像診断に用いないもののうち，前号イからハまでに掲げるもの（以下「診療用放射性同位元素」という．）を備えようとする場合
九　病院又は診療所に，診療用放射性同位元素又は陽電子断層撮影診療用放射性同位元素を備えている場合
十　第24条の２第２号から第５号までに掲げる事項を変更した場合
十一　第25条第２号から第５号まで（第25条の２の規定により準用する場合を含む．）に掲げる事項，第26条第２号から第４号までに掲げる事項，第27条第１項第２号から第４号までに掲げる事項，第５号に該当する場合における第27条第１項第３号及び第４号並びに同条第２項第２号に掲げる事項，第27条の２第２号から第４号までに掲げる事項又は第28条第１項第３号から第５号までに掲げる事項を変更しようとする場合
十二　病院又は診療所に，エックス線装置，診療用高エネルギー放射線発生装置，診療用粒子線照射装置，診療用放射線照射装置，診療用放射線照射器具又は放射性同位元素装備診療機器を備えなくなった場合
十三　病院又は診療所に，診療用放射性同位元素又は陽電子断層撮影診療用放射性同位元素を備えなくなった場合

（エックス線装置の届出）
第24条の２　病院又は診療所に診療の用に供するエックス線装置（定格出力の管電圧（波高値とする．以下同じ．）が10キロボルト以上であり，かつ，その有するエネルギーが１メガ電子ボルト未満のものに限る．以下「エックス線装置」という．）を備えたときの法第15条第３項の規定による届出は，10日以内に，次に掲げる事項を記載した届出書を提出することによって行うものとする．
一　病院又は診療所の名称及び所在地
二　エックス線装置の製作者名，型式及び台数
三　エックス線高電圧発生装置の定格出力
四　エックス線装置及びエックス線診療室のエックス線障害の防止に関する構造設備及び予防措置の概要
五　エックス線診療に従事する医師，歯科医師，診療放射線技師又は診療エックス線技師の氏名及びエックス線診療に関する経歴

（診療用高エネルギー放射線発生装置の届出）
第25条　第24条第１号に該当する場合の法第15条第３項の規定による届出は，あらかじめ，次に掲げる事項を記載した届出書を提出することによって行うものとする．
一　病院又は診療所の名称及び所在地
二　診療用高エネルギー放射線発生装置の製作者名，型式及び台数
三　診療用高エネルギー放射線発生装置の定格出力
四　診療用高エネルギー放射線発生装置及び診療用高エネルギー放射線発生装置使用室の放射線障害の防止に関する構造設備及び予防措置の概要
五　診療用高エネルギー放射線発生装置を使用する医師，歯科医師又は診療放射線技師の氏名及び放射線診療に関する経歴
六　予定使用開始時期

（診療用粒子線照射装置の届出）
第25条の２　前条の規定は，診療用粒子線照射装置について準用する．

（診療用放射線照射装置の届出）
第26条　第24条第３号に該当する場合の法第15条第３項の規定による届出は，あらかじめ，次に掲げる事項を記載した届出書を提出することによって行うものとする．
一　病院又は診療所の名称及び所在地
二　診療用放射線照射装置の製作者名，型式及び個数並びに装備する放射性同位元素の種類及びベクレル単位をもって表した数量
三　診療用放射線照射装置，診療用放射線照射装置使用室，貯蔵施設及び運搬容器並びに診療用放射線照射装置により治療を受けている患者を入院させる病室の放射線障害の防止に関する構造設備及び予防措置の概要
四　診療用放射線照射装置を使用する医師，歯科医師又は診療放射線技師の氏名及び放射線診療に関する経歴
五　予定使用開始時期

（診療用放射線照射器具の届出）
第27条①　第24条第４号に該当する場合の法第15条第３項の規定による届出は，あらかじめ，次に掲げる事項を記載した届出書を提出することによって行うものとする．
一　病院又は診療所の名称及び所在地
二　診療用放射線照射器具の型式及び個数並びに装備する放射性同位元素の種類及びベクレル単位をもって表した数量
三　診療用放射線照射器具使用室，貯蔵施設及び運搬容器並びに診療用放射線照射器具により治療を受けている患者を入院させる病室の放射線障害の防止に関する構造設備及び予防措置の概要
四　診療用放射線照射器具を使用する医師，歯科医師又は診療放射線技師の氏名及び放射線診療に関する経歴
五　予定使用開始時期
②　前項の規定にかかわらず，第24条第５号に該当する場合の法第15条第３項の規定による届出は，あらかじめ，前項第１号，第３号及び第４号に掲げる事項のほか，次に掲げる事項を記載した届出書を提出することによって行うものとする．
一　その年に使用を予定する診療用放射線照射器具の型式及び箇数並びに装備する放射性同位元素の種類及びベクレル単位をもって表した数量
二　ベクレル単位をもって表した放射性同位元素の種類ごとの最大貯蔵予定数量及び１日の最大使用予定数量
③　第24条第６号に該当する場合の法第15条第３項の規定による届出は，毎年12月20日までに，翌年において使用を予定する当該診療用放射線照射器具について第１項第１号及び前項第１号に掲げる事項を記載した届出書を提出することによって行うものとする．

（放射性同位元素装備診療機器の届出）
第27条の２　第24条第７号に該当する場合の法第15条第３項の規定による届出は，あらかじめ，次に掲げる事項を記載した届出書を提出することによって行うものとする．
一　病院又は診療所の名称及び所在地
二　放射性同位元素装備診療機器の製作者名，型式及び台数並びに装備する放射性同位元素の種類及びベクレル単位をもって表した数量
三　放射性同位元素装備診療機器使用室の放射線障害の防止に関する構造設備及び予防措置の概要
四　放射線を人体に対して照射する放射性同位元素装備診療機器にあっては当該機器を使用する医師，歯科医師又は診療放射線技師の氏名及び放射線診療に関する経歴
五　予定使用開始時期

（診療用放射性同位元素又は陽電子断層撮影診療用放射性同位元素の届出）
第28条①　第24条第８号又は第８号の２に該当する場合の法第15条第３項の規定による届出は，あらかじめ，次に掲げる事項を記載した届出書を提出することによって行うものとする．
一　病院又は診療所の名称及び所在地
二　その年に使用を予定する診療用放射性同位元素又は陽電子断層撮影診療用放射性同位元素の種類，形状及びベクレル単位をもって表した数量

三　ベクレル単位をもって表した診療用放射性同位元素又は陽電子断層撮影診療用放射性同位元素の種類ごとの最大貯蔵予定数量，1日の最大使用予定数量及び3月間の最大使用予定数量
四　診療用放射性同位元素使用室，陽電子断層撮影診療用放射性同位元素使用室，貯蔵施設，運搬容器及び廃棄施設並びに診療用放射性同位元素又は陽電子断層撮影診療用放射性同位元素により治療を受けている患者を入院させる病室の放射線障害の防止に関する構造設備及び予防措置の概要
五　診療用放射性同位元素又は陽電子断層撮影診療用放射性同位元素を使用する医師又は歯科医師の氏名及び放射線診療に関する経歴
②　第24条第9号に該当する場合の法第15条第3項の規定による届出は，毎年12月20日までに，翌年において使用を予定する診療用放射性同位元素又は陽電子断層撮影診療用放射性同位元素について前項第1号及び第2号に掲げる事項を記載した届出書を提出することによって行うものとする．

（変更等の届出）
第29条①　第24条第10号又は第12号に該当する場合の法第15条第3項の規定による届出は，10日以内に，その旨を記載した届出書を提出することによって行うものとする．
②　第24条第11号に該当する場合の法第15条第3項の規定による届出は，あらかじめ，その旨を記載した届出書を提出することによって行うものとする．
③　第24条第13号に該当する場合の法第15条第3項の規定による届出は，10日以内にその旨を記載した届出書を，30日以内に第30条の24各号に掲げる措置の概要を記載した届出書を提出することによって行うものとする．

第2節　エックス線装置等の防護

（エックス線装置の防護）
第30条①　エックス線装置は，次に掲げる障害防止の方法を講じたものでなければならない．
一　エックス線管の容器及び照射筒は，利用線錐以外のエックス線量が次に掲げる自由空気中の空気カーマ率（以下「空気カーマ率」という．）になるようにしゃへいすること．
イ　定格管電圧が50キロボルト以下の治療用エックス線装置にあっては，エックス線装置の接触可能表面から5センチメートルの距離において，1.0ミリグレイ毎時以下
ロ　定格管電圧が50キロボルトを超える治療用エックス線装置にあっては，エックス線管焦点から1メートルの距離において10ミリグレイ毎時以下かつエックス線装置の接触可能表面から5センチメートルの距離において300ミリグレイ毎時以下
ハ　定格管電圧が125キロボルト以下の口内法撮影用エックス線装置にあっては，エックス線管焦点から1メートルの距離において，0.25ミリグレイ毎時以下
ニ　イからハまでに掲げるエックス線装置以外のエックス線装置にあっては，エックス線管焦点から1メートルの距離において，1.0ミリグレイ毎時以下
ホ　コンデンサ式エックス線高電圧装置にあっては，充電状態であって，照射時以外のとき，接触可能表面から5センチメートルの距離において，20マイクログレイ毎時以下
二　エックス線装置には，次に掲げる利用線錐の総濾過となるような附加濾過板を付すること．
イ　定格管電圧が70キロボルト以下の口内法撮影用エックス線装置にあっては，アルミニウム当量1.5ミリメートル以上
ロ　定格管電圧が50キロボルト以下の乳房撮影用エックス線装置にあっては，アルミニウム当量0.5ミリメートル以上又はモリブデン当量0.03ミリメートル以上
ハ　輸血用血液照射エックス線装置，治療用エックス線装置及びイ及びロに掲げるエックス線装置以外のエックス線装置にあっては，アルミニウム当量2.5ミリメートル以上
②　透視用エックス線装置は，前項に規定するもののほか，次に掲げる障害防止の方法を講じたものでなければならない．
一　透視中の患者への入射線量率は，患者の入射面の利用線錐の中心における空気カーマ率が，50ミリグレイ毎分以下になるようにすること．ただし，操作者の連続した手動操作のみで作動し，作動中連続した警告音等を発するようにした高線量率透視制御を備えた装置にあっては，125ミリグレイ毎分以下になるようにすること．
二　透視時間を積算することができ，かつ，透視中において一定時間が経過した場合に警告音等を発することができるタイマーを設けること．
三　エックス線管焦点皮膚間距離が30センチメートル以上になるような装置又は当該皮膚焦点間距離未満で照射することを防止するインターロックを設けること．ただし，手術中に使用するエックス線装置のエックス線管焦点皮膚間距離については，20センチメートル以上にすることができる．
四　利用するエックス線管焦点受像器間距離において，受像面を超えないようにエックス線照射野を絞る装置を備えること．ただし，次に掲げるときは，受像面を超えるエックス線照射野を許容するものとする．
イ　受像面が円形でエックス線照射野が矩形の場合において，エックス線照射野が受像面に外接する大きさを超えないとき．
ロ　照射方向に対し垂直な受像面上で直交する2本の直線を想定した場合において，それぞれの直線におけるエックス線照射野の縁との交点及び受像面の縁との交点の間の距離（以下この条において「交点間距離」という．）の和がそれぞれ焦点受像器間距離の3パーセントを超えず，かつ，これらの交点間距離の総和が焦点受像器間距離の4パーセントを超えないとき．
五　利用線錐中の蛍光板，イメージインテンシファイア等の受像器を通過したエックス線の空気カーマ率が，利用線錐中の蛍光板，イメージインテンシファイア等の受像器の接触可能表面から10センチメートルの距離において，150マイクログレイ毎時以下になるようにすること．
六　透視時の最大受像面を3.0センチメートル超える部分を通過したエックス線の空気カーマ率が，当該部分の接触可能表面から10センチメートルの距離において，150マイクログレイ毎時以下になるようにすること．
七　利用線錐以外のエックス線を有効にしゃへいするための適切な手段を講じること．
③　撮影用エックス線装置（胸部集検用間接撮影エックス線装置を除く．）は，第1項に規定するもののほか，次に掲げる障害防止の方法（CTエックス線装置にあっては第1号に掲げるものを，骨塩定量分析エックス線装置にあっては第2号に掲げるものを除く．）を講じたものでなければならない．
一　利用するエックス線管焦点受像器間距離において，受像面を超えないようにエックス線照射野を絞る装置を備えること．ただし，次に掲げるときは受像面を超えるエックス線照射野を許容するものとし，又は口内法撮影用エックス線装置にあっては照射筒の端におけるエックス線照射野の直径が6.0センチメートル以下になるようにするものとし，乳房撮影用エックス線装置にあってはエックス線照射野について患者の胸壁に近い患者支持器の縁を超える広がりが5ミリメートルを超えず，かつ，受像面の縁を超えるエックス線照射野の広がりが焦点受像器間距離の2パーセントを超えないようにするものとすること．
イ　受像面が円形でエックス線照射野が矩形の場合において，エックス線照射野が受像面に外接する大きさを超えないとき．
ロ　照射方向に対し垂直な受像面上で直交する2本の直線を想定した場合において，それぞれの直線における交点間距離の和がそれぞれ焦点受像器間距離の3パーセントを超えず，かつ，これらの交点間距離の総和が焦点受像器間距離の4パーセントを超えないとき．
二　エックス線管焦点皮膚間距離は，次に掲げるものとすること．ただし，拡大撮影を行う場合（ヘに掲げる場合を除く．）にあっては，この限りでない．
イ　定格管電圧が70キロボルト以下の口内法撮影用エックス線装置にあっては，15センチメートル以上
ロ　定格管電圧が70キロボルトを超える口内法撮影用エックス線装置にあっては，20センチメートル以上
ハ　歯科用パノラマ断層撮影装置にあっては，15センチメートル以上
ニ　移動型及び携帯型エックス線装置にあっては，20センチメートル以上
ホ　CTエックス線装置にあっては，15センチメートル以上
ヘ　乳房撮影用エックス線装置（拡大撮影を行う場合に限る．）にあっては，20センチメートル以上
ト　イからヘまでに掲げるエックス線装置以外のエックス線装置にあっては，45センチメートル以上

三　移動型及び携帯型エックス線装置及び手術中に使用するエックス線装置にあっては，エックス線管焦点及び患者から 2 メートル以上離れた位置において操作できる構造とすること．

④　胸部集検用間接撮影エックス線装置は，第 1 項に規定するもののほか，次に掲げる障害防止の方法を講じたものでなければならない．

一　利用線錐が角錐型となり，かつ，利用するエックス線管焦点受像器間距離において，受像面を超えないようにエックス線照射野を絞る装置を備えること．ただし，照射方向に対し垂直な受像面上で直交する 2 本の直線を想定した場合において，それぞれの直線における交点間距離の和がそれぞれ焦点受像器間距離の 3 パーセントを超えず，かつ，これらの交点間距離の総和が焦点受像器間距離の 4 パーセントを超えないときは，受像面を超えるエックス線照射野を許容するものとすること．

二　受像器の一次防護しゃへい体は，装置の接触可能表面から 10 センチメートルの距離における自由空気中の空気カーマ（以下「空気カーマ」という．）が，一ばく射につき 1.0 マイクログレイ以下になるようにすること．

三　被照射体の周囲には，箱状のしゃへい物を設けることとし，そのしゃへい物から 10 センチメートルの距離における空気カーマが，一ばく射につき 1.0 マイクログレイ以下になるようにすること．ただし，エックス線装置の操作その他の業務に従事する者が照射時に室外へ容易に退避することができる場合にあっては，この限りでない．

⑤　治療用エックス線装置（近接照射治療装置を除く．）は，第 1 項に規定する障害防止の方法を講ずるほか，濾過板が引き抜かれたときは，エックス線の発生を遮断するインターロックを設けたものでなければならない．

（診療用高エネルギー放射線発生装置の防護）

第 30 条の 2　診療用高エネルギー放射線発生装置は，次に掲げる障害防止の方法を講じたものでなければならない．

一　発生管の容器は，利用線錐以外の放射線量が利用線錐の放射線量の 1000 分の 1 以下になるようにしゃへいすること．

二　照射終了直後の不必要な放射線からの被ばくを低減するための適切な防護措置を講ずること．

三　放射線発生時にその旨を自動的に表示する装置を付すること．

四　診療用高エネルギー放射線発生装置使用室の出入口が開放されているときは，放射線の発生を遮断するインターロックを設けること．

（診療用粒子線照射装置の防護）

第 30 条の 2 の 2　前条の規定は，診療用粒子線照射装置について準用する．この場合において，同条第 1 号中「発生管」とあるのは「照射管」と，同条第 3 号中「発生時」とあるのは「照射時」と，同条第 4 号中「診療用高エネルギー放射線発生装置使用室」とあるのは「診療用粒子線照射装置使用室」と，「発生を」とあるのは「照射を」と読み替えるものとする．

（診療用放射線照射装置の防護）

第 30 条の 3　診療用放射線照射装置は，次に掲げる障害防止の方法を講じたものでなければならない．

一　放射線源の収納容器は，照射口が閉鎖されているときにおいて，1 メートルの距離における空気カーマ率が 70 マイクログレイ毎時以下になるようにしゃへいすること．

二　放射線障害の防止に必要な場合にあっては，照射口に適当な二次電子濾過板を設けること．

三　照射口は，診療用放射線照射装置使用室の室外から遠隔操作によって開閉できる構造のものとすること．ただし，診療用放射線照射装置の操作その他の業務に従事する者を防護するための適当な装置を設けた場合にあっては，この限りでない．

第 3 節　エックス線診療室等の構造設備

（エックス線診療室）

第 30 条の 4　エックス線診療室の構造設備の基準は，次のとおりとする．

一　天井，床及び周囲の画壁（以下「画壁等」という．）は，その外側における実効線量が 1 週間につき 1 ミリシーベルト以下になるようにしゃへいすることができるものとすること．ただし，その外側が，人が通行し，又は停在することのない場所である画壁等については，この限りでない．

二　エックス線診療室の室内には，エックス線装置を操作する場所を設けないこと．ただし，第 30 条第 4 項第 3 号に規定する箱状のしゃへい物を設けたとき，又は近接透視撮影を行うとき，若しくは乳房撮影を行う等の場合であって必要な防護物を設けたときは，この限りでない．

三　エックス線診療室である旨を示す標識を付すること．

（診療用高エネルギー放射線発生装置使用室）

第 30 条の 5　診療用高エネルギー放射線発生装置使用室の構造設備の基準は，次のとおりとする．

一　画壁等は，その外側における実効線量が 1 週間につき 1 ミリシーベルト以下になるようにしゃへいすることができるものとすること．ただし，その外側が，人が通行し，又は停在することのない場所である画壁等については，この限りでない．

二　人が常時出入する出入口は，一箇所とし，当該出入口には，放射線発生時に自動的にその旨を表示する装置を設けること．

三　診療用高エネルギー放射線発生装置使用室である旨を示す標識を付すること．

（診療用粒子線照射装置使用室）

第 30 条の 5 の 2　前条の規定は，診療用粒子線照射装置使用室について準用する．この場合において，同条第 2 号中「発生時」とあるのは，「照射時」と読み替えるものとする．

（診療用放射線照射装置使用室）

第 30 条の 6　診療用放射線照射装置使用室の構造設備の基準は，次のとおりとする．

一　主要構造部等（主要構造部並びにその場所を区画する壁及び柱をいう．以下同じ．）は，耐火構造又は不燃材料を用いた構造とすること．

二　画壁等は，その外側における実効線量が 1 週間につき 1 ミリシーベルト以下になるようにしゃへいすることができるものとすること．ただし，その外側が，人が通行し，又は停在することのない場所である画壁等については，この限りでない．

三　人が常時出入する出入口は，一箇所とし，当該出入口には，放射線発生時に自動的にその旨を表示する装置を設けること．

四　診療用放射線照射装置使用室である旨を示す標識を付すること．

（診療用放射線照射器具使用室）

第 30 条の 7　診療用放射線照射器具使用室の構造設備の基準は，次のとおりとする．

一　画壁等は，その外側における実効線量が 1 週間につき 1 ミリシーベルト以下になるようにしゃへいすることができるものとすること．ただし，その外側が，人が通行し，又は停在することのない場所である画壁等については，この限りでない．

二　人が常時出入する出入口は，一箇所とすること．

三　診療用放射線照射器具使用室である旨を示す標識を付すること．

（放射性同位元素装備診療機器使用室）

第 30 条の 7 の 2　放射性同位元素装備診療機器使用室の構造設備の基準は，次のとおりとする．

一　主要構造部等は，耐火構造又は不燃材料を用いた構造とすること．

二　扉等外部に通ずる部分には，かぎその他閉鎖のための設備又は器具を設けること．

三　放射性同位元素装備診療機器使用室である旨を示す標識を付すること．

四　間仕切りを設けることその他の適切な放射線障害の防止に関する予防措置を講ずること．

（診療用放射性同位元素使用室）

第 30 条の 8　診療用放射性同位元素使用室の構造設備の基準は，次のとおりとする．

一　主要構造部等は，耐火構造又は不燃材料を用いた構造とすること．

二　診療用放射性同位元素の調剤等を行う室（以下「準備室」という．）とこれを用いて診療を行う室とに区画すること．

三　画壁等は，その外側における実効線量が 1 週間につき 1 ミリシーベルト以下になるようにしゃへいすることができるものとすること．ただし，その外側が，人が通行し，又は停在することのない場所である画壁等については，この限りでない．
四　人が常時出入する出入口は，一箇所とすること．
五　診療用放射性同位元素使用室である旨を示す標識を付すること．
六　内部の壁，床その他放射性同位元素によって汚染されるおそれのある部分は，突起物，くぼみ及び仕上材の目地等のすきまの少ないものとすること．
七　内部の壁，床その他放射性同位元素によって汚染されるおそれのある部分の表面は，平滑であり，気体又は液体が浸透しにくく，かつ，腐食しにくい材料で仕上げること．
八　出入口の付近に放射性同位元素による汚染の検査に必要な放射線測定器，放射性同位元素による汚染の除去に必要な器材及び洗浄設備並びに更衣設備を設けること．
九　準備室には，洗浄設備を設けること．
十　前2号に規定する洗浄設備は，第30条の11第1項第2号の規定により設ける排水設備に連結すること．
十一　準備室に気体状の放射性同位元素又は放射性同位元素によって汚染された物のひろがりを防止するフード，グローブボックス等の装置が設けられているときは，その装置は，第30条の11第1項第3号の規定により設ける排気設備に連結すること．

（陽電子断層撮影診療用放射性同位元素使用室）

第30条の8の2　陽電子断層撮影診療用放射性同位元素使用室の構造設備の基準は，次のとおりとする．
一　主要構造部等は，耐火構造又は不燃材料を用いた構造とすること．
二　陽電子断層撮影診療用放射性同位元素の調剤等を行う室（以下「陽電子準備室」という．），これを用いて診療を行う室及び陽電子断層撮影診療用放射性同位元素が投与された患者等が待機する室に区画すること．
三　画壁等は，その外側における実効線量が1週間につき1ミリシーベルト以下になるようにしゃへいすることができるものとすること．ただし，その外側が，人が通行し，又は停在することのない場所である画壁等については，この限りでない．
四　人が常時出入する出入口は，一箇所とすること．
五　陽電子断層撮影診療用放射性同位元素使用室である旨を示す標識を付すること．
六　陽電子断層撮影診療用放射性同位元素使用室の室内には，陽電子放射断層撮影装置を操作する場所を設けないこと．
七　内部の壁，床その他放射性同位元素によって汚染されるおそれのある部分は，突起物，くぼみ及び仕上材の目地等のすきまの少ないものとすること．
八　内部の壁，床その他放射性同位元素によって汚染されるおそれのある部分の表面は，平滑であり，気体又は液体が浸透しにくく，かつ，腐食しにくい材料で仕上げること．
九　出入口の付近に放射性同位元素による汚染の検査に必要な放射線測定器，放射性同位元素による汚染の除去に必要な器材及び洗浄設備並びに更衣設備を設けること．
十　陽電子準備室には，洗浄設備を設けること．
十一　前2号に規定する洗浄設備は，第30条の11第1項第2号の規定により設ける排水設備に連結すること．
十二　陽電子準備室に気体状の放射性同位元素又は放射性同位元素によって汚染された物のひろがりを防止するフード，グローブボックス等の装置が設けられているときは，その装置は，第30条の11第1項第3号の規定により設ける排気設備に連結すること．

（貯蔵施設）

第30条の9　診療用放射線照射装置，診療用放射線照射器具，診療用放射性同位元素又は陽電子断層撮影診療用放射性同位元素を貯蔵する施設（以下「貯蔵施設」という．）の構造設備の基準は，次のとおりとする．
一　貯蔵室，貯蔵箱等外部と区画された構造のものとすること．
二　貯蔵施設の外側における実効線量が1週間につき1ミリシーベルト以下になるようにしゃへいすることができるものとすること．ただし，貯蔵施設の外側が，人が通行し，又は停在することのない場所である場合は，この限りでない．
三　貯蔵室は，その主要構造部等を耐火構造とし，その開口部には，建築基準法施行令第112条第1項に規定する特定防火設備に該当する防火戸を設けること．ただし，診療用放射線照射装置又は診療用放射線照射器具を耐火性の構造の容器に入れて貯蔵する場合は，この限りでない．
四　貯蔵箱等は，耐火性の構造とすること．ただし，診療用放射線照射装置又は診療用放射線照射器具を耐火性の構造の容器に入れて貯蔵する場合は，この限りでない．
五　人が常時出入する出入口は，一箇所とすること．
六　扉，ふた等外部に通ずる部分には，かぎその他閉鎖のための設備又は器具を設けること．
七　貯蔵施設である旨を示す標識を付すること．
八　貯蔵施設には，次に定めるところに適合する貯蔵容器を備えること．ただし，扉，ふた等を開放した場合において1メートルの距離における実効線量率が100マイクロシーベルト毎時以下になるようにしゃへいされている貯蔵箱等に診療用放射線照射装置又は診療用放射線照射器具を貯蔵する場合は，この限りでない．
　イ　貯蔵時において1メートルの距離における実効線量率が100マイクロシーベルト毎時以下になるようにしゃへいすることができるものとすること．
　ロ　容器の外における空気を汚染するおそれのある診療用放射性同位元素又は陽電子断層撮影診療用放射性同位元素を入れる貯蔵容器は，気密な構造とすること．
　ハ　液体状の診療用放射性同位元素又は陽電子断層撮影診療用放射性同位元素を入れる貯蔵容器は，こぼれにくい構造であり，かつ，液体が浸透しにくい材料を用いること．
　ニ　貯蔵容器である旨を示す標識を付し，かつ，貯蔵する診療用放射線照射装置若しくは診療用放射線照射器具に装備する放射性同位元素又は貯蔵する診療用放射性同位元素若しくは陽電子断層撮影診療用放射性同位元素の種類及びベクレル単位をもって表した数量を表示すること．
九　受皿，吸収材その他放射性同位元素による汚染のひろがりを防止するための設備又は器具を設けること．

（運搬容器）

第30条の10　診療用放射線照射装置，診療用放射線照射器具，診療用放射性同位元素又は陽電子断層撮影診療用放射性同位元素を運搬する容器（以下「運搬容器」という．）の構造の基準については，前条第8号イからニまでの規定を準用する．

（廃棄施設）

第30条の11①　診療用放射性同位元素，陽電子断層撮影診療用放射性同位元素又は放射性同位元素によって汚染された物（以下「医療用放射性汚染物」という．）を廃棄する施設（以下「廃棄施設」という．）の構造設備の基準は，次のとおりとする．
一　廃棄施設の外側における実効線量が1週間につき1ミリシーベルト以下になるようにしゃへいすることができるものとすること．ただし，廃棄施設の外側が，人が通行し，又は停在することのない場所である場合は，この限りでない．
二　液体状の医療用放射性汚染物を排水し，又は浄化する場合には，次に定めるところにより，排水設備（排水管，排液処理槽その他液体状の医療用放射性汚染物を排水し，又は浄化する一連の設備をいう．以下同じ．）を設けること．
　イ　排水口における排液中の放射性同位元素の濃度を第30条の26第1項に定める濃度限度以下とする能力又は排水監視設備を設けて排水中の放射性同位元素の濃度を監視することにより，病院又は診療所の境界（病院又は診療所の境界に隣接する区域に人がみだりに立ち入らないような措置を講じた場合には，その区域の境界とする．以下同じ．）における排水中の放射性同位元素の濃度を第30条の26第1項に定める濃度限度以下とする能力を有するものであること．
　ロ　排液の漏れにくい構造とし，排液が浸透しにくく，かつ，腐食しにくい材料を用いること．
　ハ　排液処理槽は，排液を採取することができる構造又は排液中における放射性同位元素の濃度が測定できる構造とし，かつ，排液の流出を調節する装置を設けること．
　ニ　排液処理槽の上部の開口部は，ふたのできる構造とするか，又はさくその他の周囲に人がみだりに立ち入らないようにするための設備（以下「さく等」という．）を設けること．
　ホ　排水管及び排液処理槽には，排水設備である旨を示す標識を付すること．
三　気体状の医療用放射性汚染物を排気し，又は浄化する場合には，次に定めるところにより，排気設備（排風機，排気浄化装置，排気管，排気口等気体状の医療用放射性汚染物を排気し，又は浄化する一連の設備をいう．以下同じ．）を設けること．ただし，作業の性質上排気設備を設けることが著しく困難である場合であって，気体状の放射性同位元素を発生し，又は放射性同位元素によって空気を汚染するおそれのないときは，この限りでない．

イ　排気口における排気中の放射性同位元素の濃度を第30条の26第1項に定める濃度限度以下とする能力又は排気監視設備を設けて排気中の放射性同位元素の濃度を監視することにより，病院又は診療所の境界の外の空気中の放射性同位元素の濃度を第30条の26第1項に定める濃度限度以下とする能力を有するものであること．

ロ　人が常時立ち入る場所における空気中の放射性同位元素の濃度を第30条の26第2項に定める濃度限度以下とする能力を有するものとすること．

ハ　気体の漏れにくい構造とし，腐食しにくい材料を用いること．

ニ　故障が生じた場合において放射性同位元素によって汚染された物の広がりを急速に防止することができる装置を設けること．

ホ　排気浄化装置，排気管及び排気口には，排気設備である旨を示す標識を付すること．

四　医療用放射性汚染物を焼却する場合には，次に掲げる設備を設けること．

イ　次に掲げる要件を満たす焼却炉

(1)　気体が漏れにくく，かつ，灰が飛散しにくい構造であること．

(2)　排気設備に連結された構造であること．

(3)　当該焼却炉の焼却残さの搬出口が廃棄作業室（医療用放射性汚染物を焼却したのちその残さを焼却炉から搬出し，又はコンクリートその他の固形化材料により固形化（固形化するための処理を含む．）する作業を行う室をいう．以下この号において同じ．）に連結していること．

ロ　次に掲げる要件を満たす廃棄作業室

(1)　当該廃棄作業室の内部の壁，床その他放射性同位元素によって汚染されるおそれのある部分が突起物，くぼみ及び仕上材の目地等のすきまの少ない構造であること．

(2)　当該廃棄作業室の内部の壁，床その他放射性同位元素によって汚染されるおそれのある部分の表面が平滑であり，気体又は液体が浸透しにくく，かつ，腐食しにくい材料で仕上げられていること．

(3)　当該廃棄作業室に気体状の医療用放射性汚染物の広がりを防止するフード，グローブボックス等の装置が設けられているときは，その装置が排気設備に連結していること．

(4)　廃棄作業室である旨を示す標識が付されていること．

ハ　次に掲げる要件を満たす汚染検査室（人体又は作業衣，履物，保護具等人体に着用している物の表面の放射性同位元素による汚染の検査を行う室をいう．）

(1)　人が通常出入りする廃棄施設の出入口の付近等放射性同位元素による汚染の検査を行うのに最も適した場所に設けられていること．

(2)　当該汚染検査室の内部の壁，床その他放射性同位元素によって汚染されるおそれのある部分がロの(1)及び(2)に掲げる要件を満たしていること．

(3)　洗浄設備及び更衣設備が設けられ，汚染の検査のための放射線測定器及び汚染の除去に必要な器材が備えられていること．

(4)　(3)の洗浄設備の排水管が排水設備に連結していること．

(5)　汚染検査室である旨を示す標識が付されていること．

五　医療用放射性汚染物を保管廃棄する場合（次号に規定する場合を除く．）には，次に定めるところにより，保管廃棄設備を設けること．

イ　外部と区画された構造とすること．

ロ　保管廃棄設備の扉，ふた等外部に通ずる部分には，かぎその他閉鎖のための設備又は器具を設けること．

ハ　保管廃棄設備には，第30条の9第8号ロ及びハに定めるところにより，耐火性の構造である容器を備え，当該容器の表面に保管廃棄容器である旨を示す標識を付すること．

ニ　保管廃棄設備である旨を示す標識を付すること．

六　陽電子断層撮影診療用放射性同位元素（厚生労働大臣の定める種類ごとにその1日最大使用数量が厚生労働大臣の定める数量以下であるものに限る．以下この号において同じ．）又は陽電子断層撮影診療用放射性同位元素によって汚染された物を保管廃棄する場合には，陽電子断層撮影診療用放射性同位元素又は陽電子断層撮影診療用放射性同位元素によって汚染された物以外の物が混入し，又は付着しないように封及び表示をし，当該陽電子断層撮影診療用放射性同位元素の原子の数が1を下回ることが確実な期間として厚生労働大臣が定める期間を超えて管理区域内において行うこと．

②　前項第2号イ又は第3号イに規定する能力を有する排水設備又は排気設備を設けることが著しく困難な場合において，病院又は診療所の境界の外における実効線量を1年間につき1ミリシーベルト以下とする能力を排水設備又は排気設備が有することにつき厚生労働大臣の承認を受けた場合においては，同項第2号イ又は第3号イの規定は適用しない．この場合において，排水口若しくは排水監視設備のある場所において排水中の放射性同位元素の数量及び濃度を監視し，又は排気口若しくは排気監視設備のある場所において排気中の放射性同位元素の数量及び濃度を監視することにより，病院又は診療所の境界の外における実効線量を1年間につき1ミリシーベルト以下としなければならない．

③　前項の承認を受けた排水設備又は排気設備がその能力を有すると認められなくなったときは，厚生労働大臣は当該承認を取り消すことができる．

④　第1項第6号の規定により保管廃棄する陽電子断層撮影診療用放射性同位元素又は陽電子断層撮影診療用放射性同位元素によって汚染された物については，同号の厚生労働大臣が定める期間を経過した後は，陽電子断層撮影診療用放射性同位元素又は放射性同位元素によって汚染された物ではないものとする．

（放射線治療病室）

第30条の12　診療用放射線照射装置，診療用放射線照射器具，診療用放射性同位元素又は陽電子断層撮影診療用放射性同位元素により治療を受けている患者を入院させる病室（以下「放射線治療病室」という．）の構造設備の基準は，次のとおりとする．

一　画壁等の外側の実効線量が1週間につき1ミリシーベルト以下になるように画壁等その他必要なしゃへい物を設けること．ただし，その外側が，人が通行し，若しくは停在することのない場所であるか又は放射線治療病室である画壁等については，この限りでない．

二　放射線治療病室である旨を示す標識を付すること．

三　第30条の8第6号から第8号までに定めるところに適合すること．ただし，第30条の8第8号の規定は，診療用放射線照射装置又は診療用放射線照射器具により治療を受けている患者のみを入院させる放射線治療病室については，適用しない．

第4節　管理者の義務

（注意事項の掲示）

第30条の13　病院又は診療所の管理者は，エックス線診療室，診療用高エネルギー放射線発生装置使用室，診療用粒子線照射装置使用室，診療用放射線照射装置使用室，診療用放射線照射器具使用室，放射性同位元素装備診療機器使用室，診療用放射性同位元素使用室，陽電子断層撮影診療用放射性同位元素使用室，貯蔵施設，廃棄施設及び放射線治療病室（以下「放射線取扱施設」という．）の目につきやすい場所に，放射線障害の防止に必要な注意事項を掲示しなければならない．

（使用の場所等の制限）

第30条の14　病院又は診療所の管理者は，次の表の上［本書では左］欄に掲げる業務を，それぞれ同表の中欄に掲げる室若しくは施設において行い，又は同欄に掲げる器具を用いて行わなければならない．ただし，次の表の下［本書では右］欄に掲げる場合に該当する場合は，この限りでない．

エックス線装置の使用	エックス線診療室	特別の理由により移動して使用する場合又は特別の理由により診療用高エネルギー放射線発生装置使用室，診療用粒子線照射装置使用室，診療用放射線照射装置使用室，診療用放射線照射器具使用室，診療用放射性同位元素使用室若しくは陽電子断層撮影診療用放射性同位元素使用室において使用する場合（適切な防護措置を講じた場合に限る.）
診療用高エネルギー放射線発生装置の使用	診療用高エネルギー放射線発生装置使用室	特別の理由により移動して手術室で使用する場合（適切な防護措置を講じた場合に限る.）
診療用粒子線照射装置の使用	診療用粒子線照射装置使用室	
診療用放射線照射装置の使用	診療用放射線照射装置使用室	特別の理由によりエックス線診療室，診療用放射性同位元素使用室又は陽電子断層撮影診療用放射性同位元素使用室で使用する場合（適切な防護措置を講じた場合に限る.）
診療用放射線照射器具の使用	診療用放射線照射器具使用室	特別の理由によりエックス線診療室，診療用放射線照射装置使用室，診療用放射性同位元素使用室若しくは陽電子断層撮影診療用放射性同位元素使用室で使用する場合，手術室において一時的に使用する場合，移動させることが困難な患者に対して放射線治療病室において使用する場合又は集中強化治療室若しくは心疾患強化治療室において一時的に使用する場合（適切な防護措置を講じた場合に限る.）
放射性同位元素装備診療機器の使用	放射性同位元素装備診療機器使用室	第30条の7の2に定める構造設備の基準に適合する室において使用する場合
診療用放射性同位元素の使用	診療用放射性同位元素使用室	手術室において一時的に使用する場合，移動させることが困難な患者に対して放射線治療病室において使用する場合，集中強化治療室若しくは心疾患強化治療室において一時的に使用する場合又は特別の理由により陽電子断層撮影診療用放射性同位元素使用室で使用する場合（適切な防護措置及び汚染防止措置を講じた場合に限る.）
陽電子断層撮影診療用放射性同位元素の使用	陽電子断層撮影診療用放射性同位元素使用室	
診療用放射線照射装置，診療用放射線照射器具，診療用放射性同位元素又は陽電子断層撮影診療用放射性同位元素の貯蔵	貯蔵施設	
診療用放射線照射装置，診療用放射線照射器具，診療用放射性同位元素又は陽電子断層撮影診療用放射性同位元素の運搬	運搬容器	
医療用放射性汚染物の廃棄	廃棄施設	

（診療用放射性同位元素等の廃棄の委託）

第30条の14の2① 病院又は診療所の管理者は，前条の規定にかかわらず，医療用放射性汚染物の廃棄を，次条に定める位置，構造及び設備に係る技術上の基準に適合する医療用放射性汚染物の詰替えをする施設（以下「廃棄物詰替施設」という.），医療用放射性汚染物を貯蔵する施設（以下「廃棄物貯蔵施設」という.）又は廃棄施設を有する者であって別に厚生労働省令で指定するものに委託することができる.

② 前項の指定を受けようとする者は，次の事項を記載した申請書を厚生労働大臣に提出しなければならない.

一 氏名又は名称及び住所並びに法人にあっては，その代表者の氏名
二 廃棄事業所の所在地
三 廃棄の方法
四 廃棄物詰替施設の位置，構造及び設備
五 廃棄物貯蔵施設の位置，構造，設備及び貯蔵能力
六 廃棄施設の位置，構造及び設備

③ 第一項の指定には，条件を付することができる.

④ 前項の条件は，放射線障害を防止するため必要最小限度のものに限り，かつ，指定を受ける者に不当な義務を課することとならないものでなければならない.

⑤ 厚生労働大臣は，第1項の指定を受けた者が第3項の指定の条件に違反した場合又はその者の有する廃棄物詰替施設，廃棄物貯蔵施設若しくは廃棄施設が第1項の技術上の基準に適合しなくなったときは，その指定を取り消すことができる.

第30条の14の3① 廃棄物詰替施設の位置，構造及び設備に係る技術上の基準は，次のとおりとする.

一 地崩れ及び浸水のおそれの少ない場所に設けること.
二 建築基準法第2条第1号に規定する建築物又は同条第4号に規定する居室がある場合には，その主要構造部等は，耐火構造又は不燃材料を用いた構造とすること.
三 次の表の上［本書では左］欄に掲げる実効線量をそれぞれ同表の下［本書では右］欄に掲げる実効線量限度以下とするために必要なしゃへい壁その他のしゃへい物を設けること.

施設内の人が常時立ち入る場所において人が被ばくするおそれのある実効線量	1週間につき1ミリシーベルト
廃棄事業所の境界（廃棄事業所の境界に隣接する区域に人がみだりに立ち入らないような措置を講じた場合には，その区域の境界）及び廃棄事業所内の人が居住する区域における実効線量	3月間につき250マイクロシーベルト

四 医療用放射性汚染物で密封されていないものの詰替をする場合には，第30条の11第1項第4号ロに掲げる要件を満たす詰替作業室及び同号ハに掲げる要件を満たす汚染検査室を設けること.
五 管理区域（外部放射線の線量，空気中の放射性同位元素の濃度又は放射性同位元素によって汚染される物の表面の放射性同位元素の密度が第30条の26第3項に定める線量，濃度又は密度を超えるおそれのある場所をいう．以下同じ.）の境界には，さく等を設け，管理区域である旨を示す標識を付すること.
六 放射性同位元素を経口摂取するおそれのある場所での飲食又は喫煙を禁止する旨の標識を付すること.

② 廃棄物貯蔵施設の位置，構造及び設備に係る技術上の基準は，次のとおりとする.

一 地崩れ及び浸水のおそれの少ない場所に設けること.
二 第30条の9第3号本文に掲げる要件を満たす貯蔵室又は同条第四号本文に掲げる要件を満たす貯蔵箱を設け，それぞれ貯蔵室又は貯蔵箱である旨を示す標識を付すること.
三 前項第3号に掲げる要件を満たすしゃへい壁その他のしゃへい物を設けること.
四 次に掲げる要件を満たす医療用放射性汚染物を入れる貯蔵容器を備えること.
イ 容器の外における空気を汚染するおそれのある医療用放射性汚染物を入れる貯蔵容器は，気密な構造とすること.
ロ 液体状の医療用放射性汚染物を入れる貯蔵容器は，液体が

こぼれにくい構造とし，かつ，液体が浸透しにくい材料を用いること．

ハ　液体状又は固体状の医療用放射性汚染物を入れる貯蔵容器で，き裂，破損等の事故の生ずるおそれのあるものには，受皿，吸収材その他医療用放射性汚染物による汚染の広がりを防止するための設備又は器具を設けること．

ニ　貯蔵容器である旨を示す標識を付すること．

五　貯蔵室又は貯蔵箱の扉，ふた等外部に通ずる部分には，かぎその他の閉鎖のための設備又は器具を設けること．

六　管理区域の境界には，さく等を設け，管理区域である旨を示す標識を付すること．

七　放射性同位元素を経口摂取するおそれのある場所での飲食又は喫煙を禁止する旨の標識を付すること．

③　前条第1項に掲げる廃棄施設の位置，構造及び設備に係る技術上の基準は，次のとおりとする．

一　地崩れ及び浸水のおそれの少ない場所に設けること．

二　主要構造部等は，耐火構造又は不燃材料を用いた構造とすること．

三　第1項第3号に掲げる要件を満たすしゃへい壁その他のしゃへい物を設けること．

四　液体状又は気体状の医療用放射性汚染物を廃棄する場合には，第30条の11第1項第2号に掲げる要件を満たす排水設備又は同項第3号に掲げる要件を満たす排気設備を設けること．

五　医療用放射性汚染物を焼却する場合には，第30条の11第1項第3号に掲げる要件を満たす排気設備，同項第4号イに掲げる要件を満たす焼却炉，同号ロに掲げる要件を満たす廃棄作業室及び同号ハに掲げる要件を満たす汚染検査室を設けること．

六　医療用放射性汚染物をコンクリートその他の固型化材料により固型化する場合には，次に掲げる要件を満たす固型化処理設備（粉砕装置，圧縮装置，混合装置，詰込装置等医療用放射性汚染物をコンクリートその他の固型化材料により固型化する設備をいう．）を設けるほか，第30条の11第1項第3号に掲げる要件を満たす排気設備，同項第4号ロに掲げる要件を満たす廃棄作業室及び同号ハに掲げる要件を満たす汚染検査室を設けること．

イ　医療用放射性汚染物が漏れ又はこぼれにくく，かつ，粉じんが飛散しにくい構造とすること．

ロ　液体が浸透しにくく，かつ，腐食しにくい材料を用いること．

七　医療用放射性汚染物を保管廃棄する場合には，次に掲げる要件を満たす保管廃棄設備を設けること．

イ　外部と区画された構造とすること．

ロ　扉，ふた等外部に通ずる部分には，かぎその他の閉鎖のための設備又は器具を設けること．

ハ　耐火性の構造で，かつ，前項第四号に掲げる要件を満たす保管廃棄容器を備えること．ただし，放射性同位元素によって汚染された物が大型機械等であってこれを容器に封入することが著しく困難な場合において，汚染の広がりを防止するための特別の措置を講ずるときは，この限りでない．

ニ　保管廃棄設備である旨を示す標識を付すること．

八　管理区域の境界には，さく等を設け，管理区域である旨を示す標識を付すること．

九　放射性同位元素を経口摂取するおそれのある場所での飲食又は喫煙を禁止する旨の標識を付すること．

④　第30条の11第2項及び第3項の規定は，前項第4号から第6号までの排水設備又は排気設備について準用する．この場合において，同条第2項中「前項第2号イ」とあるのは「前項第4号から第6号までに掲げる排水設備又は排気設備について，第30条の11第1項第2号イ」と，「病院又は診療所」とあるのは「廃棄施設」と読み替えるものとする．

（患者の入院制限）

第30条の15①　病院又は診療所の管理者は，診療用放射線照射装置若しくは診療用放射線照射器具を持続的に体内に挿入して治療を受けている患者又は診療用放射性同位元素若しくは陽電子断層撮影診療用放射性同位元素により治療を受けている患者を放射線治療病室以外の病室に入院させてはならない．ただし，適切な防護措置及び汚染防止措置を講じた場合にあっては，この限りでない．

②　病院又は診療所の管理者は，放射線治療病室に，前項に規定する患者以外の患者を入院させてはならない．

（管理区域）

第30条の16①　病院又は診療所の管理者は，病院又は診療所内における管理区域に，管理区域である旨を示す標識を付さなければならない．

②　病院又は診療所の管理者は，前項の管理区域内に人がみだりに立ち入らないような措置を講じなければならない．

（敷地の境界等における防護）

第30条の17　病院又は診療所の管理者は，放射線取扱施設又はその周辺に適当なしゃへい物を設ける等の措置を講ずることにより，病院又は診療所内の人が居住する区域及び病院又は診療所の敷地の境界における線量を第30条の26第4項に定める線量限度以下としなければならない．

（放射線診療従事者等の被ばく防止）

第30条の18①　病院又は診療所の管理者は，第1号から第3号までに掲げる措置のいずれか及び第4号から第6号までに掲げる措置を講ずるとともに，放射線診療従事者等（エックス線装置，診療用高エネルギー放射線発生装置，診療用粒子線照射装置，診療用放射線照射装置，診療用放射線照射器具，放射性同位元素装備診療機器，診療用放射性同位元素又は陽電子断層撮影診療用放射性同位元素（以下この項において「エックス線装置等」という．）の取扱い，管理又はこれに付随する業務に従事する者であって管理区域に立ち入るものをいう．以下同じ．）が被ばくする線量が第30条の27に定める実効線量限度及び等価線量限度を超えないようにしなければならない．

一　しゃへい壁その他のしゃへい物を用いることにより放射線のしゃへいを行うこと．

二　遠隔操作装置又は鉗子を用いることその他の方法により，エックス線装置等と人体との間に適当な距離を設けること．

三　人体が放射線に被ばくする時間を短くすること．

四　診療用放射性同位元素使用室，陽電子断層撮影診療用放射性同位元素使用室，貯蔵施設，廃棄施設又は放射線治療病室において放射線診療従事者等が呼吸する空気に含まれる放射性同位元素の濃度が第30条の26第2項に定める濃度限度を超えないようにすること．

五　診療用放射性同位元素使用室，陽電子断層撮影診療用放射性同位元素使用室，貯蔵施設，廃棄施設又は放射線治療病室内の人が触れるものの放射性同位元素の表面密度が第30条の26第6項に定める表面密度限度を超えないようにすること．

六　放射性同位元素を経口摂取するおそれのある場所での飲食又は喫煙を禁止すること．

②　前項の実効線量及び等価線量は，外部放射線に被ばくすること（以下「外部被ばく」という．）による線量及び人体内部に摂取した放射性同位元素からの放射線に被ばくすること（以下「内部被ばく」という．）による線量について次に定めるところにより測定した結果に基づき厚生労働大臣の定めるところにより算定しなければならない．

一　外部被ばくによる線量の測定は，1センチメートル線量当量，3ミリメートル線量当量及び70マイクロメートル線量当量のうち，実効線量及び等価線量の別に応じて，放射線の種類及びその有するエネルギーの値に基づき，当該外部被ばくによる線量を算定するために適切と認められるものを放射線測定器を用いて測定することにより行うこと．ただし，放射線測定器を用いて測定することが，著しく困難である場合には，計算によってこれらの値を算出することができる．

二　外部被ばくによる線量は，胸部（女子（妊娠する可能性がないと診断された者及び妊娠する意思がない旨を病院又は診療所の管理者に書面で申し出た者を除く．以下この号において同じ．）にあっては腹部）について測定すること．ただし，体幹部（人体部位のうち，頭部，けい部，胸部，上腕部，腹部及び大たい部をいう．以下同じ．）を頭部及びけい部，胸部及び上腕部並びに腹部及び大たい部に三区分した場合において，被ばくする線量が最大となるおそれのある区分が胸部及び上腕部（女子にあっては腹部及び大たい部）以外であるときは，当該区分についても測定し，また，被ばくする線量が最大となるおそれのある人体部位が体幹部以外の部位であるときは，当該部位についても測定すること．

三　外部被ばくによる線量の測定は，管理区域に立ち入っている間継続して行うこと．

四　内部被ばくによる線量の測定は，放射性同位元素を誤って吸入摂取し，又は経口摂取した場合にはその都度，診療用放射性同位元素使用室，陽電子断層撮影診療用放射性同位元素使用室その他放射性同位元素を吸入摂取し，又は経口摂取するおそれのある場所に立ち入る場合には3月を超えない期間ごとに1回（妊娠中である女子にあっては，本人の申出等により病院又は診療所の管理者が妊娠の事実を知った時から出産までの間1月を超えない期間ごとに1回），厚生労働大臣の定めるところにより行うこと．

（患者の被ばく防止）

第30条の19　病院又は診療所の管理者は，しゃへい壁その他のしゃへい物を用いる等の措置を講ずることにより，病院又は診療所内の病室に入院している患者の被ばくする放射線（診療により被ばくする放射線を除く．）の実効線量が3月間につき1.3ミリシーベルトを超えないようにしなければならない．

（取扱者の遵守事項）

第30条の20①　病院又は診療所の管理者は，医療用放射性汚染物を取り扱う者に次に掲げる事項を遵守させなければならない．

一　診療用放射性同位元素使用室，陽電子断層撮影診療用放射性同位元素使用室又は廃棄施設においては作業衣等を着用し，また，これらを着用してみだりにこれらの室又は施設の外に出ないこと．

二　放射性同位元素によって汚染された物で，その表面の放射性同位元素の密度が第30条の26第6項に定める表面密度限度を超えているものは，みだりに診療用放射性同位元素使用室，陽電子断層撮影診療用放射性同位元素使用室，廃棄施設又は放射線治療病室から持ち出さないこと．

三　放射性同位元素によって汚染された物で，その表面の放射性同位元素の密度が第30条の26第6項に定める表面密度限度の10分の1を超えているものは，みだりに管理区域からもち出さないこと．

②　病院又は診療所の管理者は，放射線診療を行う医師又は歯科医師に次に掲げる事項を遵守させなければならない．

一　エックス線装置を使用しているときは，エックス線診療室の出入口にその旨を表示すること．

二　診療用放射線照射装置，診療用放射線照射器具，診療用放射性同位元素又は陽電子断層撮影診療用放射性同位元素により治療を受けている患者には適当な標示を付すること．

（エックス線装置等の測定）

第30条の21　病院又は診療所の管理者は，治療用エックス線装置，診療用高エネルギー放射線発生装置，診療用粒子線照射装置及び診療用放射線照射装置について，その放射線量を6月を超えない期間ごとに1回以上線量計で測定し，その結果に関する記録を5年間保存しなければならない．

（放射線障害が発生するおそれのある場所の測定）

第30条の22①　病院又は診療所の管理者は，放射線障害の発生するおそれのある場所について，診療を開始する前に1回及び診療を開始した後にあっては1月を超えない期間ごとに1回（第1号に掲げる測定にあっては6月を超えない期間ごとに1回，第2号に掲げる測定にあっては排水し，又は排気する都度（連続して排水し，又は排気する場合は，連続して））放射線の量及び放射性同位元素による汚染の状況を測定し，その結果に関する記録を5年間保存しなければならない．

一　エックス線装置，診療用高エネルギー放射線発生装置，診療用粒子線照射装置，診療用放射線照射装置又は放射性同位元素装備診療機器を固定して取り扱う場合であって，取扱いの方法及びしゃへい壁その他しゃへい物の位置が一定している場合におけるエックス線診療室，診療用高エネルギー放射線発生装置使用室，診療用粒子線照射装置使用室，診療用放射線照射装置使用室，放射性同位元素装備診療機器使用室，管理区域の境界，病院又は診療所内の人が居住する区域及び病院又は診療所の敷地の境界における放射線の量の測定

二　排水設備の排水口，排気設備の排気口，排水監視設備のある場所及び排気監視設備のある場所における放射性同位元素による汚染の状況の測定

②　前項の規定による放射線の量及び放射性同位元素による汚染の状況の測定は，次の各号に定めるところにより行う．

一　放射線の量の測定は，1センチメートル線量当量率又は1センチメートル線量当量について行うこと．ただし，70マイクロメートル線量当量率が1センチメートル線量当量率の10倍を超えるおそれのある場所又は70マイクロメートル線量当量が1センチメートル線量当量の10倍を超えるおそれのある場所においては，それぞれ70マイクロメートル線量当量率又は70マイクロメートル線量当量について行うこと．

二　放射線の量及び放射性同位元素による汚染の状況の測定は，これらを測定するために最も適した位置において，放射線測定器を用いて行うこと．ただし，放射線測定器を用いて測定することが著しく困難である場合には，計算によってこれらの値を算出することができる．

三　前2号の測定は，次の表の上［本書では左］欄に掲げる項目に応じてそれぞれ同表の下［本書では右］欄に掲げる場所について行うこと．

項　目	場　所
放射線の量	イ　エックス線診療室，診療用高エネルギー放射線発生装置使用室，診療用粒子線照射装置使用室，診療用放射線照射装置使用室，診療用放射線照射器具使用室，放射性同位元素装備診療機器使用室，診療用放射性同位元素使用室及び陽電子断層撮影診療用放射性同位元素使用室 ロ　貯蔵施設 ハ　廃棄施設 ニ　放射線治療病室 ホ　管理区域の境界 ヘ　病院又は診療所内の人が居住する区域 ト　病院又は診療所の敷地の境界
放射性同位元素による汚染の状況	イ　診療用放射性同位元素使用室及び陽電子断層撮影診療用放射性同位元素使用室 ロ　診療用放射性同位元素又は陽電子断層撮影診療用放射性同位元素により治療を受けている患者を入院させる放射線治療病室 ハ　排水設備の排水口 ニ　排気設備の排気口 ホ　排水監視設備のある場所 ヘ　排気監視設備のある場所 ト　管理区域の境界

（記帳）

第30条の23①　病院又は診療所の管理者は，帳簿を備え，次の表の上［本書では左］欄に掲げる室ごとにそれぞれ同表の中欄に掲げる装置又は器具の1週間当たりの延べ使用時間を記載し，これを1年ごとに閉鎖し，閉鎖後2年間保存しなければならない．ただし，その室の画壁等の外側における実効線量率がそれぞれ同表の下［本書では右］欄に掲げる線量率以下になるようにしゃへいされている室については，この限りでない．

治療用エックス線装置を使用しないエックス線診療室	治療用エックス線装置以外のエックス線装置	40マイクロシーベルト毎時
治療用エックス線装置を使用するエックス線診療室	エックス線装置	20マイクロシーベルト毎時
診療用高エネルギー放射線発生装置使用室	診療用高エネルギー放射線発生装置	20マイクロシーベルト毎時
診療用粒子線照射装置使用室	診療用粒子線照射装置	20マイクロシーベルト毎時
診療用放射線照射装置使用室	診療用放射線照射装置	20マイクロシーベルト毎時
診療用放射線照射器具使用室	診療用放射線照射器具	60マイクロシーベルト毎時

②　病院又は診療所の管理者は，帳簿を備え，診療用放射線照射装置，診療用放射線照射器具，診療用放射性同位元素又は陽電子断層撮影診療用放射性同位元素の入手，使用及び廃棄並びに放射性同位元素によって汚染された物の廃棄に関し，次に掲げる事項を記載し，これを1年ごとに閉鎖し，閉鎖後5年間保存しなければならない．

一　入手，使用又は廃棄の年月日

二　入手，使用又は廃棄に係る診療用放射線照射装置又は診療用放射線照射器具の型式及び個数
三　入手，使用又は廃棄に係る診療用放射線照射装置又は診療用放射線照射器具に装備する放射性同位元素の種類及びベクレル単位をもって表した数量
四　入手，使用若しくは廃棄に係る医療用放射性汚染物の種類及びベクレル単位をもって表わした数量
五　使用した者の氏名又は廃棄に従事した者の氏名並びに廃棄の方法及び場所

（廃止後の措置）
第 30 条の 24　病院又は診療所の管理者は，その病院又は診療所に診療用放射性同位元素又は陽電子断層撮影診療用放射性同位元素を備えなくなったときは，30 日以内に次に掲げる措置を講じなければならない．
一　放射性同位元素による汚染を除去すること．
二　放射性同位元素によって汚染された物を譲渡し，又は廃棄すること．

（事故の場合の措置）
第 30 条の 25　病院又は診療所の管理者は，地震，火災その他の災害又は盗難，紛失その他の事故により放射線障害が発生し，又は発生するおそれがある場合は，ただちにその旨を病院又は診療所の所在地を管轄する保健所，警察署，消防署その他関係機関に通報するとともに放射線障害の防止につとめなければならない．

第 5 節　限度

（濃度限度等）
第 30 条の 26①　第 30 条の 11 第 1 項第 2 号イ及び第 3 号イに規定する濃度限度は，排液中若しくは排水中又は排気中若しくは空気中の放射性同位元素の 3 月間についての平均濃度が次に掲げる濃度とする．
一　放射性同位元素の種類（別表第三［略］に掲げるものをいう．次号及び第 3 号において同じ．）が明らかで，かつ，1 種類である場合にあっては，別表第三の第 1 欄に掲げる放射性同位元素の種類に応じて，排液中又は排水中の濃度については第 3 欄，排気中又は空気中の濃度については第 4 欄に掲げる濃度
二　放射性同位元素の種類が明らかで，かつ，排液中若しくは排水中又は排気中若しくは空気中にそれぞれ 2 種類以上の放射性同位元素がある場合にあっては，それらの放射性同位元素の濃度のそれぞれの放射性同位元素についての前号の濃度に対する割合の和が 1 となるようなそれらの放射性同位元素の濃度
三　放射性同位元素の種類が明らかでない場合にあっては，別表第三の第 3 欄又は第 4 欄に掲げる排液中若しくは排水中の濃度又は排気中若しくは空気中の濃度（それぞれ当該排液中若しくは排水中又は排気中若しくは空気中に含まれていないことが明らかである放射性物質の種類に係るものを除く．）のうち，最も低いもの
四　放射性同位元素の種類が明らかで，かつ，当該放射性同位元素の種類が別表第三に掲げられていない場合にあっては，別表第四［略］の第 1 欄に掲げる放射性同位元素の区分に応じて排液中又は排水中の濃度については第 3 欄，排気中又は空気中の濃度については第 4 欄に掲げる濃度
②　第 30 条の 11 第 1 項第 3 号ロ及び第 30 条の 18 第 1 項第 4 号に規定する空気中の放射性同位元素の濃度限度は，1 週間についての平均濃度が次に掲げる濃度とする．
一　放射性同位元素の種類（別表第三に掲げるものをいう．次号及び第 3 号において同じ．）が明らかで，かつ，1 種類である場合にあっては，別表第三の第 1 欄に掲げる放射性同位元素の種類に応じて，第 2 欄に掲げる濃度
二　放射性同位元素の種類が明らかで，かつ，空気中に 2 種類以上の放射性同位元素がある場合にあっては，それらの放射性同位元素の濃度のそれぞれの放射性同位元素についての前号の濃度に対する割合の和が 1 となるようなそれらの放射性同位元素の濃度
三　放射性同位元素の種類が明らかでない場合にあっては，別表第三の第 2 欄に掲げる濃度（当該空気中に含まれていないことが明らかである放射性物質の種類に係るものを除く．）のうち，最も低いもの
四　放射性同位元素の種類が明らかで，かつ，当該放射性同位元素の種類が別表第三に掲げられていない場合にあっては，別表第四の第 1 欄に掲げる放射性同位元素の区分に応じてそれぞれ第 2 欄に掲げる濃度
③　管理区域に係る外部放射線の線量，空気中の放射性同位元素の濃度及び放射性同位元素によって汚染される物の表面の放射性同位元素の密度は，次のとおりとする．
一　外部放射線の線量については，実効線量が 3 月間につき 1.3 ミリシーベルト
二　空気中の放射性同位元素の濃度については，3 月間についての平均濃度が前項に規定する濃度の 10 分の 1
三　放射性同位元素によって汚染される物の表面の放射性同位元素の密度については，第 6 項に規定する密度の 10 分の 1
四　第 1 号及び第 2 号の規定にかかわらず，外部放射線に被ばくするおそれがあり，かつ，空気中の放射性同位元素を吸入摂取するおそれがあるときは，実効線量の第 1 号に規定する線量に対する割合と空気中の放射性同位元素の濃度の第 2 号に規定する濃度に対する割合の和が 1 となるような実効線量及び空気中の放射性同位元素の濃度
④　第 30 条の 17 に規定する線量限度は，実効線量が 3 月間につき 250 マイクロシーベルトとする．
⑤　第 1 項及び前項の規定については，同時に外部放射線に被ばくするおそれがあり，又は空気中の放射性同位元素を吸入摂取し若しくは水中の放射性同位元素を経口摂取するおそれがあるときは，それぞれの濃度限度又は線量限度に対する割合の和が 1 となるようなその空気中若しくは水中の濃度又は線量をもって，その濃度限度又は線量限度とする．
⑥　第 30 条の 18 第 1 項第 5 号並びに第 30 条の 20 第 1 項第 2 号及び第 3 号に規定する表面密度限度は，別表第五［略］の左欄に掲げる区分に応じてそれぞれ同表の右欄に掲げる密度とする．

（線量限度）
第 30 条の 27①　第 30 条の 18 第 1 項に規定する放射線診療従事者等に係る実効線量限度は，次のとおりとする．ただし，放射線障害を防止するための緊急を要する作業に従事した放射線診療従事者等（女子については，妊娠する可能性がないと診断された者及び妊娠する意思がない旨を病院又は診療所の管理者に書面で申し出た者に限る．次項において「緊急放射線診療従事者等」という．）に係る実効線量限度は，100 ミリシーベルトとする．
一　平成 13 年 4 月 1 日以後 5 年ごとに区分した各期間につき 100 ミリシーベルト
二　4 月 1 日を始期とする 1 年間につき 50 ミリシーベルト
三　女子（妊娠する可能性がないと診断された者，妊娠する意思がない旨を病院又は診療所の管理者に書面で申し出た者及び次号に規定する者を除く．）については，前 2 号に規定するほか，4 月 1 日，7 月 1 日，10 月 1 日及び 1 月 1 日を始期とする各 3 月間につき 5 ミリシーベルト
四　妊娠中である女子については，第 1 号及び第 2 号に規定するほか，本人の申出等により病院又は診療所の管理者が妊娠の事実を知った時から出産までの間につき，内部被ばくについて 1 ミリシーベルト
②　第 30 条の 18 第 1 項に規定する放射線診療従事者等に係る等価線量限度は，次のとおりとする．
一　眼の水晶体については，令和 3 年 4 月 1 日以後 5 年ごとに区分した各期間につき 100 ミリシーベルト及び 4 月 1 日を始期とする 1 年間につき 50 ミリシーベルト（緊急放射線診療従事者等に係る眼の水晶体の等価線量限度は，300 ミリシーベルト）
二　皮膚については，4 月 1 日を始期とする 1 年間につき 500 ミリシーベルト（緊急放射線診療従事者等に係る皮膚の等価線量限度は，1 シーベルト）
三　妊娠中である女子の腹部表面については，前項第 4 号に規定する期間につき 2 ミリシーベルト

第 4 章の 2 の 2　医療計画

（既存病床数及び申請病床数の補正）
第 30 条の 33①　病院の開設の許可，病院の病床数の増加若しくは病床の種別の変更の許可又は診療所の病床の設置の許可，診療所の病床数の増加若しくは病床の種別の変更の許可の申請がなされた場合において，都道府県知事が当該申請に係る病床の種別に応じ第 30 条の 30 に規定する区域における既存の病床の数及び当該申請に係る病床数を算定するに当たって行わなければならない補正の標準は，次のとおりとする．
一　［略］

二　放射線治療病室の病床，無菌病室の病床又は集中強化治療室若しくは心疾患強化治療室の病床であって，当該病室の入院患者が当該病室における治療終了後の入院のために専ら用いる他の病床が同一病院内に確保されているものについては，既存の病床の数及び当該申請に係る病床数に算定しないこと．

② 前項第 1 号の当該病床の利用者のうち職員及びその家族以外の者，隊員及びその家族以外の者，従業員及びその家族以外の者，業務上の災害を被った労働者以外の者又は入院患者以外の者の数並びに当該病床の利用者の数並びに同項第 2 号の放射線治療病室の病床，無菌病室の病床又は集中強化治療室若しくは心疾患強化治療室の病床であって，当該病室の入院患者が当該病室における治療終了後の入院のために専ら用いる他の病床が同一病院内に確保されているものの数は，病院の開設の許可，病院の病床数の増加若しくは病床の種別の変更の許可又は診療所の病床の設置の許可，診療所の病床数の増加若しくは病床の種別の変更の許可の申請があった日前の直近の 9 月 30 日における数によるものとする．この場合において，当該許可の申請があった日前の直近の 9 月 30 日において業務が行われなかったときは，当該病院又は診療所における実績，当該病院又は診療所と機能及び性格を同じくする病院又は診療所の実績等を考慮して都道府県知事が推定する数によるものとする．

③ 当該申請に係る病床数についての第 1 項第 1 号の当該病床の利用者のうち職員及びその家族以外の者，従業員及びその家族以外の者又は入院患者以外の者の数並びに当該病床の利用者の数並びに同項第 2 号の放射線治療病室の病床，無菌病室の病床又は集中強化治療室若しくは心疾患強化治療室の病床であって，当該病室の入院患者が当該病室における治療終了後の入院のために専ら用いる他の病床が同一病院内に確保されることが見込まれるものの数は，前項の規定にかかわらず当該申請に係る病院の機能及び性格，当該病院に当該申請に係る病床の種別の既存の病床がある場合における当該既存の病床における実績，当該病院と機能及び性格を同じくする病院の実績等を考慮して都道府県知事が推定する数によるものとする．

3.2　医療法施行規則第 30 条の 14 の 2 第 1 項の診療用放射性同位元素又は放射性同位元素によって汚染された物の廃棄の委託を受ける者を指定する省令

（平成 13 年 9 月 28 日）
（厚生労働省令第 202 号）

［略］

医療法施行規則（昭和 23 年厚生省令第 50 号）第 30 条の 14 の 2 第 1 項に規定する診療用放射性同位元素又は放射性同位元素によって汚染された物の廃棄の委託を受ける者として次の者を指定する．

名　称	主たる事務所の所在地	指定の日
社団法人日本アイソトープ協会（昭和 29 年 5 月 1 日に社団法人日本放射性同位元素協会という名称で設立された法人をいう．）	東京都文京区本駒込 2 丁目 28 番 45 号	昭和 59 年 3 月 12 日

附則［略］

4.　告示

4.1　医療法施行規則第 24 条第 6 号の規定に基づき厚生労働大臣が定める放射性同位元素装備診療機器

（昭和 63 年 9 月 30 日）
（厚生省告示第 243 号）
（最終改正：平成 12 年 12 月 27 日厚生省告示第 423 号）

医療法施行規則（昭和 23 年厚生省令第 50 号）第 27 条の 2 の規定に基づき，放射性同位元素装備診療機器を定める告示を次のように定め，昭和 64 年 4 月 1 日から適用する．

［略］

医療法施行規則第 27 条の 2 の規定に基づき厚生労働大臣が定める放射性同位元素装備診療機器は，次に掲げる機器とする．

一　次に掲げる要件に適合する骨塩定量分析装置
　イ　装備する放射性同位元素の数量が，0.11 テラベクレル以下であること．
　ロ　機器を使用しないときの機器表面における線量率が，600 ナノシーベルト毎時以下となるような構造であること．また，使用時において機器から 1 メートル離れた場所における線量率が，6 マイクロシーベルト毎時以下となるような構造であること．
　ハ　線源を収納する容器が耐火構造であること．
　ニ　線源を収納する容器は，線源を容易に取り外すことができず，かつ，線源が脱落するおそれのないものであること．
　ホ　機器本体にその旨を示す標識を付すこと．
　ヘ　装備する放射性同位元素が，次に掲げるものであること．
　　ヨウ素 125，アメリシウム 241，ガドリニウム 153
二　次に掲げる要件に適合するガスクロマトグラフ用エレクトロン・キャプチャ・ディテクタ
　イ　装備する放射性同位元素の数量が，740 メガベクレル以下であること．
　ロ　機器表面における線量率が，600 ナノシーベルト毎時以下となるような構造であること．
　ハ　線源を収納する容器が耐火構造であること．
　ニ　線源を収納する容器は，線源を容易に取り外すことができず，かつ，線源を脱落するおそれのないものであること．
　ホ　線源を収納する容器の導入口及び排出口は，キャップ等により密閉できるものであること．
　ヘ　線源を収納する容器は，ねじ等で機器に固定することができるものであること．
　ト　機器本体にその旨を示す標識を付すこと．
　チ　装備する放射性同位元素が，ニッケル 63 であること．
三　次に掲げる要件に適合する輸血用血液照射装置
　イ　装備する放射性同位元素の数量が，200 テラベクレル以下であること．
　ロ　機器から 1 メートル離れた場所における線量率が，6 マイクロシーベルト毎時以下となるような構造であること．
　ハ　線源を収納する容器が耐火構造であること．
　ニ　線源を収納する容器は，線源を容易に取り外すことができず，かつ，線源が脱落するおそれのないものであること．
　ホ　線源を収納する容器は，機器に固定されており，容易に取り外せないものであること．
　ヘ　照射される血液を出し入れする開口部の開放時において，線源を収納する容器がしゃへいされた構造であること．
　ト　照射される血液を出し入れする機器の開口部に，みだりに開閉できないようかぎその他の閉鎖のための設備又は器具が設けられていること．
　チ　機器本体にその旨を示す標識を付すこと．
　リ　装備する放射性同位元素が，セシウム 137 であること．

［以下略］

4.2 放射線診療従事者等が被ばくする線量の測定方法並びに実効線量及び等価線量の算定方法（抄）

（平成 12 年 12 月 26 日）
（厚生省告示第 398 号）
（最終改正：令和 2 年 4 月 1 日厚生労働省告示第 166 号）

医療法施行規則（昭和 23 年厚生省令第 50 号）第 30 条の 18 第 2 項の規定に基づき，放射線診療従事者等が被ばくする線量当量の測定方法並びに実効線量当量及び組織線量当量の算定方法（昭和 63 年 9 月厚生省告示第 245 号）の全部を次のように改正し，平成 13 年 4 月 1 日から適用する.

[略]

（実効線量への換算）

第 1 条①　医療法施行規則（昭和 23 年厚生省令第 50 号．以下「規則」という.）第 30 条の 4 から第 30 条の 9 まで，第 30 条の 11 及び第 30 条の 12 に規定する実効線量については，放射線の種類に応じて次の式により計算することができる.

一　放射線がエックス線又はガンマ線である場合

$E = f_X D$

この式において，E，f_X 及び D は，それぞれ次の値を表すものとする.

E　実効線量（単位　シーベルト）

f_X　別表第一［略］の第 1 欄に掲げる放射線のエネルギーの強さに応じて，第 2 欄に掲げる値

D　自由空気中の空気カーマ（単位　グレイ）

二　放射線が中性子線である場合

$E = f_n \Phi$

この式において，E，f_n 及び Φ は，それぞれ次の値を表すものとする.

E　実効線量（単位　シーベルト）

f_n　別表第二［略］の第 1 欄に掲げる放射線のエネルギーの強さに応じて，第 2 欄に掲げる値

Φ　自由空気中の中性子フルエンス（単位　個毎平方センチメートル）

②　放射線の種類が 2 種類以上ある場合にあっては，放射線の種類ごとに計算した実効線量の和をもって，第 1 項に規定する実効線量とする.

（内部被ばくによる線量の測定）

第 2 条①　規則第 30 条の 18 第 2 項第 5 号に規定する内部被ばくによる線量の測定は，吸入摂取し，又は経口摂取した放射性同位元素について別表第三［略］の第 1 欄に掲げる放射性同位元素の種類ごとに適切な方法により吸入摂取し，又は経口摂取した放射性同位元素の摂取量を計算し，次項の規定により算出することにより行うものとする．ただし，厚生労働大臣が認めた方法により測定する場合は，この限りでない.

②　内部被ばくによる実効線量の算出は，別表第三の第 1 欄に掲げる放射性同位元素の種類ごとに次の式により行うものとする．この場合において，2 種類以上の放射性同位元素を吸入摂取し，又は経口摂取したときは，それぞれの種類につき算出した実効線量の和を内部被ばくによる実効線量とする.

$E_i = e \times I$

この式において，E_i，e 及び I は，それぞれ次の値を表すものとする.

E_i　内部被ばくによる実効線量（単位　ミリシーベルト）

e　別表第三の第 1 欄に掲げる放射性同位元素の種類に応じて，それぞれ，吸入摂取の場合にあっては同表の第 2 欄，経口摂取の場合にあっては同表の第 3 欄に掲げる実効線量係数（単位　ミリシーベルト毎ベクレル）

I　吸入摂取又は経口摂取した放射性同位元素の摂取量（単位　ベクレル）

（実効線量及び等価線量の算定）

第 3 条①　規則第 30 条の 18 第 2 項に規定する実効線量は，次に掲げる外部被ばくによる実効線量と内部被ばくによる実効線量との和とする.

一　外部被ばくによる実効線量　1 センチメートル線量当量（規則第 30 条の 18 第 2 項第 2 号の規定により測定を行った場合は，適切な方法により算出した値）

二　内部被ばくによる実効線量　第 2 条第 2 項の規定により算出した値

②　規則第 30 条の 18 第 2 項に規定する等価線量は，次のとおりとする.

一　皮膚の等価線量は，70 マイクロメートル線量当量（中性子線については，1 センチメートル線量当量）とすること.

二　眼の水晶体の等価線量は，1 センチメートル線量当量，3 ミリメートル線量当量又は 70 マイクロメートル線量当量のうち，いずれか適切なものとすること.

三　第 30 条の 27 第 2 項第 3 号に規定する妊娠中である女子の腹部表面の等価線量は，1 センチメートル線量当量とすること.

4.3 医療法施行規則第 30 条の 11 第 1 項第 6 号の規定に基づき，厚生労働大臣の定める陽電子断層撮影診療用放射性同位元素の種類及び数量並びに陽電子断層撮影診療用放射性同位元素の原子の数が 1 を下回ることが確実な期間

（平成 16 年 7 月 30 日）
（厚生労働省告示第 306 号）

医療法施行規則（昭和 23 年厚生省令第 50 号）第 30 条の 11 第 1 項第 6 号の規定に基づき，厚生労働大臣の定める陽電子断層撮影診療用放射性同位元素の種類及び数量並びに陽電子断層撮影診療用放射性同位元素の原子の数が 1 を下回ることが確実な期間を次のように定め，平成 16 年 8 月 1 日から適用する.

[略]

（陽電子断層撮影診療用放射性同位元素の種類及び数量）

第 1 条　医療法施行規則第 30 条の 11 第 1 項第 6 号に規定する陽電子断層撮影診療用放射性同位元素の種類及び数量は，次の表の上［本書では左］欄に掲げる種類に応じて，それぞれ同表の下［本書では右］欄に掲げる数量とする.

種　類	数　量
炭素 11	1 テラベクレル
窒素 13	1 テラベクレル
酸素 15	1 テラベクレル
ふっ素 18	5 テラベクレル

（陽電子断層撮影診療用放射性同位元素の原子の数が 1 を下回ることが確実な期間）

第 2 条　医療法施行規則第 30 条の 11 第 1 項第 6 号に規定する陽電子断層撮影診療用放射性同位元素の原子の数が 1 を下回ることが確実な期間は，封をした日から起算して 7 日間とする.

4.4 医療法施行規則第 1 条の 11 第 2 項第 3 号の 2 ハ(1)の規定に基づき厚生労働大臣の定める放射線診療に用いる医療機器

（平成 31 年 3 月 11 日）
（厚生労働省告示第 61 号）

医療法施行規則（昭和 23 年厚生省令第 50 号）第 1 条の 11 第 2 項第 3 号の 2 ハ(1)の規定に基づき，医療法施行規則第 1 条の 11 第 2 項第 3 号の 2 ハ(1)の規定に基づき厚生労働大臣の定める放射線診療に用いる医療機器を次のように定め，平成 32 年 4 月 1 日から適用する.

[略]

医療法施行規則第 1 条の 11 第 2 項第 3 号の 2 ハ(1)の規定に基づき厚生労働大臣の定める放射線診療に用いる医療機器は，次に掲げるものとする.

一　移動型デジタル式循環器用 X 線透視診断装置
二　移動型アナログ式循環器用 X 線透視診断装置
三　据置型デジタル式循環器用 X 線透視診断装置
四　据置型アナログ式循環器用 X 線透視診断装置

五　X線CT組合せ型循環器X線診断装置
六　全身用X線CT診断装置
七　X線CT組合せ型ポジトロンCT装置
八　X線CT組合せ型SPECT装置

5. 通知

5.1　放射性医薬品を投与された患者の退出について

（平成10年6月30日）
（医薬安第70号）
（各都道府県衛生主管部（局）長あて
厚生省医薬安全局安全対策課長通知）
［最終改正：令和3年8月19日］

放射性医薬品を投与された患者の取扱いについては，医療法施行規則第30条の15に基づき，対応してきたところであるが，近年，医学の進歩に伴い，我が国においても放射性医薬品を利用した適切な治療を可能とする環境を整える必要が生じたことから，標記について，「医療放射線安全管理に関する検討会」において検討を行い，「放射性医薬品を投与された患者の退出に関する指針」（別添）をとりまとめたところである．今後，放射性医薬品を用いた治療を行う際には，この指針を参考に，安全性に配慮して実施するよう関係者への周知徹底方お願いする．

［別添］
放射性医薬品を投与された患者の退出に関する指針

1. 指針の目的

わが国において，これまで，ヨウ素-131，ストロンチウム-89，イットリウム-90，ラジウム-223及びルテチウム-177を用いた放射性医薬品による癌等の治療が既に認められているところである．

放射性医薬品を利用した治療法の進歩により，癌患者の生存期間が著しく延長したことから，患者の延命のみならず，生活の質（QOL）も向上しているが，放射性医薬品を投与された患者が医療機関より退出・帰宅する場合，公衆及び自発的に患者を介護する家族等が患者からの放射線を受けることになり，その安全性に配慮する必要がある．

以下のとおり放射性医薬品を用いた治療における退出基準等をまとめたので活用されたい．

2. 適用範囲

この指針は，医療法に基づいて放射性医薬品を投与された患者が病院内の診療用放射性同位元素使用室又は放射線治療病室等から退出する場合に適用する．

3. 退出基準

本指針では，1に述べた公衆及び介護者について抑制すべき線量の基準を，公衆については，1年間につき1ミリシーベルト，介護者については，患者及び介護者の双方に便益があることを考慮して1件あたり5ミリシーベルトとし，退出基準を定めた（注）．

具体的には，以下の(1)から(3)のいずれかの基準に該当する場合に，退出・帰宅を認めることとする．

(1)　投与量に基づく退出基準

投与量又は体内残留放射能量が次の表に示す放射能量を超えない場合に退出・帰宅を認める．なお，この基準値は，投与量，物理的半減期，患者の体表面から1メートルの点における被ばく係数0.5，1センチメートル線量当量率定数に基づいて算定したものである．

放射性医薬品を投与された患者の退出・帰宅における放射能量

治療に用いた核種	投与量又は体内残留放射能量 (MBq)
ストロンチウム-89	200*1)
ヨウ素-131	500*2)
イットリウム-90	1184*1)

＊1）最大投与量
＊2）ヨウ素-131の放射能量は，患者身体からの外部被ばく線量に，患者の呼気とともに排出されるヨウ素-131の吸入による内部被ばくを加算した線量から導かれたもの．

(2)　測定線量率に基づく退出基準

患者の体表面から1メートルの点で測定された線量率が次の表の値を超えない場合に退出・帰宅を認める．なお，この基準値は，投与量，物理的半減期，患者の体表面から1メートルの点における被ばく係数 0.5, 1 センチメートル線量当量率定数に基づいて算定したものである.

放射性医薬品を投与された患者の退出・帰宅における線量率

治療に用いた核種	患者の体表面から 1 メートルの点における 1 センチメートル線量当量率（μSv/h）
ヨウ素-131	30*)

*）線量当量率は，患者身体からの外部被ばく線量に，患者の呼気とともに排出されるヨウ素-131 の吸入による内部被ばくを加算した線量から導かれたもの.

(3) 患者毎の積算線量計算に基づく退出基準

患者毎に計算した積算線量に基づいて，以下のような場合には，退出・帰宅を認める.

ア　各患者の状態に合わせて実効半減期やその他の因子を考慮し，患者毎に患者の体表面から 1 メートルの点における積算線量を算出し，その結果，介護者が被ばくする積算線量は 5 ミリシーベルト，公衆については 1 ミリシーベルトを超えない場合とする.

イ　この場合，積算線量の算出に関する記録を保存することとする.

なお，上記の退出基準は以下の事例であれば適合するものとして取扱う.

患者毎の積算線量評価に基づく退出基準に適合する放射能量の事例

治療に用いた核種	適用範囲	投与量（MBq）
ヨウ素-131	遠隔転移のない分化型甲状腺癌で甲状腺全摘術後の残存甲状腺破壊（アブレーション）治療*1)	1110*2)
ラジウム-223	骨転移のある去勢抵抗性前立腺癌治療*3)	12.1*4) (72.6*5))

* 1）実施条件：関連学会が作成した実施要綱（「残存甲状腺破壊を目的とした I-131（1,110 MBq）による外来治療」）に従って実施する場合に限る.
* 2）ヨウ素-131 の放射能量は，患者身体からの外部被ばく線量に，患者の呼気とともに排出されるヨウ素-131 の吸入による内部被ばくを加算した線量から導かれたもの.
* 3）実施条件：関連学会が作成した実施要綱（「塩化ラジウム（Ra-223）注射液を用いる内用療法の適正使用マニュアル」）に従って塩化ラジウム（^{223}Ra）注射液 1 投与当たり 55 kBq/kg を 4 週間間隔で最大 6 回まで投与することにより実施する場合に限る.
* 4）1 投与当たりの最大投与量.
* 5）1 治療当たりの最大投与量.

患者毎の積算線量評価に基づく退出基準に適合する線量率の事例

治療に用いた核種	適用範囲	患者の体表面から 1 メートルの点における 1 センチメートル線量当量率（μSv/h）
ルテチウム-177	ソマトスタチン受容体陽性の神経内分泌腫瘍治療*1)	18

* 1）実施条件：関連学会が作成した実施要綱（「ルテチウムオキソドトレオチド（Lu-177）注射液を用いる核医学治療の適正使用マニュアル」）に従って，ルテチウムオキソドトレオチド（^{177}Lu）注射液 1 投与当たり 7.4 GBq を 8 週毎に計 4 回まで投与することにより実施する場合に限る.

4. 退出の記録

退出を認めた場合は，下記の事項について記録し，退出後 2 年間保存すること.

(1) 投与量，退出した日時，退出時に測定した線量率

(2) 授乳中の乳幼児がいる母親に対しては，注意・指導した内容

(3) 前項(3)に基づいて退出を認めた場合には，その退出を認める積算線量の算出方法

また，積算線量などの算出において以下に掲げる方法を用いた場合は，それぞれ用いた根拠

ア　投与量でなく体内残留放射能量で判断する方法

イ　1 メートルにおける被ばく係数を 0.5 未満とする方法

ウ　生物学的半減期あるいは実効半減期を考慮する方法

エ　人体（臓器・組織）の遮へい効果を考慮した線量率定数を用いる方法

5. 注意事項

(1) 当該患者の退出・帰宅を認める場合は，第三者に対する不必要な被ばくをできる限り避けるため，書面及び口頭で日常生活などの注意・指導を行うこと.

(2) 患者に授乳中の乳幼児がいる場合は，十分な説明，注意及び指導を行うこと.

(3) 放射性核種の物理的特性に応じた防護並びに患者及び介護者への説明その他の安全管理に関して，放射線関係学会等団体の作成するガイドライン等を参考に行うこと.

（注）公衆に対する線量値については，国際放射線防護委員会（ICRP）の Publication60（1990 年勧告）による公衆に対する線量限度が 1 年につき 1 ミリシーベルト（5 年平均がこの値を超えなければ，1 年にこの値を超えることが許される）であること，介護者に対する線量値については，ICRP が Publication73（1996 年勧告）において「1 行為当たり数ミリシーベルトが合理的である」としていること，国際原子力機関（IAEA）が，Safety Series No.115「電離放射線に対する防護と放射線源の安全のための国際基本安全基準（BSS）」（1996 年）において，病人を介護する者の被ばく線量について，「1 行為あたり 5 mSv，病人を訪問する子供には，1 mSv 以下に抑制すべきである.」としていることなどを参考にして，それぞれ定めた. なお，1 年に複数回の被ばくが起こる可能性があれば，それを考慮しなければならない.

5.2 在宅医療におけるエックス線撮影装置の安全な使用について

（平成 10 年 6 月 30 日）
（医薬安第 69 号）
（各都道府県衛生主管部（局）長あて
厚生省医薬安全局安全対策課長通知）

標記について，高齢化社会の進行，在宅医療の普及等に伴い，患者の居宅におけるエックス線撮影の必要性が高まっていることから，今後，医療法施行規則第 30 条の 14（使用場所の制限）において定めるエックス線装置がエックス線診療室以外で使用できる場合のうち，「特別の理由により移動して使用する」場所に，患者の居宅を含めることとしたので通知するものである.

なお，エックス線撮影装置を患者の居宅において使用する際には，「在宅医療におけるエックス線撮影装置の安全な使用に関する指針」（別添）を参考に，安全性に配慮して実施されるよう関係者への周知徹底方よろしくお願いする.

[別添]

在宅医療におけるエックス線撮影装置の安全な使用に関する指針

一　指針の目的

高齢化社会の進行とともに，在宅で医療を受ける患者も増えてきている. 在宅の患者に対して良質な在宅医療を提供するためには，エックス線検査は欠かせないものである.

このため，在宅医療におけるエックス線撮影を放射線防護の観点から安全に実施する上で考慮すべき点に関して，専門家による検討を行い，在宅医療におけるエックス線撮影の在り方について，以下の通り，その基準をまとめたので活用されたい.

二　在宅医療におけるエックス線撮影の適用

㈠ 対象患者

適切な診療を行うためにエックス線撮影が必要であると医師（歯科医師を含む. 以下同様）が認めた場合（エックス線診療室における撮影の方が，撮影から得られる情報の質の面，また，安全性の面からも望ましいことに留意すること.）

㈡ 撮影の部位

適切な診療を行うために，必要であると医師が認めた部位

㈢ 撮影方法

エックス線撮影のみとし，透視は行わないこと．

三　在宅医療におけるエックス線撮影時の防護

㈠　エックス線撮影に関する説明

エックス線撮影を行う際には，患者，家族及び介助者に対し，個々のエックス線撮影状況に応じて，以下の内容について，分かりやすく説明を行う必要がある．

ア　臨床上の判断から居宅におけるエックス線撮影が必要であること．

イ　放射線防護と安全に十分に配慮がなされていること．

ウ　また，安全確保のため，医師又は診療放射線技師の指示に従うべきこと．

㈡　エックス線撮影時の防護

①　医療従事者の防護

ア　エックス線撮影装置を直接操作する医師又は診療放射線技師は，放射線診療従事者として登録し，個人被ばく線量計を着用すること．

イ　医療従事者が頻繁に患者の撮影時に身体を支える場合には，放射線診療従事者として登録し，個人被ばく線量計を着用すること．

ウ　操作者は0.25ミリメートル鉛当量以上の防護衣を着用する等，防護に配慮すること．

エ　操作者は，介助する医療従事者がエックス線撮影時に，患者の身体を支える場合には，0.25ミリメートル鉛当量以上の防護衣・防護手袋を着用させること．

オ　エックス線撮影に必要な医療従事者以外は，エックス線管容器及び患者から2メートル以上離れて，エックス線撮影が終了するまで待機すること．また，2メートル以上離れることが出来ない場合には，防護衣（0.25ミリメートル鉛当量以上）等で，防護措置を講ずること．

②　家族・介助者及び公衆の防護

ア　患者の家族，介助者及び訪問者は，エックス線管容器及び患者から2メートル以上離れて，エックス線撮影が終了するまで待機させること．特に，子供及び妊婦は2メートル以上の距離のある場所に移動すること．

また，2メートル以上離れることが出来ない場合には，防護衣（0.25ミリメートル鉛当量以上）等で，防護措置を講ずること．

イ　患者の家族及び介助者がエックス線撮影時に患者の身体を支える場合には，0.25ミリメートル鉛当量以上の防護衣・防護手袋を着用させること．

③　歯科口内法エックス線撮影における防護

歯科用エックス線装置を用いる歯科口内法エックス線撮影における防護は，基本的に一般エックス線撮影時の防護と同様に行えばよい．なお，歯科口内法エックス線撮影については，医科領域における一般エックス線撮影と比較して，照射方向が多様となるなどの特殊性がある．また，在宅医療における歯科口内法エックス線撮影は，患者によってはフィルムの保持が困難な場合も想定される．このような歯科口内法エックス線撮影の特殊性に鑑みて，前記①，②の防護策に加えて，以下の点に留意する必要がある．

ア　照射方向の設定に十分に留意し，確認すること．

イ　照射筒を皮膚面から離さないようにし，照射の直径は8センチメートルを超えないこと．

ウ　原則として，フィルム保持と照射方向を支持する補助具（インジケータ）を使用すること．

㈢　エックス線撮影装置の保持・管理

エックス線撮影装置の保持・管理や器材の選択は，被ばくの低減のみならず，良質のエックス線写真を得るためにも重要であるので，定期的にエックス線撮影装置の安全や性能が維持できているかの点検を行うことが望ましい．また，診療に適したスクリーン，フィルム，イメージングプレート等を選択し，適正な撮影及び現像処置が行われるよう注意すること．

5.3　医療法施行規則の一部を改正する省令の施行について

（平成14年3月27日）
（医薬発第0327001号）
（各都道府県知事・各保健所設置市市長・各特別区区長あて
厚生労働省医薬局長通知）

今般，エックス線装置の防護基準に関し，医療法施行規則の一部を改正する省令が平成14年3月27日厚生労働省令第44号として公布・施行（一部同年10月1日に施行）されることとなったが，この省令の改正の要点及び施行に当たり留意すべき事項は別添のとおりであるので，御了知されるとともに，管下医療機関に周知方お願いする．

今回の医療法施行規則の改正に当たっては，放射線障害防止の技術的基準に関する法律（昭和33年法律第162号）第6条の規定に基づき放射線審議会に諮問し，妥当である旨の答申を得ているので申し添える．

［別添］

第一　改正の趣旨

国際電気標準会議（IEC）のCTエックス線装置及び乳房撮影用エックス線装置に係る最新の個別規格並びにその他関連基準との整合を図るため，エックス線装置に係る防護基準の改正を行うとともに，診療用放射線照射装置について，診療上の必要性を踏まえた規定の整備を行ったこと．

第二　個別事項

㈠　エックス線装置の防護に関する事項（第30条）

⑴　別紙1［略］に掲げるところにより，IEC基準の導入を行ったこと．また，乳房撮影用エックス線装置に係る第3項第2号の改正については，所要の周知期間を置くこととしたこと．

⑵　第2項第3号において「透視時のエックス線管焦点皮膚間距離が」とされていたものについて，透視に引き続く撮影の診療上の必要性に鑑み，「透視時の」を削除することにより，透視に引き続く撮影に係るエックス線管焦点皮膚間距離については，同号の規定が適用されることを明らかにしたこと．

なお，透視用エックス線装置を用いて専ら撮影を行う場合は，上記にかかわらず，第3項第2号（撮影用エックス線装置のエックス線管焦点皮膚間距離に係る規定）によること．

⑶　第2項第7号において，従来「適当な装置を備えること」としていたが，国際放射線防護委員会（ICRP）Pub. 33勧告においては，透視台等にしゃへい物を備えなければならないこととした上で，必要に応じて防護衣を着用する等の適切な手段により，放射線診療従事者等の被ばく線量の低減に努めることとされているため，表現を「適切な手段を講じること」に改め当該勧告との整合を図ったこと．

なお，しゃへい物を用いることが診療上著しい障害となるなどやむを得ない場合においては，しゃへい物以外による防護措置によって差し支えないこと．この場合においては，防護衣その他の適切な手段によって放射線診療従事者等の被ばく線量の低減を充分に行うこと．

⑷　第3項第2号に規定する撮影用エックス線装置に係るエックス線管焦点皮膚間距離に係る規制について，

・骨塩定量分析エックス線装置は，他の撮影用エックス線装置に比較して患者の放射線による被ばく線量が非常に少ないため，当該規定を適用する合理的根拠に乏しいこと．

・欧米諸国においては，当該規定の適用は運用上，除外されていること．

を踏まえ，骨塩定量分析エックス線装置については，当該規定の適用を除外すること．

㈡　使用場所等の制限（第30条の14）

診療用放射線照射装置を体内に挿入して治療に用いる必要性に鑑み，貯蔵・運搬に係る取扱いを診療用放射線照射器具又は診療用放射性同位元素と同様としたこと．

㈢　取扱者の遵守事項（第30条の20）

診療用放射線照射装置を体内に挿入して治療に用いる必要性に鑑み，当該装置により治療を受けている患者に対する標示に係る規定を診療用放射線照射器具又は診療用放射性同位元素と同様としたこと．

㈣　経過措置等に関する事項［略］

㈤　通知の改正［廃止通知に対するもののため略］

5.4　診療用粒子線照射装置に係る診療用放射線の防護について

（平成 20 年 3 月 28 日）
（医政発第 0328003 号）
（各都道府県知事あて厚生労働省医政局長通知）

本年 3 月 26 日に医療法施行規則の一部を改正する省令（平成 20 年厚生労働省令第 50 号）が制定され，その改正の一部として，診療用粒子線照射装置に係る診療用放射線の防護に関し新たに規定を設けたところである．

当該改正の趣旨は下記のとおりであるので御了知いただくとともに，関連する「医療法施行規則の一部を改正する省令の施行について」（平成 13 年 3 月 12 日医薬発第 188 号厚生労働省医薬局長通知），「医療法施行規則の一部を改正する省令の施行等について」（平成 16 年 8 月 1 日医政発第 0801001 号厚生労働省医政局長通知），「医療機器に係る安全管理のための体制確保に係る運用上の留意点について」（平成 19 年 3 月 30 日医政指発第 0330001 号・医政研発第 0330018 号厚生労働省医政局指導課長・研究開発振興課長連名通知）を別添のとおり改正するので，その運用に遺憾のないよう特段の御配慮をいただき，本通知について，貴管下保健所設置市，特別区，関係団体等に対し周知願いたい．

なお，今回の医療法施行規則（昭和 23 年厚生省令第 50 号）の改正に当たっては，放射線障害防止の技術的基準に関する法律（昭和 33 年法律第 162 号）第 6 条の規定に基づき放射線審議会に諮問し，妥当である旨の答申を得ているので申し添える．

記

日本国内における粒子線治療は，1970 年代より治療が開始され，現在、先進医療として承認され，全国 6 施設において治療がなされており，症例数が集まり，治療成績や安全性の観点からの知見が集まりつつあるところである．

この新たな医療技術への対応を図るため，平成 18 年度厚生労働科学研究費補助金（医療安全・医療技術評価研究事業）「重粒子線治療等新技術の医療応用に係る放射線防護のあり方に関する研究」（主任研究者：辻井博彦・独立行政法人放射線医学総合研究所センター長）において，診療放射線防護の観点から専門的な検討を行い中間報告が取りまとめられたところである．

今般，本中間報告の趣旨を踏まえ，医療法施行規則を改正し，新たに「診療用粒子線照射装置」について，これを医療機関に備える場合の医療法（昭和 23 年法律第 205 号）第 15 条第 3 項に基づく都道府県知事に対する届出事項，診療用粒子線照射装置の防護に係る基準，診療用粒子線照射装置使用室の構造設備に係る基準，放射線障害の防止に必要な注意事項の掲示，使用の場所等の制限，従事者等の被ばく防止，装置の測定，放射線障害が発生するおそれのある場所の測定及び記帳等に係る規定を定めたものであること．

[別添：略]

5.5　医療法第 27 条の規定に基づく CT 搭載車等移動式医療装置の使用前検査及び使用許可の取扱いについて

（平成 20 年 7 月 10 日）
（医政発第 0710005 号）
（各都道府県知事あて厚生労働省医政局長通知）

標記については，医療法（昭和 23 年法律第 205 号）本来の趣旨を損なわせることのないよう現行の構造設備基準に係る取扱いを維持しつつ，「規制改革推進のための 3 か年計画」（平成 19 年 6 月 22 日閣議決定）において同法上の許可のあり方について検討することが求められていることを踏まえ，規制緩和の観点から，事務手続の簡素化・弾力化のため，下記のとおり取り扱うことが適当と考えられるので，御留意の上，適切な運用を図っていただきたい．

なお，貴管下保健所設置市，特別区等に対しては，本通知の趣旨等について貴職より周知していただきたい．

記

医療法第 27 条の規定に基づく検査及び許可（以下「使用前検査及び許可」という．）の対象及び申請者による自主検査等については，「医療法第 27 条の規定に基づく病院等の使用前検査及び使用許可の取扱いについて」（厚生省健康政策局長通知（平成 12 年 6 月 8 日健政発第 707 号）．以下「通知」という．）において，その取扱いを示したところである．

通知においては，「使用前検査及び許可については，軽微な変更等の場合に限り，申請者による自主検査によることを認めること」としており，「病室，手術室又は診療用放射線に関する構造設備以外の構造設備の内容を変更する場合」については，「軽微な変更等の場合」として，申請者による自主検査によることを認めているところである．

今般，医療機関が医療法及び医療法施行規則（昭和 23 年厚生省令第 50 号）に基づき，CT 搭載車移動式医療装置（これに準ずる医療装置を含む．以下同じ．）を当該医療機関に附属する形で一体の構造設備として都道府県知事による使用前検査及び許可を受けた場合であって，当該使用前検査及び許可を受けるに当たり，当該都道府県知事に対して当該医療装置を一定期間にわたり定期的かつ継続的に使用することを報告しているときは，当該使用前検査及び許可を受けた後に当該医療装置を移動させたとしても，診療用放射線に関する構造設備の内容を変更する場合には該当しないことを確認する．

ただし，当該医療装置について，都道府県知事による使用前検査及び許可を受けた日から 2 年以上使用している場合は，診療用放射線に関する構造設備の内容を変更する場合に該当する．

また，当該医療装置を使用する場合にあっては，上記通知において示す申請者による自主検査とする場合の取扱いとする．ただし，当該医療装置が移動式であるという性質を踏まえ，当該医療装置を使用する際に提出すべき自主検査結果に関する必要書類については，これを適正に作成，管理及び保存することとする．

なお，CT 搭載車移動式医療装置に準ずる装置として PET（※）搭載車に関する本通知の取扱いについては，以下のとおり，装置の移動により生じうる患者，放射線業務従事者及び周辺環境の放射線防護と安全対策を十分に考慮した使用計画を当該使用前検査及び許可を受けるに当たり提出することを求めることとする．

・当該病院内からの患者の安全な移動経路の確保
・被検者の薬剤投与から撮影までの適切な待機場の確保
・被検者の尿等，排泄物処理に関すること
・吐瀉物等による汚染が生じたときの防護・除洗対策

（※）PET（Positron emission tomography）：陽電子放射断層撮影装置とは，陽電子を放出する放射性同位元素を被験者に投与し，体外から計測して検査する装置をいう．

5.6　災害時の救護所等におけるエックス線撮影装置の安全な使用について

（平成 21 年 1 月 7 日）
（医政指発第 0107003 号）
（各都道府県衛生主管部（局）長あて
厚生労働省医政局指導課長通知）

災害時の救護所等におけるエックス線撮影については，トリアージの適切な実施，搬送先医療機関及び搬送手段の適切な選定等に資すると考えられており，災害時の救護所等におけるエックス線撮影装置の安全な使用に関する指針の作成が求められていたところである．

平成 19 年度厚生労働科学研究費補助金（健康危機管理・テロリズム対策システム研究事業）による「健康危機管理・大規模災害に対する初動期医療体制のあり方に関する研究」（主任研究者：辺見弘独立行政法人国立病院機構災害医療センター院長）における検討を基に，別添のとおり「災害時の救護所等におけるエックス線撮影装置の安全な使用に関する指針」を取りまとめたので，災害時の救護所等におけるエックス線撮影を行う際の参考とするよう，管下の保健所設置市，特別区，医療機関，関係団体等に対する周知方よろしくお願いする．

[別添]
災害時の救護所等におけるエックス線撮影装置の安全な使用に関する指針

1　指針の目的

本指針は，災害時の救護所等におけるエックス線撮影装置の安全な使用を確保し，医療機関及び搬送手段の適切な選定等に資することを目的とする．

2　災害時の救護所等におけるエックス線撮影の適用

(1)　対象となる救護所等

災害時の救護所，避難所，傷病者を集めてトリアージを行うトリアージポスト，広域搬送拠点，臨時医療施設（SCU；Staging Care Unit），災害によりエックス線診療室が使用できなくなった医療機関の屋外等であって，放射線防護に関する専門的知識を有する医師，歯科医師又は診療放射線技師がエックス線撮影装置の管理を行う場所.

(2)　対象患者

適切な災害医療を行うためにエックス線撮影が必要であると医師又は歯科医師が認めた者.

(3)　撮影部位

適切な災害医療を行うために，エックス線撮影が必要であると医師又は歯科医師が認めた部位

(4)　撮影方法

エックス線撮影のみを行うこととし，透視は行わないこと．また，エックス線撮影時の照射野は必要最小限に絞ること.

(5)　撮影体位

原則として臥位撮影を行うこと．立位又は座位でのエックス線撮影を行う際には次に掲げる要件を満たすなど，適切な放射線防護措置を講ずること.

ア）照射方向に0.25ミリメートル鉛当量以上の防護衝立，防護スクリーン等のしゃへい物又は防護衣により公衆に対する放射線防護措置を講ずること.

イ）照射方向に，人が通行し，又は停在することのない場所とすること.

3　災害時の救護所等におけるエックス線撮影時の放射線防護措置

(1)　エックス線撮影に関する説明

エックス線撮影を行う際には，患者，家族及び介助者に対し，個々のエックス線撮影の状況に応じて，次に掲げる内容について，分かりやすく説明を行うこと.

ア　臨床上の判断から救護所等におけるエックス線撮影が必要であること.

イ　放射線防護と安全に十分に配慮がなされていること.

ウ　安全確保のため，医師，歯科医師又は診療放射線技師の指示に従うべきこと.

(2)　エックス線撮影時の放射線防護措置

①　医療従事者の防護

ア　エックス線撮影装置を直接操作する医師，歯科医師又は診療放射線技師は，放射線診療従事者として記録し，個人被ばく線量計を着用すること.

イ　医療従事者が頻繁に患者の撮影時に身体を支える場合には，当該医療従事者は，放射線診療従事者として記録し，個人被ばく線量計を着用すること.

ウ　操作者は0.25ミリメートル鉛当量以上の防護衣を着用するなど，防護に配慮すること.

エ　操作者は，介助する医療従事者がエックス線撮影時に，患者の身体を支える場合には，0.25ミリメートル鉛当量以上の防護衣及び防護手袋を着用させること.

オ　エックス線撮影に必要な医療従事者以外の者は，エックス線管容器及び患者から2メートル以上離れた場所で，エックス線撮影が終了するまで待機すること．また，2メートル以上離れることができない場合には0.25ミリメートル鉛当量以上の防護衣等により，放射線防護措置を講じること.

②　公衆の防護

ア　撮影患者以外の患者に対しては，エックス線管容器及び撮影患者から3メートル以上離れた場所で診療を行うこと．特に，子供及び妊婦に対しては，さらに十分な配慮が必要であること.

　また，3メートル以上離れることができない場合には，0.25ミリメートル鉛当量以上の防護衣等により，放射線防護措置を講ずること.

イ　撮影を要する多数の患者がいる場合は，前の撮影患者の撮影が終了するまで3メートル以上離れ待機させること.

ウ　エックス線管容器及び撮影患者から3メートル以内の場所に人がみだりに立ち入らないように，一時的な管理区域の標識を付す等の措置を講じること.

(3)　エックス線撮影装置の保守管理等

エックス線撮影装置の保守管理や器材の選択は，被ばくの低減のみならず，良質なエックス線写真を得るためにも重要であるので，エックス線撮影装置の安全や性能が維持できているか定期的に点検を行うとともに，診療に適したイメージングプレート，フラットパネル等を選択し，適正な撮影，画像表示，及び出力が行われるよう注意すること.

5.7　放射性医薬品を投与された患者の退出について

（平成22年11月8日）
（医政指発1108第2号）
（各都道府県・各保健所設置市・各特別区衛生主管部（局）長あて
厚生労働省医政局指導課長通知）

標記についてはこれまで，医療法施行規則（昭和23年厚生省令第50号）第30条の15に基づき，「放射性医薬品を投与された患者の退出について」（平成10年6月30日医薬安発第70号厚生省医薬安全局安全対策課長通知．以下「通知」という.），「医療法施行規則の一部を改正する省令の施行について」（平成13年3月12日医薬発第188号厚生労働省医薬局長通知），及び「放射性医薬品を投与された患者の退出について」（平成20年3月19日医政指発第0319001号厚生労働省医政局指導課長通知.）をお示しし，適切な対応をお願いしてきたところである.

今般，平成21年度厚生労働科学研究費補助金（地域医療基盤開発推進研究事業）において，「医療放射線の安全確保に関する研究」（主任研究者：細野眞近畿大学医学部放射線医学教室教授）を実施し，遠隔転移のない分化型甲状腺癌患者に対する甲状腺全摘後の残存甲状腺破壊療法について，通知の別添「放射性医薬品を投与された患者の退出に関する指針」3の(3)で定める退出基準に適合する事例が明らかとなった.

このため，通知の別添「放射性医薬品を投与された患者の退出に関する指針」の一部を別紙のとおり改正することとした．貴職におかれては，改正の内容について御承知の上，安全性に配慮して医療機関における治療が実施されるよう，関係者への周知徹底方お願いする.

なお，「放射性医薬品を投与された患者の退出について」（平成20年3月19日医政指発第0319001号厚生労働省医政局指導課長通知）については，本通知で含むこととしたため，廃止する.

[別添：法令5.1に反映のため略]

5.8　放射性医薬品を投与された患者の退出について

（平成28年5月11日）
（医政地発0511第1号）
（各都道府県知事・各保健所設置市長・各特別区長あて
厚生労働省医政局地域医療計画課長通知）

標記については，これまで医療法施行規則（昭和23年厚生省令第50号）第30条の15に基づき，「放射性医薬品を投与された患者の退出について」（平成10年6月30日付医薬安発第70号厚生省医薬安全局安全対策課長通知．以下「通知」という.）により，適切な対応をお願いしてきたところである.

今般，骨転移のある去勢抵抗性前立腺癌に対する放射性医薬品として，塩化ラジウム（Ra-223）が薬事承認を受けたことに伴い，塩化ラジウムを投与された患者が，放射線治療病室等から退出するに当たっての基準が新たに必要となった.

このため，通知の別添「放射性医薬品を投与された患者の退出に関する指針」の一部を別紙のとおり改正する．貴職におかれては，改正の内容について御了知されるとともに，安全性に配慮して医療機関における治療が実施されるよう，関係団体及び管下医療機関に周知をお願いする.

＜別紙＞

「放射性医薬品を投与された患者の退出について」（平成10年6月30日付医薬安発第70号厚生省医薬安全局安全対策課長通知）別添「放射性医薬品を投与された患者の退出に関する指針」新旧対照表

[法令5.1に反映のため略]

5.9 診療用放射線照射器具を永久的に挿入された患者の退出及び挿入後の線源の取扱いについて

（平成30年7月10日）
（医政地発0710第1号）
（各都道府県・各保健所設置市・各特別区衛生主管部（局）長あて
厚生労働省医政局地域医療計画課長通知）

診療用放射線照射器具を永久的に挿入された患者及び線源の取扱いについては，医療法施行規則（昭和23年厚生省令第50号）第30条の15の規定に基づき，「診療用放射線照射器具を永久的に挿入された患者の退出について」（平成15年3月13日付け医薬安発第0313001号厚生労働省医薬局安全対策課長通知）及び「患者に永久的に挿入された診療用放射線照射器具（ヨウ素125シード，金198グレイン）の取扱いについて」（平成15年7月15日付け医政指発第0715002号厚生労働省医政局指導課長通知）により，適切な管理をお願いしてきたところである．

今般，診療用放射線照射器具を永久的に挿入された患者の退出基準について，平成28年度厚生労働科学研究費補助金（地域医療基盤開発推進研究事業）による「新たな治療手法に対応する医療放射線防護に関する研究」（主任研究者：細野眞近畿大学医学部放射線医学教室教授）における近年の放射線防護に関する国際的な知見に基づく退出基準の変更に係る提案を踏まえ，「医療放射線の適正管理に関する検討会」において，近年のICRPの勧告の取り入れ等が議論され，「診療用放射線照射器具を永久的に挿入された患者の退出及び挿入後の線源の取扱いに関する指針」（別添）がとりまとめられた．今後，診療用放射線照射器具を用いた治療については，同指針を参考に，安全性に配慮して実施するよう，関係者への周知徹底方お願いする．

なお，本通知をもって，「診療用放射線照射器具を永久的に挿入された患者の退出について」（平成15年3月13日付け医薬安発第0313001号厚生労働省医薬局安全対策課長通知）及び「患者に永久的に挿入された診療用放射線照射器具（ヨウ素125シード，金198グレイン）の取扱いについて」（平成15年7月15日付け医政指発第0715002号厚生労働省医政局指導課長通知）は廃止する．

［別添］
診療用放射線照射器具を永久的に挿入された患者の退出及び挿入後の線源の取扱いに関する指針

1　指針の目的

我が国においては，体内に永久的に挿入して治療を行う診療用放射線照射器具として，金198グレイン（舌がん等の頭頸部がんの治療に用いる）及びヨウ素125シード（前立腺がんの治療に用いる）が使用されている．これらの治療については，一般公衆の被ばく線量限度である1年間につき1ミリシーベルト，介護者及び患者を訪問する子供について抑制すべき線量である1行為当たりそれぞれ5ミリシーベルト及び1ミリシーベルトを確保するため，「診療用放射線照射器具を永久的に挿入された患者の退出について」（平成15年3月13日付け医薬安発第0313001号厚生労働省医薬局安全対策課長通知）別添「診療用放射線照射器具を永久的に挿入された患者の退出に関する指針」により，当該患者に対する退出基準を定め，その遵守を求めてきた．

今般，診療用放射線照射器具を永久的に挿入された患者の退出基準について，平成28年度厚生労働科学研究費補助金（地域医療基盤開発推進研究事業）による「新たな治療手法に対応する医療放射線防護に関する研究」（主任研究者：細野眞近畿大学医学部放射線医学教室教授）において，近年の放射線防護に関する国際的な知見に基づき，変更が提案された．

本指針は，患者に挿入した後の診療用放射線照射器具に起因する医療被ばく及び公衆被ばくについて，国際放射線防護委員会（以下「ICRP」という．）のPublication 103（以下「2007年勧告」という．）における，一般公衆及び患者を訪問する子供の線量限度（1年間につき実効線量で1ミリシーベルト）並びに介助者及び介護者の線量拘束値（1行為あたり実効線量で5ミリシーベルト）を確保するため，診療用放射線照射器具を永久的に挿入された患者の退出基準等をまとめたものである．

2　適用範囲

本指針は，医療法（昭和23年法律第205号）に基づいて診療用放射線照射器具を永久的に挿入された患者が，病院内の診療用放射線照射器具使用室，放射線治療病室等から退出する場合に適用する．

放射性同位元素等による放射線障害の防止に関する法律施行令第1条第5号の医療機器を指定する告示（平成17年文部科学省告示第76号）に基づき，放射性同位元素等による放射線障害の防止に関する法律（昭和32年法律第167号）の適用除外となっている，人体内から再び取り出す意図をもたずに挿入されたものであって，ヨウ素125又は金198を装備している診療用放射線照射器具を取扱う場合に適用する．

3　退出基準

ICRPの2007年勧告では，「計画被ばく状況における公衆被ばくに対しては，限度は実効線量で年1 mSvとして表されるべきであると委員会は引き続き勧告する」（245項）とされた．また，介助者及び介護者については，「若年の子供と乳幼児以外の，直接的に介助と介護に係わる個人に対しては，1事例当たり（すなわち，治療後の1回の解放が継続する間）に5 mSvの線量拘束値が妥当である」（351項）とし，1行為あたり5ミリシーベルトの線量拘束値が明示された．さらに，患者を訪問する子供については，「直接的な介護あるいは介助をしない若年の子供と乳幼児並びに訪問者は，放射線防護の目的上，公衆の構成員として扱われるべきである（すなわち，1 mSv/年という公衆の線量限度に従う）」（351項）としており，1年間につき1ミリシーベルトの線量限度が設定された．

以上に基づき，本指針においては，一般公衆及び患者を訪問する子供の線量限度として1年間につき実効線量で1ミリシーベルト，介助者及び介護者の線量拘束値として1行為あたり実効線量で5ミリシーベルトとし，これらを確保できる患者の退出基準として，適用量又は体内残存放射能及び1センチメートル線量当量率の基準を定めた．

退出に当たっては，3-1放射能及び線量率による基準，3-2診療用放射線照射器具を挿入された後の線源の取扱い，3-3患者及び患者家族等への注意事項及び指導事項，3-4その他の留意事項についての4項目よりなる退出基準を遵守することとする．

3-1　放射能及び1センチメートル線量当量率による基準

患者が病院内の診療用放射線照射器具使用室又は放射線治療病室等から退出する場合には，以下の(1)，(2)いずれかの基準を満たさなければならないこと．

(1)　適用量又は減衰を考慮した残存放射能に基づく基準

適用量又は減衰を考慮した残存放射能が表1中欄に示す値を超えないこと．

(2)　測定線量率に基づく基準

患者の体表面から1メートル離れた地点で測定された1センチメートル線量当量率が表1右欄に示す値を超えないこと．

表1　診療用放射線照射器具を永久的に挿入された患者の退出における放射能と1センチメートル線量当量率

診療用放射線照射器具	適用量又は体内残存放射能（MBq）	患者の体表面から1メートル離れた地点における1センチメートル線量当量率（μSv/h）
ヨウ素125シード（前立腺に適用した場合）*1)	2,000	2.8
金198グレイン	700	48.0

＊1）前立腺以外の部位にヨウ素125シードを適用する場合，当該部位における組織等の吸収を考慮して放射能と線量率を計算で求め，一般公衆及び患者を訪問する子供の線量限度（実効線量1ミリシーベルト/年）並びに介助者及び介護者の線量拘束値（実効線量5ミリシーベルト/1行為）を遵守することとする．

(1)，(2)の基準値は適用量，物理的半減期，患者の体表面から1メートル離れた地点における占有係数（注1）及び実効線量率係数（注2）（ヨウ素125シードを前立腺に用いる場合は，臓器等の吸収を考慮した見掛けの実効線量率定数）に基づいて計算したものである．

3-2　診療用放射線照射器具を挿入された後の線源の取扱い

診療用放射線照射器具の脱落に備えるため，挿入後は診療用放射線照射器具ごとに以下の対策を講じること．

(1)　ヨウ素125シード

前立腺に挿入されたヨウ素125シードが膀胱や尿道に脱落する症

例は 1 パーセント程度とされている．膀胱や尿道への脱落が術中に確認された場合は，膀胱鏡による検査を施行して脱落したシードを回収すること．検査後に膀胱や尿道に脱落したシードは翌日までに尿中（体外）に排出されるため，少なくとも表 2 に示す期間入院させ，この間に尿中に排出された線源の有無を確認したのち退院させること．

(2) 金 198 グレイン

治療部位によっては，挿入された線源が脱落することがあるが，使用施設へのアンケート調査（注 3）によると，全ての線源脱落は挿入後 3 日以内であったため，少なくとも表 2 に示す期間入院させ，脱落に十分備えること．

表 2　線源脱落の確認のための入院期間

診療用放射線照射器具	挿入後の最低入院期間
ヨウ素 125 シード（前立腺に適用した場合）	1 日間
金 198 グレイン	3 日間

(1)，(2)の患者の入院は，診療放射線従事者等の被ばく防止の観点から，医療法施行規則（昭和 23 年厚生省令第 50 号．以下「規則」という．）第 30 条の 14 の 3 第 1 項第 5 号における管理区域内で行うこと．また，当該患者が 3-1 における診療用放射線照射器具使用室又は放射線治療病室等からの退出基準を満たし，一般病室に入院させる場合においては，「医療法施行規則の一部を改正する省令の施行について」（平成 13 年 3 月 12 日付け医薬発 188 号厚生労働省医薬局長通知）に基づき一般病室を一時的な管理区域とすること．

患者を退出させる際には，必要に応じて迅速に連絡がとれるよう，当該患者の連絡先を記録し，退出後少なくとも 1 年は保存すること．患者を退出させた後一定期間内（注 4）に，挿入された線源が脱落し，又は当該患者が死亡した場合は，脱落線源を提出させ，又は線源摘出のための剖検の手配を行う等，早急に線源を回収するための手続きを行うこと．回収された線源は，規則第 30 条の 23 第 2 項に基づき，診療用放射線照射器具の入手及び廃棄として記帳した上で，規則第 30 条の 11 に定める医療用放射性汚染物として廃棄施設において廃棄するか，規則第 30 条の 14 の 2 第 1 項の規定に基づき廃棄の委託をすること．なお，廃棄又は廃棄の委託に当たっては，当該線源は，その他の診療用放射性同位元素，陽電子断層撮影診療用放射性同位元素又は放射性同位元素によって汚染された物と分別して管理すること．

3-3　患者及び患者家族等への注意事項及び指導事項

米国原子力規制委員会の指針（NUREG-1556 Vol. 9）を参考として，退出する患者，患者家族等に対して注意及び指導する事項を以下に定めた．患者の退出を許可するに当たっては，以下(1)〜(3)に示す注意及び指導を患者及び患者家族等に対して口頭及び書面で行うこと．

(1) 3-1　放射能及び線量率による基準は，一般公衆と患者の接触による被ばくが，1 メートル離れた地点で第三者が無限時間患者から受ける放射線被ばくの 25% であると仮定し，公衆被ばくの最適化の観点から，一般公衆の実効線量限度 1 ミリシーベルト/年を基に定めたものである．したがって，退院後の第三者に対する被ばくがこの仮定を超えるおそれのないよう，必要に応じて以下に示す注意及び指導をするべきである．

ヨウ素 125 シード：

次の(ア)〜(エ)のいずれかに該当する場合には，一定期間，防護具等でしゃへいを行うなど，適切な防護措置を講じること．

(ア) 患者を訪問する子供又は妊婦と接触する場合
(イ) 公共の交通機関を利用する場合
(ウ) 職場で勤務する場合
(エ) 同室で就寝する者がいる場合

金 198 グレイン：

次の(ア)〜(エ)のいずれかに該当する場合には，一定期間，適切な防護措置を講じること．

(ア) 患者を訪問する子供又は妊婦と接触する場合
(イ) 公共の交通機関を利用する場合
(ウ) 職場で勤務する場合
(エ) 同室で就寝する者がいる場合

(2) 退出後一定期間内に脱落線源を発見した場合は，直接手で触れず，スプーン等で拾い上げ，ビンなどに密閉して速やかに担当医に届け出ること．

(3) 患者を退出させた後，一定期間内に当該患者が死亡した場合は，当該患者の家族等から速やかに担当医に届け出ること．

3-4　その他の留意事項について

上記の他，放射性同位元素の物理的特性に応じた防護及び患者，患者家族等への説明その他の安全管理に関して，関連学会が作成した実施要綱を参考に行うこと．

4　記録に関する事項

患者を退出させる場合は，退出の根拠となった適用量又は体内残存放射能若しくは退出時に測定した線量率，退出した日時，患者への具体的な注意，指導事項等について記録し，これを 1 年ごとに閉鎖し，閉鎖後 2 年間保存すること．

（注 1）着目核種の点線源（この場合は患者）から 1 メートル離れた地点に無限時間（核種がすべて崩壊するまでの時間）滞在したときの積算線量と実際に第三者が患者から受けると推定される線量との比．米国連邦規則の放射性医薬品及び永久挿入（放射性医療機器を永久的に挿入する治療）により治療された患者の退出に関する規則（10 CFR 35.75）及び米国原子力規制委員会の規制指針（NRC Regulatory Guide 8.39）における Occupancy factor を指す．

（注 2）核種に固有の定数で，単位放射能（MBq）の線源から単位距離（1 メートル）離れた点における実効線量率（μSv/h）を表すための換算係数．単位は $\mu\mathrm{Sv} \cdot \mathrm{m}^2 \cdot \mathrm{MBq}^{-1} \cdot \mathrm{h}^{-1}$．

（注 3）日本放射線腫瘍学会小線源部会が平成 13 年 9 月に行った実績調査によると，過去 5 年間に金 198 グレインによる治療を実施した 21 施設中，脱落の経験なしが 6 施設，24 時間以内の脱落が 11 施設，48 時間以内の脱落が 2 施設，72 時間以内の脱落が 2 施設であった．

（注 4）「一定期間」に関し，日本放射線腫瘍学会，日本泌尿器科学会及び日本医学放射線学会が共同で作成した「シード線源による前立腺永久挿入密封線源治療の安全管理に関するガイドライン」においては，治療（挿入）から 1 年とされているものであるが，退出後，1 年を下回ることがないようにすること．なお，当該ガイドラインは，逐次，見直されるものとされているので留意されたい．

5.10　医療法施行規則の一部を改正する省令の施行等について

（平成 31 年 3 月 12 日）
（医政発 0312 第 7 号）
（各都道府県知事・各保健所設置市長・各特別区長あて
厚生労働省医政局長通知）

今般，診療用放射線に係る安全管理体制並びに診療用放射性同位元素及び陽電子断層撮影診療用放射性同位元素の取扱いについて，医療法施行規則の一部を改正する省令（平成 31 年厚生労働省令第 21 号．以下「改正省令」という．）が 2019 年 3 月 11 日に公布され，このうち，診療用放射性同位元素及び陽電子断層撮影診療用放射性同位元素の取扱いに関する規定については 2019 年 4 月 1 日に，診療用放射線に係る安全管理体制に関する規定については 2020 年 4 月 1 日にそれぞれ施行されることとなった．また，改正省令の公布に合わせて，医療法施行規則第一条の十一第二項第三号の二ハ(1)の規定に基づき厚生労働大臣の定める放射線診療に用いる医療機器（平成 31 年厚生労働省告示第 61 号．以下「告示」という．）が告示され，2020 年 4 月 1 日から適用されることとなった．改正省令及び告示における改正の要点及び施行に当たり留意すべき事項は下記のとおりであるので，御了知いただくとともに，貴管下の関係医療機関等に周知方お願いする．

なお，このたびの改正省令及び告示については，放射線障害防止の技術的基準に関する法律（昭和 33 年法律第 162 号）第 6 条の規定に基づく放射線審議会に諮問すべき放射線障害防止の技術的基準に該当しない旨，放射線審議会及び原子力規制委員会の意見を得ているので，申し添える．

記

第 1　診療用放射線に係る安全管理体制について（改正省令による改正後の医療法施行規則（昭和 23 年厚生省令第 50 号．以下「新規則」という．）第 1 条の 11 第 2 項第 3 号の 2 関係）

エックス線装置又は新規則第 24 条第 1 号から第 8 号の 2 までのいずれかに掲げるものを備えている病院又は診療所（以下「病院

等」という.）の管理者は，医療法（昭和23年法律第205号）第6条の12及び新規則第1条の11第2項第3号の2の規定に基づき，放射線を用いた医療の提供に際して次に掲げる体制を確保しなければならないものであること.

1　診療用放射線に係る安全管理のための責任者

病院等の管理者は，新規則第1条の11第2項第3号の2柱書きに規定する責任者（以下「医療放射線安全管理責任者」という.）を配置すること.

医療放射線安全管理責任者は，診療用放射線の安全管理に関する十分な知識を有する常勤職員であって，原則として医師及び歯科医師のいずれかの資格を有していること．ただし，病院等における常勤の医師又は歯科医師が放射線診療における正当化を，常勤の診療放射線技師が放射線診療における最適化を担保し，当該医師又は歯科医師が当該診療放射線技師に対して適切な指示を行う体制を確保している場合に限り，当該病院等について診療放射線技師を責任者としても差し支えないこと.

2　診療用放射線の安全利用のための指針

医療放射線安全管理責任者は，新規則第1条の11第2項第3号の2イの規定に基づき，次に掲げる事項を文書化した指針を策定すること.

なお，指針に定めるべき具体的事項については，追って発出予定である，診療用放射線に係る安全管理のための指針の策定に係る通知も参考にされたい.

(1)　診療用放射線の安全利用に関する基本的考え方
(2)　放射線診療に従事する者に対する診療用放射線の安全利用のための研修に関する基本的方針
(3)　診療用放射線の安全利用を目的とした改善のための方策に関する基本方針
(4)　放射線の過剰被ばくその他の放射線診療に関する事例発生時の対応に関する基本方針
(5)　医療従事者と患者間の情報共有に関する基本方針（患者等に対する当該方針の閲覧に関する事項を含む.）

3　放射線診療に従事する者に対する診療用放射線の安全利用のための研修

医療放射線安全管理責任者は，新規則第1条の11第2項第3号の2ロの規定に基づき，医師，歯科医師，診療放射線技師等の放射線診療の正当化又は患者の医療被ばくの防護の最適化に付随する業務に従事する者に対し，次に掲げる事項を含む研修を行うこと．また，当該研修の頻度については1年度当たり1回以上とし，研修の実施内容（開催日時又は受講日時，出席者，研修項目等）を記録すること．また，当該研修については当該病院等が実施する他の医療安全に係る研修又は放射線の取扱いに係る研修と併せて実施しても差し支えないこと．なお，病院等が主催する研修の他，当該病院等以外の場所における研修，関係学会等が主催する研修を受講させることも含まれること.

(1)　患者の医療被ばくの基本的な考え方に関する事項
(2)　放射線診療の正当化に関する事項
(3)　患者の医療被ばくの防護の最適化に関する事項
(4)　放射線の過剰被ばくその他の放射線診療に関する事例発生時の対応等に関する事項
(5)　患者への情報提供に関する事項

4　放射線診療を受ける者の当該放射線による被ばく線量の管理及び記録その他の診療用放射線の安全利用を目的とした改善のための方策

新規則第1条の11第2項第3号の2ハに規定する放射線診療を受ける者の当該放射線による被ばく線量の管理及び記録その他の診療用放射線の安全利用を目的とした改善のための方策として，医療放射線安全管理責任者は次に掲げる事項を行うこと.

(1)　線量管理について

ア　次に掲げる放射線診療に用いる医療機器等（以下「管理・記録対象医療機器等」という.）については放射線診療を受ける者の医療被ばくの線量が他の放射線診療と比較して多いことに鑑み，管理・記録対象医療機器等を用いた診療に当たっては，被ばく線量を適正に管理すること.

・移動型デジタル式循環器用X線透視診断装置
・移動型アナログ式循環器用X線透視診断装置
・据置型デジタル式循環器用X線透視診断装置
・据置型アナログ式循環器用X線透視診断装置
・X線CT組合せ型循環器X線診断装置
・全身用X線CT診断装置
・X線CT組合せ型ポジトロンCT装置
・X線CT組合せ型SPECT装置
・陽電子断層撮影診療用放射性同位元素
・診療用放射性同位元素

イ　放射線診療を受ける者の医療被ばくの線量管理とは，関係学会等の策定したガイドライン等を参考に，被ばく線量の評価及び被ばく線量の最適化を行うものであること.

ウ　放射線診療を受ける者の医療被ばくの線量管理の方法は，関係学会等の策定したガイドライン等の変更時，管理・記録対象医療機器等の新規導入時，買換え時，放射線診療の検査手順の変更時等に合わせて，必要に応じて見直すこと.

(2)　線量記録について

ア　管理・記録対象医療機器等を用いた診療に当たっては，当該診療を受ける者の医療被ばくによる線量を記録すること.

イ　医療被ばくの線量記録は，関係学会等の策定したガイドライン等を参考に，診療を受ける者の被ばく線量を適正に検証できる様式を用いて行うこと．なお，医師法（昭和23年法律第201号）第24条に規定する診療録，診療放射線技師法（昭和26年法律第226号）第28条に規定する照射録又は新規則第20条第10号に規定するエックス線写真若しくは第30条の23第2項に規定する診療用放射性同位元素若しくは陽電子断層撮影診療用放射性同位元素の使用の帳簿等において，当該放射線診療を受けた者が特定できる形で被ばく線量を記録している場合は，それらを線量記録とすることができること.

(3)　その他の放射線診療機器等における線量管理及び線量記録について

管理・記録対象医療機器等以外の放射線診療機器等であって，人体に照射又は投与するものについても，必要に応じて当該放射線診療機器等による診療を受ける者の医療被ばくの線量管理及び線量記録を行うことが望ましいこと.

(4)　診療用放射線に関する情報等の収集と報告

医療放射線安全管理責任者は，行政機関，学術誌等から診療用放射線に関する情報を広く収集するとともに，得られた情報のうち必要なものは，放射線診療に従事する者に周知徹底を図り，必要に応じて病院等の管理者への報告等を行うこと.

第2　放射性同位元素を使用する新規の医療技術への対応（新規則第24条第8号及び第8号の2関係）

新たな放射性医薬品を用いた核医学診療が国内で導入されつつあることに鑑み，診療用放射線の適正な管理を図るため，放射性同位元素のうち次に掲げるもの（以下「未承認放射性医薬品」という.）について，新規則第24条第8号に規定する陽電子断層撮影診療用放射性同位元素又は同条第8号の2に規定する診療用放射性同位元素として取り扱うこと.

なお，未承認放射性医薬品の病院等における取扱いに当たって留意すべき事項については，追って発出予定である，病院等における診療用放射線の取扱いに係る通知も参照すること.

・臨床研究法（平成29年法律第16号）第2条第2項に規定する特定臨床研究に用いるもの
・再生医療等の安全性の確保等に関する法律（平成25年法律第85号）第2条第1項に規定する再生医療等に用いるもの
・厚生労働大臣の定める先進医療及び患者申出療養並びに施設基準（平成20年厚生労働省告示第129号）第2各号若しくは第3各号に掲げる先進医療又は第4に掲げる患者申出療養に用いるもの

第3　経過措置等［略］

5.11　病院又は診療所における診療用放射線の取扱いについて

（平成31年3月15日）
（医政発0315第4号）
（各都道府県知事・各保健所設置市長・各特別区長あて
厚生労働省医政局長通知）
［最終改正：令和2年10月27日］

病院又は診療所における診療用放射線の取扱いについては，「医療法施行規則の一部を改正する省令の施行について」（平成13年3月12日付け医薬発第188号厚生労働省医薬局長通知），「医療法施行規則の一部を改正する省令の施行等について」（平成16年8月1

日付け医政発第 0801001 号厚生労働省医政局長通知）等に基づき，管下の医療機関に対して指導をお願いしているところである．

今般，診療用放射性同位元素及び陽電子断層撮影診療用放射性同位元素の取扱いに関して，医療法施行規則の一部を改正する省令（平成 31 年厚生労働省令第 21 号．以下「改正省令」という．別添）は平成 31 年 3 月 11 日に公布され，一部の規定を除いて平成 31 年 4 月 1 日に施行されることとなり，「医療法施行規則の一部を改正する省令の施行等について」（平成 31 年 3 月 12 日付け医政発 0312 第 7 号厚生労働省医政局長通知）により，施行に当たっての留意事項が示されたところである．ついては，改正省令における診療用放射性同位元素及び陽電子断層撮影診療用放射性同位元素の取扱い，エックス線装置を用いた新しい医療技術への対応並びにこれらを含む病院又は診療所における診療用放射線の取扱いについて留意すべき事項を下記のとおり定めたので，御了知されるとともに，貴管下の関係医療機関等に周知方お願いする．

なお，本通知は，地方自治法（昭和 22 年法律第 67 号）第 245 条の 4 第 1 項に規定する技術的助言であることを申し添える．

また，本通知をもって，「移動型 CT 装置の取扱いについて」（平成 12 年 2 月 10 日付け医薬安発第 26 号厚生省医薬安全局安全対策課長通知），「医療法施行規則の一部を改正する省令の施行について」（平成 13 年 3 月 12 日付け医薬発第 188 号厚生労働省医薬局長通知），「医療法施行規則の一部を改正する省令の施行について」（平成 16 年 1 月 30 日付け医政発第 0130006 号厚生労働省医政局長通知），「医療法施行規則の一部を改正する省令の施行等について」（平成 16 年 8 月 1 日医政発第 0801001 号厚生労働省医政局長通知）及び「医療法施行規則の一部を改正する省令の施行について」（平成 17 年 6 月 1 日付け医政発第 0601006 号厚生労働省医政局長通知）は廃止する．

記

第 1　届出に関する事項

1　エックス線装置の届出（医療法施行規則（昭和 23 年厚生省令第 50 号．以下「規則」という．）第 24 条の 2）

(1)　定格出力の管電圧（波高値とする．以下同じ．）が 10 キロボルト以上であり，かつ，そのエックス線のエネルギーが 1 メガ電子ボルト未満の診療の用に供するエックス線装置とは，直接撮影用エックス線装置，断層撮影エックス線装置，CT エックス線装置，胸部集検用間接撮影エックス線装置，口内法撮影用エックス線装置，歯科用パノラマ断層撮影装置及び骨塩定量分析エックス線装置等の撮影用エックス線装置，透視用エックス線装置，治療用エックス線装置，輸血用血液照射エックス線装置等であること．これらのエックス線装置を病院又は診療所に備えたときは，10 日以内に規則第 24 条の 2 に規定に基づく届出書により届出を行うこと．

(2)　エックス線装置は，エックス線発生装置（エックス線管及びその付属機器，高電圧発生装置及びその付属機器並びにエックス線制御装置），エックス線機械装置（保持装置，エックス線撮影台及びエックス線治療台等），受像器及び関連機器から構成され，これらを一体として 1 台のエックス線装置とみなすこと．

なお，複数のエックス線管を備えた装置であっても，1 台の共通したエックス線制御装置を使用し，かつ，1 人の患者の診療にしか用いることができない構造である場合は，1 台のエックス線装置とみなすことができること．

(3)　移動型又は携帯型エックス線装置（移動型透視用エックス線装置及び移動型 CT エックス線装置を含む．以下同じ．）を病院又は診療所に備えたときについても，10 日以内に規則第 24 条の 2 に規定に基づく届出書により届出を行うこと．この場合において，同条第 4 号に規定する「エックス線装置のエックス線障害の防止に関する構造設備及び予防措置の概要」として，当該エックス線装置の使用条件，保管条件等を具体的に記載する必要があること．また，移動型又は携帯型エックス線装置を，エックス線診療室内に据え置いて使用する場合は，届出に当たってその旨を記載すること．

(4)　規則第 24 条第 10 号の規定に基づき，規則第 24 条の 2 第 2 号から第 5 号までに掲げる事項を変更した場合は，規則第 29 条第 1 項に規定する方法により変更の届出が必要であること．

なお，エックス線装置を構成する機器の一部を交換する場合においては，エックス線管，高電圧発生装置，受像器等の機器の変更により規則第 30 条に規定するエックス線装置の防護基準に関する規格の変更等を伴う可能性がある項目について，届出を行う必要があるが，同一規格のエックス線管を交換する場合においては，届出は不要であること．

2　診療用粒子線照射装置の届出

(1)　届出事項等（規則第 25 条の 2）

診療用粒子線照射装置を病院又は診療所に備えようとする場合には，規則第 25 条の 2 の規定に基づき準用する第 25 条各号に掲げる事項を記載した届出書を提出することにより行うこと．

粒子線の発生装置については，放射性同位元素等の規制に関する法律（昭和 32 年法律第 167 号．以下「RI 法」という．）の適用を受けるものであり，RI 法の規定を遵守しなければならないこと．

ただし，病院又は診療所に設置される粒子線の発生装置については，従前のとおり RI 法の適用を受けるものであるが，診療用粒子線照射装置に粒子線を供する目的で用いるものについては，放射線障害の防止に関する構造設備及び予防措置の評価に必要な情報であることから，規則第 25 条の 2 の規定に基づき準用する規則第 25 条各号に掲げる放射線障害の防止に関する構造設備及び予備措置の概要として，RI 法第 3 条第 2 項の申請書の写し等により次に掲げる内容について確認するとともに，関連する診療用粒子線照射装置の届出と齟齬なきことを確認されたいこと．

ア　病院又は診療所の名称及び所在地
イ　粒子線の発生装置の制作者名，型式及び台数
ウ　粒子線の発生装置の定格出量
エ　粒子線の発生装置及び粒子線の発生装置を設置する室の放射線障害の防止に関する構造設備及び予防措置の概要
オ　粒子線の発生装置の発生する粒子線の種類等

3　診療用放射線照射装置の届出（規則第 26 条）

(1)　据え置き型の診療用放射線照射装置については，規則第 26 条第 2 号の規定中「個数」は「台数」と読み替えること．

(2)　規則第 26 条第 3 号の規定において，「診療用放射線照射装置により治療を受けている患者」とは，診療用放射線照射装置を継続的に挿入し放射線治療を受けている患者に限られるものであり，血管内への一時的挿入や高線量 RALS（以下「一時的挿入等」という．）により治療を受けている患者は該当しないこと．

また，「診療用放射線照射装置により治療を受けている患者を入院させる病室」とは，診療用放射線照射装置を継続的に体内に挿入して治療を受けている患者を入院させる病室に限定され，診療用放射線照射装置の一時的挿入等による放射線治療を行った患者については，必ずしも当該病室に入院させる必要はないこと．ただし，この場合においては，規則第 30 条の 23 の規定に基づき，診療用放射線照射装置による治療等について記録を保存すること．

なお，同号における「貯蔵施設及び運搬容器」とは，放射線治療を行うために体内に挿入して用いる診療用放射線照射装置を貯蔵する施設及び貯蔵施設から診療用放射線照射装置使用室等への運搬に用いる運搬容器に限られること．

(3)　診療用放射線照射装置については，RI 法の適用を受けるものであり，RI 法の規定を遵守しなければならないこと．

4　診療用放射線照射器具の届出（規則第 27 条）

(1)　診療用放射線照射器具には，患者に投与された診療用放射性同位元素又は陽電子断層撮影診療用放射性同位元素から放出される放射線を画像化する装置（以下「核医学撮像装置」という．）における吸収補正（画像診断の定量性を高め，精度の高い診断を可能とするため，規則第 24 条第 8 号の 2 における診療用放射性同位元素又は同条第 8 号における陽電子断層撮影診療用放射性同位元素からの放射線の臓器や組織による吸収を補正すること．以下同じ．）を目的として人体に照射する線源も含まれること．

なお，規則第 27 条第 1 項第 4 号において，診療用放射線照射器具を使用する診療放射線技師の氏名及び放射線診療に関する経歴を届出書の記載事項としているのは，吸収補正に用いる線源を使用する場合を想定しているためであり，体内に挿入して治療を行うために用いられる診療用放射線照射器具について，診療放射線技師が患者の体内に挿入することを認める趣旨ではないこと．ただし，直接体内に挿入しないリモートアフターローダの操作についてはこの限りではないこと．

(2)　規則第 27 条第 3 項に規定する「毎年 12 月 20 日までに，翌年において使用を予定する当該診療用放射線照射器具について同条第 1 項第 1 号及び前項第 1 号に掲げる事項」とは，同条第 2 項により届出されているもののうち，同項第 1 号の規定に基づく 1 年間に使用する当該診療用放射線照射器具の型式及び個数並びに装備する放射性同位元素の種類及びベクレル単位をもって表わした数量に限られること．

なお，同条第 1 項第 2 号により届出されている数量等を超える量の診療用放射線照射器具の使用を予定する場合には，同項第 3 号に規定する「放射線障害の防止に関する構造設備及び予防措置の概要」の変更に当たるので，あらかじめ規則第 29 条第 2 項による変更の届出が必要であること．

⑶ 診療用放射線照射器具については，RI 法の適用を受けるものであり，RI 法の規定を遵守しなければならないこと．

5 診療用放射性同位元素又は陽電子断層撮影診療用放射性同位元素の届出（規則第 28 条）

⑴ 規則第 28 条の規定は，放射性同位元素による放射線障害を防止し公共の安全の確保を図る観点から，規則第 24 条第 8 号に規定する陽電子断層撮影診療用放射性同位元素又は同条第 8 号の 2 に規定する診療用放射性同位元素を病院又は診療所に備えようとする場合の手続を定めるものであり，当該放射性医薬品を使用した患者の安全性を担保するものではないこと．

なお，規則第 24 条第 8 号イからニまでに掲げるものは，おおむね次に掲げるとおりであること．

ア イ及びロに掲げるものは，従前より医療法の規制対象である，病院又は診療所に存する放射性医薬品及び医薬品，医療機器等の品質，有効性及び安全性の確保等に関する法律（昭和 35 年法律第 145 号．以下「医薬品医療機器等法」という．）の承認又は認証を受けている医薬品又は体外診断用医薬品を指すものであること．

イ ハに掲げるものは，従前より医療法の規制対象である，病院又は診療所に存する医薬品医療機器等法に規定する治験に用いる薬物に加え，人体に投与する目的で使用するに当たっての手続が明確であるものとして，臨床研究法（平成 29 年法律第 16 号）第 2 条第 2 項に規定する特定臨床研究に用いるもの，再生医療等の安全性の確保等に関する法律（平成 25 年法律第 85 号．以下「再生医療等法」という．）第 2 条第 1 項に規定する再生医療等に用いるもの及び厚生労働大臣の定める先進医療又は患者申出療養に用いるもののうち，病院又は診療所に存するものを指すものであること．

ウ ニに掲げるものは，従前より医療法の規制対象である，病院又は診療所に備えられたサイクロトロン装置等によって精製された放射性同位元素から合成された陽電子断層撮影診療用放射性同位元素のうち，病院又は診療所に存するものを指すものであること．

⑵ 規則第 24 条第 8 号ハに掲げる診療用放射性同位元素又は陽電子断層撮影診療用放射性同位元素の届出を行うに当たっては，次に掲げる事項に留意すること．

ア ハ⑴に掲げるものについては，医薬品医療機器等法第 80 条の 2 第 2 項に規定する治験の計画の届出の写し（受領印があり，厚生労働大臣又は独立行政法人医薬品医療機器総合機構によって受領されたことが明らかであるもの）又は治験の依頼をしようとする者と締結した医薬品の臨床試験の実施に関する省令（平成 9 年厚生省令第 28 号）第 13 条の規定に基づく治験の契約の写し等，当該届出に係る診療用放射性同位元素又は陽電子断層撮影診療用放射性同位元素が医薬品医療機器等法第 2 条第 17 項に規定する治験に用いるものであることを証明できる書面の添付が必要であること．

イ ハ⑵に掲げるものについては，臨床研究法第 5 条に規定する特定臨床研究の実施に関する計画の写し等，臨床研究法第 2 条第 2 項に規定する特定臨床研究に用いるものであることを証明できる書面の添付が必要であること．

ウ ハ⑶に掲げるものについては，再生医療等法第 4 条に規定する再生医療等の研究に関する計画の写し等，再生医療等法第 2 条第 1 項に規定する再生医療等に用いるものであることを証明できる書面の添付が必要であること．

エ ハ⑷に掲げるものについては，当該届出を行う診療用放射性同位元素又は陽電子断層撮影診療用放射性同位元素が先進医療又は患者申出療養に用いるものであることを証明できる書面として次に掲げる書面のいずれかの添付が必要であること．

㋐ 先進医療については，「厚生労働大臣の定める先進医療及び施設基準の制定等に伴う実施上の留意事項の取扱いについて」（平成 28 年 3 月 4 日付け医政発 0304 第 2 号・薬生発 0304 第 2 号・保発 0304 第 16 号厚生労働省医政局長，医薬・生活衛生局長及び保険局長連名通知）における先進医療実施届出書及び添付書類等の写し並びに地方厚生（支）局が当該新規技術の適否について当該新規技術を実施する病院又は診療所に対して通知した書類の写し．

㋑ 患者申出療養については，「健康保険法及び高齢者の医療の確保に関する法律に規定する患者申出療養の実施上の留意事項及び申出等の取扱いについて」（平成 28 年 3 月 4 日付け医政発 0304 第 3 号・薬生発 0304 第 1 号・保発 0304 第 18 号厚生労働省医政局長，医薬・生活衛生局長及び保険局長連名通知）に基づき作成された保険外併用療養に係る厚生労働大臣が定める医薬品等（平成 18 年厚生労働省告示第 498 号）11⑴に規定する申出書及び添付書類等の写し並びに地方厚生（支）局が当該医療技術の評価の結果について当該医療技術を実施する病院又は診療所に対して通知した書類の写し．

⑶ 陽電子断層撮影診療用放射性同位元素を病院又は診療所に備えようとする場合に，規則第 28 条第 1 項各号に掲げる事項を記載した届出書を提出するに際しては，次に掲げる事項に留意すること．

なお，その他の陽電子断層撮影診療用放射性同位元素に係る届出については，規則第 28 条の診療用放射性同位元素に係るものと同様であること．

ア 規則第 28 条第 1 項第 4 号に規定する陽電子断層撮影診療用放射性同位元素に係る放射線障害の防止に関する「予防措置」には，次に掲げる内容が含まれること．なお，届出に当たっては，予防措置を講じていることを証する書類を添付すること．また，同号の趣旨を踏まえ，陽電子断層撮影診療用放射性同位元素の取扱いについて，陽電子断層撮影診療を担当する医師又は歯科医師と薬剤師との連携が十分に図られるように努めること．

㋐ 陽電子断層撮影診療に関する所定の研修を修了し，専門の知識及び経験を有する診療放射線技師を，陽電子断層撮影診療に関する安全管理に専ら従事させること．

㋑ 放射線の防護を含めた安全管理の体制の確立を目的とした委員会等を設けること．

イ 規則第 28 条第 1 項第 5 号の規定により，その氏名及び放射線診療に関する経歴を届け出るものとされている陽電子断層撮影診療用放射性同位元素を使用する医師又は歯科医師のうち少なくとも 1 名は，次に掲げる全ての項目に該当する者とすること．なお，届出に当たっては，全ての項目に該当する事実を証する書類を添付すること．

㋐ 当該病院又は診療所の常勤職員であること．

㋑ 陽電子断層撮影診療に関する安全管理の責任者であること．

㋒ 核医学診断の経験を 3 年以上有していること．

㋓ 陽電子断層撮影診療全般に関する所定の研修を修了していること．

ウ アの㋐及びイの㋓における「所定の研修」とは，放射線関係学会等団体が主催する医療放射線の安全管理に関する研修であって，概ね次に掲げる事項に該当する内容を含む講義又は実習をいうこと．

①陽電子断層撮影診療に係る施設の概要に関する事項
②サイクロトロン装置の原理と安全管理に関する事項
③FDG 製剤（放射性 2-deoxy-2-［F-18］fluoro-D-glucose 製剤）等の陽電子断層撮影診療用放射性同位元素の製造方法，精度管理及び安全管理に関する事項
④陽電子断層撮影診療の測定原理に関する事項
⑤陽電子放射断層撮影装置の性能点検と校正に関する事項
⑥FDG 製剤等を用いた陽電子断層撮影診療の臨床使用に関するガイドラインに関する事項
⑦放射線の安全管理，放射性同位元素の取扱い及び陽電子断層撮影診療に関わる医療従事者の被ばく管理に関する事項
⑧医療法，RI 法等の放射線の安全管理に関する各種法令及び放射線の安全管理に係る関係府省庁の通知等に関する事項

⑷ 病院又は診療所に設置されるサイクロトロン装置については，RI 法の規定の適用を受けるが，診療用放射性同位元素又は陽電子断層撮影診療用放射性同位元素を製造する目的のものである場合には，製造から使用までの工程は一体のものであり放射線障害の防止に関する構造設備及び予防措置の評価に必要な情報であることから，規則第 28 条各号に掲げる放射線障害の防止に関する構造設備及び予備措置の概要として，RI 法第 3 条第 2 項に規定する申請書の写し等により次に掲げる内容について確認するとともに，関連する診療用放射性同位元素又は陽電子断層撮影診療用放射性同位元素の届出と齟齬なきことを確認されたいこと．

①病院又は診療所の名称及び所在地
②サイクロトロン装置の制作者名，型式及び台数
③サイクロトロン装置の定格出量
④サイクロトロン装置及びサイクロトロン装置を設置する室の放射線障害の防止に関する構造設備及び予防措置の概要
⑤サイクロトロン装置の精製する放射性同位元素の種類，形状

及びベクレル単位で表した 1 日の最大精製予定数量

(5) 規則第 28 条第 1 項第 3 号に規定する「3 月間の最大使用予定数量」とは，規則第 30 条の 26 第 1 項に規定する濃度等及び同条第 3 項に規定する管理区域に係る線量等が 3 月間当たりで規定されることから，4 月 1 日，7 月 1 日，10 月 1 日及び 1 月 1 日を始期とする 3 月間の最大使用予定数量のことであること．

(6) 規則第 28 条第 2 項に規定する「毎年 12 月 20 日までに，翌年において使用を予定する診療用放射性同位元素又は陽電子断層撮影診療用放射性同位元素について前項第 1 号及び第 2 号に掲げる事項」とは，同条第 1 項の規定に基づきあらかじめ届出書に記載している「病院又は診療所の名称及び所在地」及び「その年に使用を予定する診療用放射性同位元素又は陽電子断層撮影診療用放射性同位元素の種類，形状及びベクレル単位をもって表わした数量」に限定されること．

なお，同項第 3 号の規定に基づき届出されている予定数量等を超える診療用放射性同位元素又は陽電子断層撮影診療用放射性同位元素の使用を予定する場合には，同項第 4 号「放射線障害の防止に関する構造設備及び予防措置の概要」の変更に当たるので，あらかじめ規則第 29 条第 2 項の規定に基づく変更等の届出が必要であること．

第 2　エックス線装置等の防護に関する事項

1　エックス線装置の防護（規則第 30 条）

(1) 規則第 30 条第 1 項第 1 号に規定する「利用線錐以外のエックス線」とは，当該エックス線管容器又は照射筒からの漏えい線量のみをいうこと．

(2) 規則第 30 条第 1 項第 2 号に規定する「総濾過」とは，装置自身による自己濾過を含むものであること．

この場合において，治療用エックス線装置，輸血用血液照射エックス線装置及び定格管電圧 50 キロボルト以下の乳房撮影用エックス線装置を除くエックス線装置の利用線錐方向の総濾過のうち，アルミニウム当量 1.5 ミリメートルは常設であること．

また，定格管電圧 50 キロボルト以下の乳房撮影用エックス線装置についても，アルミニウム当量 0.5 ミリメートル以上又はモリブデン当量 0.03 ミリメートル以上となるような総濾過を常設することが望ましいこと．

なお，附加濾過板の材質は診療上適宜定められるものであるが，その基準は，概ね次のようなものであること．

管電圧（波高値とする.）	使用濾過板
20 キロボルト以下	セロファン
20 キロボルト～120 キロボルト	アルミニウム
120 キロボルト～400 キロボルト	銅
400 キロボルト以上	錫

(3) 規則第 30 条第 2 項第 1 号の規定は，透視用エックス線装置の防護基準として，透視中における患者の被ばく線量を抑制するために設けられたものであること．

なお，高線量率透視制御を備えた装置については，いかなる管電圧と管電流の組合せにおいても 125 ミリグレイ毎分を超えてはならないこと．

また，透視を行う場合においては，放射線診療従事者等は，できる限り防護衝立や防護スクリーンの背後で作業すること．これができない場合であっても，適切な他の放射線防護用具を使用すること．

(4) 規則第 30 条第 2 項第 2 号に規定する「透視時間を積算する」とは，患者及び放射線診療従事者等の被ばく線量を抑制するために透視中の時間を把握することであること．

(5) 規則第 30 条第 2 項第 3 号の規定の趣旨は，患者の被ばく線量を抑制することであり，同号に規定する「インターロック」とは，エックス線管焦点皮膚間距離が 30 センチメートル未満の場合における，当該エックス線装置からのエックス線の発生を遮断するための装置であること．

(6) 規則第 30 条第 2 項第 7 号に規定する「利用線錐以外のエックス線を有効にしゃへいするための適切な手段」とは，患者からの散乱線及びエックス線装置と患者との間に設けられた散乱体による散乱線に対する放射線診療従事者等の放射線防護手段であること．

(7) 規則第 30 条第 3 項の規定の趣旨は，エックス線撮影の際，患者の不必要な放射線被ばくを少なくすること及び患者からの散乱線の発生を少なくすることであること．

(8) 規則第 30 条第 4 項第 2 号及び第 3 号に規定するエックス線量の空気カーマは，エックス線管容器及び照射筒からの漏えい線量を含むものであること．

2　診療用高エネルギー放射線発生装置及び診療用粒子線照射装置の防護（規則第 30 条の 2 及び第 30 条の 2 の 2）

(1) 規則第 30 条の 2 第 1 号に規定する「利用線錐以外の放射線量」とは，当該発生管等からの漏えい線量のみを指すこと．

なお，「利用線錐以外の放射線量」には中性子線によるものを含まないが，可能な限り中性子線による影響を低減させること．

(2) 規則第 30 条の 2 第 2 号の規定の趣旨は，ターゲット等が放射化された場合にあっては，被ばく線量の低減を図ることであること．

なお，この場合における「適切な防護措置」とは，照射終了直後に保守作業として部品等を取り扱う必要がある場合の放射線に対する防護措置であること．

(3) 規則第 30 条の 2 第 4 号に規定する「インターロック」とは，当該診療用高エネルギー放射線発生装置使用室の扉が閉じていないときは放射線の照射ができず，万一，放射線を照射中に扉を開けられた場合でも，直ちに放射線の照射を停止することにより，放射線診療従事者等の放射線障害の発生を未然に防ぐためのものであること．

3　診療用放射線照射装置の防護（規則第 30 条の 3）

(1) 規則第 30 条の 3 第 1 号に規定する放射線源の収納容器に関する空気カーマ率とは，照射口が閉鎖されているときの空気カーマ率であること．

なお，照射時における容器のしゃへいについては，可能な限り患者が不必要な被ばくを受けないよう，当該装置の特性に応じて適切に対応すること．

(2) 照射口には，患者等の放射線障害の防止に必要な場合にのみ，適切な二次電子濾過板を設けること．

(3) 規則第 30 条の 3 第 3 号に規定する「診療用放射線照射装置の操作その他の業務に従事する者を防護するための適当な装置を設けた場合」とは，診療用放射線照射装置を核医学撮像装置の吸収補正用線源として使用する場合又は患者の体内に挿入して治療を行うために使用する場合に限られること．この場合において，「防護するための適当な装置」とは，放射線防護に必要な防護衝立等による被ばく線量を低減するためのしゃへい物であること．

なお，しゃへい物を用いた場合であっても，必要に応じて防護衣を着用する等により，放射線診療従事者等の被ばく線量の低減に努めること．

これ以外の場合であって，体外照射により診療に用いる診療用放射線照射装置の放射線防護については，従前通り，照射室の出入口にインターロックを設け，室外からの遠隔操作によって開閉するための設備を設けること．

第 3　エックス線診療室等の構造設備に関する事項

1　エックス線診療室（規則第 30 条の 4）

(1) 規則第 30 条の 4 第 1 号のエックス線診療室の画壁等の防護については，1 週間当たりの実効線量によること．この場合の放射線の量の測定は，通常の使用状態において画壁等の外側で行うこと．

なお，同号ただし書きに規定する「その外側が，人が通行し，又は停在することのない場所」とは，床下がただちに地盤である場合，壁の外が崖，地盤面下等である場所など極めて限定された場所であること．ただし，床下に空間があっても，周囲を柵等で区画され，その出入り口に鍵その他閉鎖のための設備又は器具を設けた場所については，「その外側が，人が通行し，又は停在することのない場所」に該当すること．特に天井及び窓等について防護が不完全な場合が予想されるので，その適用については十分注意すること．

(2) 規則第 30 条の 4 第 2 号の「エックス線装置を操作する場所」とは，原則として，画壁等によりエックス線撮影室と区画された室であること．

なお，「操作」とは，エックス線をばくしゃすることであること．

(3) 規則第 30 条の 4 第 2 号ただし書きのうち，「近接透視撮影を行うとき，若しくは乳房撮影を行う等の場合」とは，次に掲げる場合に限られること．ただし，本規定は，診療上やむを得ず患者の近傍で当該エックス線装置を使用するためのものであり，それ以外の場合においては，放射線診療従事者等の被ばく防護の観点から，エックス線診療室外において当該エックス線装置を使用すること．

ア　乳房撮影又は近接透視撮影等で患者の近傍で撮影を行う場合
イ　1週間につき1,000ミリアンペア秒以下で操作する口内法撮影用エックス線装置による撮影を行う場合
ウ　使用時において機器から1メートル離れた場所における線量が，6マイクロシーベルト毎時以下となるような構造である骨塩定量分析エックス線装置を使用する場合
エ　使用時において機器表面における線量が，6マイクロシーベルト毎時以下となるような構造である輸血用血液照射エックス線装置を使用する場合
オ　組織内照射治療を行う場合

(4)　規則第30条の4第2号ただし書き中，「必要な防護物を設ける」とは，実効線量が3月間につき1.3ミリシーベルト以下となるような画壁等を設ける等の措置を講ずることであること．

この場合においても，必要に応じて防護衣等の着用等により，放射線診療従事者等の被ばく線量の低減に努めること．

(5)　(3)のイの場合のうち，同時に2人以上の患者が診察を行わない構造になっている口内法撮影用エックス線装置による撮影を行う室については，エックス線診療室と診察室とを兼用しても差し支えないこと．

なお，この場合においても規則第30条の4に定める基準を満たし，あわせて管理区域を設定し規則第30条の16に定める措置を講ずること．

(6)　(3)のエにいう輸血用血液照射エックス線装置については，放射線診療従事者以外の者が当該輸血用血液照射エックス線装置を使用する場所にみだりに立ち入らないよう画壁を設ける等の措置を講じ，画壁の内部から外部に通ずる部分に，鍵その他の閉鎖のための設備又は器具を設ける場合にあっては，当該輸血用血液照射エックス線装置の使用場所をエックス線診療室とみなして差し支えないものであること．

この場合においては，エックス線診療室全体を管理区域とすること．

2　診療用高エネルギー放射線発生装置使用室及び診療用粒子線照射装置使用室（規則第30条の5及び第30条の5の2）

規則第30条の5第1号の診療用高エネルギー放射線発生装置使用室及び診療用粒子線照射装置使用室の画壁等の防護については，1週間当たりの実効線量によること．この場合の放射線の量の測定は，通常の使用実態において画壁等の外側で行うこと．

3　診療用放射線照射装置使用室（規則第30条の6）

規則第30条の6第2号の診療用放射線照射装置使用室の区画等の防護については，1週間当たりの実効線量によること．この場合において，体内に挿入して治療を行うために診療用放射線照射装置を使用する場合における放射線の量の測定は，通常の使用状態において画壁等の外側で行うこと．

4　診療用放射線照射器具使用室（規則第30条の7）

規則第30条の7第1号の診療用放射線照射器具使用室の画壁等の防護については，1週間当たりの実効線量によること．この場合において，体内に挿入して治療を行うために診療用放射線照射器具を使用する場合における放射線の線量の測定は，通常の使用状態において画壁等の外側で行うこと．

5　放射性同位元素装備診療機器使用室（規則第30条の7の2）

(1)　放射性同位元素装備診療機器の使用に当たっては，原則として放射性同位元素装備診療機器使用室を設けることが必要であるが，規則第30条の14に定めるように，規則第30条の7の2に定める基準に適合する室がある場合には，当該室において使用しても差し支えないこと．

なお，この場合において，規則第27条の2第3号の届出は，当該使用場所を放射性同位元素装備診療機器使用室とみなして行うこと．

(2)　規則第30条の7の2第4号における「その他の適切な放射線障害の防止に関する予防措置」とは，次に掲げるとおりであること．

ア　骨塩定量分析装置については，実効線量が3月間につき1.3ミリシーベルト以下となるようなしゃへい物又は間仕切りを設ける等の措置を講ずることにより管理区域を明確にすること．
イ　ガスクロマトグラフ用エレクトロン・キャプチャ・ディテクタについては，機器表面にディテクタに収納されている放射性同位元素の種類及び数量を示す標識を付すること．
ウ　輸血用血液照射装置については，実効線量が3月間につき1.3ミリシーベルト以下となるような画壁を設ける等の措置を講ずることにより管理区域の境界を明確にすること．この場合にあっては，規則第30条の7の2に定める構造設備の基準に適合していれば，当該使用場所を放射性同位元素装備診療機器使用室とみなして差し支えないこと．

なお，放射性同位元素等による放射線障害の防止に関する法律施行規則（昭和35年総理府令第56号．以下「RI法施行規則」という．）第14条の7第1項第6号の規定により，輸血用血液照射装置を使用する場合に，その旨を自動的に表示する装置を設けなければならないこと．

6　診療用放射性同位元素使用室（規則第30条の8）

(1)　規則第30条の8第1号の規定の趣旨は，火災によって診療用放射性同位元素又は放射性同位元素が近隣を汚染するおそれがあることを踏まえ，防火上の安全を図ることであること．

(2)　規則第30条の8第2号に規定する準備室は，診療用放射性同位元素の小分け，分注等の，診療用放射性同位元素による核医学診療を受ける患者等に診療用放射性同位元素を投与可能な状態にする行為又は作業その他これらに付随する一連の行為又は作業が行われる室であること．

なお，準備室と診療を行う室とを隔てる画壁は，準備室の診療用放射性同位元素又は放射性同位元素によって汚染された空気，水等による診療を行う室の汚染を防ぐためのものであること．

(3)　規則第30条の8第2号に規定する診療用放射性同位元素を用いて診療を行う室は，準備室において調製又は調剤された診療用放射性同位元素を当該診療用放射性同位元素による診療を受ける患者等に投与する行為又は作業，患者に投与された診療用放射性同位元素から放出される放射線を画像化する装置（以下「単一光子放射撮影装置」という．）よる画像撮影を行う行為又は作業その他の診療用放射性同位元素を用いた診療に付随する一連の行為又は作業が行われる室であること．

(4)　規則第30条の8第3号の区画等の外側における放射線の量の測定に当たっては，1週間等の一定期間における積算線量を測定することが望ましいが，これが困難な場合には，使用実態を考慮し，通常の使用量による1時間当たりの線量率を測定し，1週間当たりの時間（40時間）を乗じて算出して差し支えないこと．

なお，単一光子放射撮影装置に装備する吸収補正用線源として診療用放射線照射装置又は診療用放射線照射器具を使用する場合における線量率の測定に当たっては，通常の使用状態における場所に吸収補正用線源が存在するものとして行うこと．

(5)　規則第30条の8第10号の規定は，準備室に設けられている洗浄設備について，診療用放射性同位元素又は放射性同位元素によって汚染された水等を安全に廃棄するために排水施設に連結すべきことであること．

(6)　規則第30条の8第11号の規定は，フード，グローブボックス等の装置の設置を義務付けたものではないが，これを設けた場合は排気設備に連結すべきであること．

(7)　診療用放射性同位元素の使用に当たっては，適宜，放射線測定器を用いた測定を通じて，診療用放射性同位元素又は放射性同位元素により汚染される物による使用室内（準備室を含む）の汚染状況を確認すること．

(8)　単一光子放射撮影装置を用いた撮影に関して，診療用放射性同位元素を人体に投与することなく人体を模した模型その他精度管理に適した模型等に注入し，当該装置の精度管理を行う場合は，次に掲げる点に留意すること．

ア　診療用放射性同位元素の模型への注入は準備室において行うこと．
イ　注入後の模型及び試験を行う単一光子放射撮影装置は，ポリエチレンろ紙等の診療用放射性同位元素が容易に浸透しない材質のもので養生すること．
ウ　模型の撮影時は，その旨を示す標識の設置等一般公衆が立ち入らないような措置を行うこと．
エ　試験終了後は，模型を取り扱った場所，単一光子放射撮影装置等に汚染がないことを確認すること．
オ　試験を実施する放射線診療従事者等は，グローブの装着等，適切な防護措置及び汚染防止措置を行うこと．
カ　アからオの実施状況を記録し保管すること．

7　陽電子断層撮影診療用放射性同位元素使用室（規則第30条の8の2）

(1)　規則第30条の8の2第2号において，陽電子断層撮影診療用放射性同位元素使用室を，陽電子準備室，陽電子断層撮影診療用放射性同位元素を用いて診療を行う室（以下「陽電子診療室」という．）及び陽電子断層撮影診療用放射性同位元素が投与された患者等が待機する室（以下「陽電子待機室」という．）に区画することとしているが，これら以外の用途の室を設けることを妨げるもので

はなく，病院又は診療所の機能に応じて，これら以外の用途の室を設けることは差し支えないこと．

⑵　規則第30条の8の2第2号に規定する陽電子準備室は，次に掲げる行為又は作業が行われる室とすること．ただし，サイクロトロン装置を設置した病院又は診療所において，放射性同位元素の精製及び放射性同位元素から陽電子断層撮影診療用放射性同位元素の合成が行われる室については，RI法の適用を受けることに伴い，同室がこれらの行為又は作業が行われるようなものとしている場合には，陽電子準備室を別に設置することを要しないこと．

ア　サイクロトロン装置等によって合成された陽電子断層撮影診療用放射性同位元素を小分け又は分注を行う等，陽電子断層撮影診療を受ける患者等に陽電子断層撮影診療用放射性同位元素を投与可能な状態にする行為又は作業．

イ　医薬品である陽電子断層撮影診療用放射性同位元素を小分け又は分注を行う等，陽電子断層撮影診療を受ける患者等に陽電子断層撮影診療用放射性同位元素を投与可能な状態にする行為又は作業．

ウ　その他，ア又はイに付随する一連の行為又は作業．

⑶　規則第30条の8の2第2号に規定する陽電子診療室は，次に掲げる行為又は作業が行われる室とすること．ただし，病院又は診療所の機能に応じて，これらの行為又は作業を複数の室において個々に行うものとすることは差し支えないこと．

なお，区分した1つの室に複数の陽電子放射断層撮影装置を設置することは認められないこと．

ア　陽電子準備室において調剤された陽電子断層撮影診療用放射性同位元素を陽電子断層撮影診療を受ける患者等に投与する行為．

イ　陽電子放射断層撮影装置を設置し，当該装置による画像撮影を行う行為又は作業．

ウ　その他，ア又はイに付随する一連の行為又は作業．

⑷　規則第30条の8の2第2号に規定する陽電子待機室とは，陽電子診療室において陽電子断層撮影診療用放射性同位元素が投与された患者等について，陽電子放射断層撮影装置による画像撮影を開始するまでの間，投与された当該陽電子断層撮影診療用放射性同位元素の種類及び数量に応じて，陽電子断層撮影診療用放射性同位元素が体内に分布するのに十分な時間待機させる室であること．

陽電子待機室を設置する目的は，放射線診療従事者，投与前の他の患者等が，陽電子断層撮影診療用放射性同位元素を投与された直後の患者等と至近距離において接する時間を可能な限り少なくし，放射線診療従事者，投与前の他の患者等の放射線被ばくを可能な限り少なくすることであること．

ただし，陽電子断層撮影診療に係る患者等の取扱い数が極めて少ない病院又は診療所においては，陽電子診療室において陽電子待機室を設けた場合と同等の機能を確保できる場合，陽電子待機室を設置することを要しないこと．

⑸　規則第30条の8の2第6号の規定の趣旨は，陽電子断層撮影診療用放射性同位元素が投与された患者等と放射線診療従事者とが，至近距離において接する時間を可能な限り少なくし，放射線診療従事者の放射線被ばくを可能な限り少なくすることであること．なお，この場合の操作とは，患者等を陽電子放射断層撮影装置に横たわらせる等を行った後の当該装置により撮影することであり，操作する場所とは，画壁等により陽電子放射断層撮影装置の存する室と区画された場所であること．

⑹　以上のほか，陽電子断層撮影診療用放射性同位元素使用室に係る構造設備基準及び遵守すべき事項については，規則第30条の8の診療用放射性同位元素使用室に係るものと同様とし，その際に留意すべき事項として6中の「診療用放射性同位元素」を「陽電子断層撮影診療用放射性同位元素」に，「単一光子放射撮影装置」を「陽電子放射断層撮影装置」と読み替えること．

8　貯蔵施設（規則第30条の9）

⑴　規則第30条の9第1号の規定は，貯蔵施設の基準として，貯蔵室又は貯蔵箱を設けることを定めたものであること．

⑵　規則第30条の9第2号の貯蔵施設の防護については，1週間当たりの実効線量によること．この場合の放射線の量の測定は，使用状態を考慮し，通常貯蔵する量において貯蔵施設の外側で行うこと．

⑶　規則第30条の9第6号及び第7号の規定は，貯蔵室又は貯蔵箱等に適用されるものであること．

⑷　規則第30条の9第8号に規定する，「次に定めるところに適合する貯蔵容器を備えること」とは，貯蔵施設として貯蔵室又は貯蔵箱を設けた場合の基準を定めたものであること．

この場合の1時間当たりの線量率は，使用状態を考慮し，通常貯蔵する量において測定すること．

⑸　規則第30条の9第8号ニに規定する「貯蔵する診療用放射線照射装置又は診療用放射線照射器具」とは，体内に挿入して治療を行うために用いられる診療用放射線照射装置若しくは診療用放射線照射器具又は吸収補正用線源として用いられる診療用放射線照射装置若しくは診療用放射線照射器具を貯蔵する場合を指すこと．

9　運搬容器（規則第30条の10）

運搬容器の構造の基準として，「診療用放射線照射装置，診療用放射線照射器具，診療用放射性同位元素又は陽電子断層撮影診療用放射性同位元素を運搬する場合」とあるのは，診療用放射性同位元素，陽電子断層撮影診療用放射性同位元素，体内に挿入して治療を行うために用いられる診療用放射線照射装置若しくは診療用放射線照射器具又は吸収補正用線源として用いられる診療用放射線照射装置若しくは診療用放射線照射器具を病院又は診療所内で運搬する場合に適用されること．

10　廃棄施設（規則第30条の11）

⑴　規則第30条の11第1項第1号の廃棄施設の防護については，1週間当たりの実効線量限度によること．この場合の放射線の量の測定は，通常の使用状態において廃棄施設の外側で行うこと．

また，排液処理槽，保管廃棄設備等の継続的に放射線を放出するものについては，その防護について留意されたい．

⑵　患者の排泄物及び汚染物を洗浄した水等については，その放射性同位元素の濃度が別表第3又は別表第4に定める濃度を超える場合は本条の適用を受けるものであり，排水設備により廃棄することとされたい．

なお，診療用放射性同位元素又は陽電子断層撮影診療用放射性同位元素を投与された患者に伴う固体状の汚染物については，適切な放射線測定器を用いて測定することにより，放射線管理に関する適切な取り扱いを行うこと．

⑶　規則第30条の11第1項第2号イ及び同項第3号イの規定に基づき，排水監視設備又は排気監視設備を設けて排水中又は排気中の放射性同位元素の濃度を監視すること．

また，これらの濃度を限度値以下とする能力を有する排水設備又は排気設備を廃棄施設とすること．

なお，排水監視設備及び排気監視設備において測定された濃度は，第30条の23の規定により記載し，帳簿を保存することとされたいこと．

⑷　規則第30条の11第1項第6号の規定は，厚生労働大臣の定める種類ごとにその一日最大使用数量が厚生労働大臣の定める数量以下である陽電子断層撮影診療用放射性同位元素（10において同じ）又は陽電子断層撮影診療用放射性同位元素によって汚染された物（以下「陽電子断層撮影診療用放射性同位元素等」という．）に関して，RI法施行規則に定める陽電子断層撮影用放射性同位元素の廃棄の基準と同様であるものとして，次に掲げる取扱いを認めるものであること．

ア　医療法施行規則第三十条の十一第一項第六号の規定に基づき厚生労働大臣の定める陽電子断層撮影診療用放射性同位元素の種類及び数量並びに陽電子断層撮影診療用放射性同位元素同位元素の原子の数が一を下回ることが確実な期間（平成16年厚生労働省告示第306号．以下10において「種類及び数量等告示」という．）第1条に規定する厚生労働大臣が定める種類と数量の範囲に係る，陽電子断層撮影診療用放射性同位元素等のみを管理区域内の廃棄施設内で保管管理する場合には，保管廃棄設備に関する技術的基準を課さないこと．ただし，この場合においても，規則第30条の11第1項等に規定される廃棄施設としての構造設備の基準は適用されることに留意すること．

イ　アにより保管管理する陽電子断層撮影診療用放射性同位元素等は，他の物の混入を防止し，又は付着しないように封及び表示をし，種類及び数量等告示第2条に規定するところにより7日を超えて管理区域内の廃棄施設内で保管すれば，陽電子断層撮影診療用放射性同位元素等とせず，管理区域から持ち出すことを可能とすること．

⑸　規則第30条の11第2項の規定は，第1項第2号イ及び同項第3号イに規定する能力を有する排水設備又は排気設備を設けることが著しく困難な場合において，病院又は診療所の境界における実効線量を1年間につき1ミリシーベルト以下とする能力を当該排水設備又は排気設備が有することにつき厚生労働大臣の承認を受けた場合は同項第2号イ及び同項第3号イの規定を適用しないこととされるものであるが，承認は厚生労働大臣が個別に行うものであるので，病院又は診療所の開設許可申請又は施設設備の使用許可申請に当たり，本項の規定に該当する排水設備又は排気設備がある場合に

は，許可申請者に対して，あらかじめ厚生労働大臣から当該能力の承認を受けることとされたいこと．

(6) 規則第30条の11第4項の規定により陽電子断層撮影診療用放射性同位元素の保管廃棄を行う病院又は診療所については，規則第28条第4号に係る届出を行う際，その旨を併せて届け出る必要があり，また，保管廃棄の方法を変更する場合にはその旨を改めて届け出る必要があること．

なお，病院又は診療所に設置したサイクロトロン装置等により作成された陽電子断層撮影診療用放射性同位元素に係るこれらの届出に際しては，届出の際に，当該廃棄方法に係るRI法上の申請書及び許可証の写しが必要であること．

11　放射線治療病室（規則第30条の12）

(1) 「治療を受けている」とは，診療用放射線照射装置若しくは診療用放射線照射器具の体内への挿入又は診療用放射性同位元素若しくは陽電子断層撮影診療用放射性同位元素の投与により治療を受けている患者（以下「放射線治療を受けている患者」という．）であって，放射線治療を受けている患者以外の患者の被ばく線量が3月間につき1.3ミリシーベルトを超えるおそれがある場合をいうこと．また，放射線治療病室は，あくまで放射線治療を受けている患者を入院させる室であり，外来診療のみの患者等を治療する室については同条の適用を受けないこと．

なお，診療用放射線照射装置及び診療用放射線照射器具の使用に当たっては，RI法の適用を受けることに留意されたい．

(2) 規則第30条の12第1号の画壁等の防護については，使用実態を考慮し，通常の診療に用いる放射能の量において，患者の数及び患者の病床から画壁までの距離を考慮して測定すること．

なお，同号ただし書きにより放射線治療病室相互の画壁等については，本号に規定するしゃへいを必要とされないこととされているが，この場合にあっても隣室の患者が不必要に被ばくすることがないよう適切な防護措置を講ずること．

また，2人以上を入院させる病室についても，各患者の間に適切なしゃへい物を設けること又は適当な距離をとること等を通じて患者が不必要に被ばくすることがないよう留意すること．

(3) 規則第30条の12第3号の規定は，診療用放射性同位元素又は陽電子断層撮影診療用放射性同位元素により治療を受けている患者を入院させる放射線治療病室における当該患者の嘔吐物，排せつ物等による放射性同位元素による汚染の除去を容易にするために設けられたものであること．

(4) 規則第30条の12第3号ただし書きは，診療用放射線照射装置又は診療用放射線照射器具で治療されている患者のみを入院させる放射線治療病室にあっては，放射性同位元素により汚染されるおそれがないため，規則第30条の8第8号の適用を除外するものであること．なお，体内に挿入して治療を行うために用いられる診療用放射線照射装置又は診療用放射線照射器具の放置等の発見を容易にするための措置として，当該診療用放射線照射装置又は診療用放射線照射器具で治療されている患者のみを入院させる放射線治療病室であっても，内部の壁，床等について，規則第30条の8第6号及び同条第7号の規定を適用すること．

第4　管理義務に関する事項

1　使用の場所等の制限（規則第30条の14）

(1) エックス線診療室，診療用高エネルギー放射線発生装置使用室，診療用粒子線照射装置使用室，診療用放射線照射装置使用室，診療用放射線照射器具使用室，診療用放射性同位元素使用室及び陽電子断層撮影診療用放射性同位元素使用室における一般的な管理義務について

ア　エックス線装置，診療用高エネルギー放射線発生装置，診療用粒子線照射装置，診療用放射線照射装置，診療用放射線照射器具，診療用放射性同位元素及び陽電子断層撮影診療用放射性同位元素（以下「放射線診療装置等」という．）は，原則として，それぞれ，エックス線診療室，診療用高エネルギー放射線発生装置使用室，診療用粒子線照射装置使用室，診療用放射線照射装置使用室，診療用放射線照射器具使用室，診療用放射性同位元素使用室及び陽電子断層撮影診療用放射性同位元素使用室（以下「放射線診療室」という．）において使用するものであるが，(3)から(12)までに掲げる場合にあっては，その限りでないこと．

イ　放射線診療室においては，同時に2人以上の患者の診療を行うことは認められないこと．また，放射線診療室において複数の放射線診療装置等を備える場合であっても同時に2人以上の患者の診療を行うことは原則として認められないが，診療用放射性同位元素を投与された患者の診療又は(8)に掲げる場合にあっては，その限りでないこと．

ウ　放射線診療室において，放射線診療と無関係な機器を設置し，放射線診療に関係のない診療を行うこと，当該放射線診療室の診療と無関係な放射線診療装置等の操作する場所を設けること及び放射線診療室を一般の機器又は物品の保管場所として使用することは認められないこと．ただし，次に掲げる場合にあっては，その限りでないこと．

(ア) 放射線診療に必要な患者監視装置，超音波診断装置又はその他の医療工学機器等を放射線診療室に備える場合．

(イ) 診療用高エネルギー放射線発生装置使用室にRI法の許可を受けた放射化物保管設備又は放射化物のみを保管廃棄する保管廃棄設備を備える場合．

ただし，この場合においては，規則第25条第4号の規定に関し，診療用高エネルギー放射線発生装置使用室の放射線障害の防止に関する構造設備及び予防措置の概要として，当該放射化物保管設備又は放射化物のみを保管廃棄する保管廃棄設備を備える旨を記載し，規則第29条第2項の規定により，あらかじめ病院又は診療所の所在地の都道府県知事等に届出を行う必要があること．

(ウ) 陽電子断層撮影診療用放射性同位元素使用室に陽電子放射断層撮影装置に磁気共鳴画像診断装置（以下「MRI」という．）が付加され一体となったもの（以下「陽電子—MRI複合装置」という．）を備え，陽電子断層撮影画像との重ね合わせを目的としてMRIによる撮影を行う場合又は陽電子断層撮画像との重ね合わせを目的としないMRIによる撮影（以下「MRI単独撮影」という．）を行う場合．

ただし，この場合においては，当該陽電子断層撮影診療用放射性同位元素使用室の室内には陽電子—MRI複合装置を操作する場所を設けないこと．

また，第1の5の(3)のイの(イ)の陽電子断層撮影診療に関する安全管理の責任者たる医師又は歯科医師がMRI単独撮影を含む陽電子断層撮影診療用放射性同位元素使用室における安全管理の責任者となり，また，第1の5の(3)のアの(ア)の診療放射線技師がMRI単独撮影を含む陽電子断層撮影診療用放射性同位元素使用室における安全管理に専ら従事することによって，MRI単独撮影を受ける患者等が，陽電子断層撮影診療用放射性同位元素による不必要な被ばくを受けることのないよう，適切な放射線防護の体制を確立すること．

その他陽電子断層撮影診療用放射性同位元素使用室に陽電子—MRI複合装置を備えた場合の安全確保及び放射線防護については，関係学会等の作成したガイドラインを参考にすること．

エ　歯科診療を行うチェアが1台で同時に2人以上の患者の診療を行わない構造の室においては，第3の1の(5)が適用されること．

(2) エックス線診療室における複数のエックス線装置の使用について

同一エックス線診療室において2台以上のエックス線装置を使用する場合には，次に掲げる点について留意すること．

ア　エックス線診療室に2台以上のエックス線装置を備えたときは，規則第24条の2の規定に基づく届出を，エックス線装置ごとに設置から10日以内に行う必要があること．

この場合において，規則第24条の2第4号に規定する「エックス線装置及びエックス線診療室のエックス線障害の防止に関する構造設備及び予防措置の概要」として，各エックス線装置の使用の条件等を具体的に記載する必要があること．また，この使用の条件下で，当該エックス線診療室は放射線障害の防止に関する構造設備の基準を満たす必要があること．

イ　エックス線診療室において2台以上のエックス線装置を備えた場合であっても，複数のエックス線装置から患者に対して同時にエックス線照射を行うことは認められないこと．

ウ　イの場合にあっては，2台以上のエックス線装置からの同時照射を防止するための装置を設けること．

エ　可動壁で隔てられた2つの室にそれぞれエックス線装置を設置し，それぞれの室で異なる患者の診療を行い，必要に応じて可動壁を開放し1つの室のエックス線装置を他の室に移動させ同一室において2台以上のエックス線装置を使用する場合にあっては，アからウにおける構造設備の基準等を満た

すとともに，次の(ア)から(ウ)に掲げる点に留意すること．

(ア)　エックス線装置を設置した 2 つの室をそれぞれ独立したエックス線診療室とし，それぞれの室について規則第 30 条の 4 の規定に基づく構造設備の基準を満たす必要があること．

(イ)　エックス線装置の使用中は 2 つの室を隔てた可動壁を開放できない構造とすること．

(ウ)　それぞれの室にはいずれの室のエックス線装置を操作する場所も設けないこと．

(3)　エックス線装置を特別の理由により移動して使用することについて

エックス線装置の使用について，「特別の理由により移動して使用する場合」とは，次のアからウに掲げる場合に限定されること．

この場合における「適切な防護措置」として，アからウに掲げる条件を遵守するとともに，当該エックス線装置は，鍵のかかる保管場所等を設けて適切に保管し，キースイッチ等の管理を適切に行うこと．

なお，移動型エックス線装置のうち，移動型透視用エックス線装置，携帯型透視用エックス線装置又は移動型 CT エックス線装置を放射線診療室において使用する場合は，据置型透視用エックス線装置又は据置型 CT エックス線装置と同様の扱いとすること．すなわち，エックス線診療室で使用する場合については(2)，エックス線診療室以外の放射線診療室で使用する場合については(4)に定める構造設備の基準及び特別な防護措置を満たし，必要な届出を行うこと．

また，ウの条件における移動型 CT エックス線装置の操作は，原則として室外から行うこととし，撮影の際には，診療上やむを得ない場合を除き，患者以外の者（当該装置を操作する者のみならず，麻酔，手術，介助を行う者等を含む．）は室外に退出すること．ただし，診療上やむを得ず室外に退出できない場合にあっては，防護衝立の使用，必要に応じた防護衣を着用等により，放射線診療従事者等の被ばく線量の低減に努めること．

なお，在宅医療においてエックス線撮影を行う場合にあっては，「在宅医療におけるエックス線撮影装置の安全な使用について」（平成 10 年 6 月 30 日付け医薬安第 69 号厚生省医薬安全局安全対策課長通知）を，災害時の救護所等においてエックス線撮影を行う場合にあっては，「災害時の救護所等におけるエックス線撮影装置の安全な使用について」（平成 21 年 1 月 7 日付け医政指発第 0107003 号厚生労働省医政局指導課長通知）をそれぞれ参照されたい．

ア　移動困難な患者に対して使用するために，移動型透視用エックス線装置，携帯型透視用エックス線装置及び移動型 CT エックス線装置を除く移動型エックス線装置又は携帯型エックス線装置を移動して使用する場合．

この場合においては，必要に応じて一時的に管理区域を設け，規則第 30 条の 16 に定める管理区域の基準を満たし，管理区域の設定に係る記録を行うこと．

イ　口内法撮影用エックス線装置を臨時に移動して使用する場合．

この場合においては，必要に応じて一時的に管理区域を設け，規則第 30 条の 16 に定める管理区域の基準を満たし，管理区域の設定に係る記録を行うこと．

ウ　手術中の病変部位の位置確認や手術直後に結果の確認等を行うため，手術中又は手術直後にエックス線診療室ではない手術室に移動型透視用エックス線装置，携帯型透視用エックス線装置又は移動型 CT エックス線装置を移動して使用する場合．

この場合においては，当該エックス線装置の使用状況によっては高線量となるおそれがあるため，一時的に管理区域を設け，規則第 30 条の 16 に定める管理区域の基準を満たし，管理区域の設定に係る記録を行うこと．

(4)　エックス線装置を特別の理由によりエックス線診療室を除く放射線診療室において使用することについて

エックス線装置を「特別の理由により診療用高エネルギー放射線発生装置使用室，診療用粒子線照射装置使用室，診療用放射線照射装置使用室，診療用放射線照射器具使用室，診療用放射性同位元素使用室若しくは陽電子断層撮影診療用放射性同位元素使用室において使用する場合」とは，当該放射線診療室に備えられたエックス線装置を除く放射線診療装置等による診療の補助等が目的であること．

ただし，核医学画像を得ることを目的とせず CT 撮影画像のみを得るために，CT エックス線装置と単一光子放射撮影装置が一体となったもの又は CT エックス線装置と陽電子放射断層撮影装置が一体となったものによるエックス線撮影を行うことは，従前通り認められるものであること．

なお，同時に 2 人以上の患者の診療を行うことは認められないこと．

この場合における「適切な防護措置」として，当該放射線診療室は，室に備えられたエックス線装置以外の放射線診療装置等とエックス線装置を同時に使用するものとして，この同時使用の条件下での放射線障害の防止に関する構造設備の基準を満たしている必要があること．また，規則第 25 条第 4 号，第 25 条の 2 の規定に基づき準用する第 25 条第 4 号，第 26 条第 3 号，第 27 条第 1 項第 3 号又は第 28 条第 1 項第 4 号の規定に関して，当該放射線診療室の放射線障害の防止に関する構造設備及び予防措置として，当該エックス線装置を使用する旨を記載する必要があること．これに伴い，既存の放射線診療室における予防措置の概要を変更しようとする場合は，規則第 29 条第 2 項により，あらかじめ病院又は診療所の所在地の都道府県知事に当該事項の届出を行う必要があること．

(5)　診療用高エネルギー放射線発生装置を手術室において使用することについて

診療用高エネルギー放射線発生装置を「特別の理由により移動して手術室で使用する場合」とは，手術室で開創した状態の患部に手術中の照射を行う必要がある場合に限定されること．

また，手術室において，診療用高エネルギー放射線発生装置を使用する際，規則第 25 条の規定に基づき，あらかじめ病院又は診療所の所在地の都道府県知事に届出を行う必要があること．

なお，診療用高エネルギー放射線発生装置については，RI 法の適用を受けるものであり，RI 法の規定を遵守しなければならないこと．

また，「適切な防護措置」の内容は，概ね次に掲げるとおりであること．

ア　当該手術室で診療用高エネルギー放射線発生装置を使用する際，規則第 30 条の 2 及び第 30 条の 5 の基準が満たされていること．

イ　当該手術室の目に付きやすい場所に，放射線障害の防止に必要な注意事項を掲示すること．

ウ　診療用高エネルギー放射線発生装置を使用する際には，当該手術室に管理区域を設け，規則第 30 条の 16 に定める管理区域の基準を満たし，管理区域の設定に係る記録を行うこと．

エ　診療用高エネルギー放射線発生装置を当該手術室の室外から遠隔操作により動作させることとし，当該手術室の室外から患者の状態等を監視することができる装置を設けること．

オ　当該手術室内に照射を予告する表示灯やブザーの設置及び異常時に放射線の照射を停止する非常ボタン等を設けること．

カ　当該手術室における診療用高エネルギー放射線発生装置の取扱い及び管理等について，放射線防護に関する専門知識を有する医師，歯科医師又は診療放射線技師等を管理責任者として選任すること．また，当該発生装置の管理体制を明確にする組織図を作成すること．

キ　当該発生装置は，鍵のかかる保管場所等を設けて適切に保管し，キースイッチ等の管理を適切に行うこと．

ク　保管場所から当該発生装置を移動させる途中の安全を確保するとともに，装置モニタリングを含む装置の校正，整備及び保守点検を行うこと．

ケ　当該発生装置の保管場所については，当該装置の漏えい線量が規則第 30 条の 26 第 3 項第 1 号に規定する外部放射線に係る線量限度を超えるおそれがある場合には，規則第 30 条の 16 に規定する管理区域を設けて保管すること．

コ　当該発生装置の電源の形状の特定化を行う等により，当該手術室でのみ電源の供給ができる構造のものとすること．

(6)　診療用放射線照射装置又は診療用放射線照射器具をエックス線診療室において使用することについて

診療用放射線照射装置又は診療用放射線照射器具の使用に関して，「特別の理由によりエックス線診療室で使用する場合」とは，診療用放射線照射装置又は診療用放射線照射器具を患者の体内に挿入する際，挿入部位の位置確認のため，エックス線装置と組み合わせて使用する必要がある場合に限定されること．

この場合において，当該エックス線診療室は，エックス線装置と診療用放射線照射装置又は診療用放射線照射器具の同時使用の条件下での放射線障害の防止に関する構造設備の基準を満たしている必要があること．なお，この場合であっても，RI 法の適用を受けるものであることに留意されたい．

また，規則第 24 条の 2 第 4 号の規定に関して，エックス線診療室の放射線障害の防止に関する構造設備及び予防措置として，当該診療用放射線照射装置又は診療用放射線照射器具を使用する旨を記載する必要があること．これに伴い，規則第24条の2又は第29条第1項により，10日以内に当該事項の届出を行う必要があること．

なお，この場合において，エックス線診療室に診療用放射線照射装置又は診療用放射線照射器具を備えようとするときは，規則第26条又は第27条によりあらかじめ届出を行う必要もあるため，規則第24条の2又は第29条第1項による届出はあらかじめこれと同時に行って差し支えないこと．

また，「適切な防護措置」の内容は，概ね次に掲げるとおりであること．

ア　診療用放射線照射装置の使用核種は，リン-32，イットリウム-90及びストロンチウム-90/イットリウム-90に限られること．

イ　診療用放射線照射装置又は診療用放射線照射器具を体内に挿入して治療を行う場合であって，当該放射線治療を受けている患者以外の患者の被ばく線量が3月間につき1.3ミリシーベルトを超えるおそれがある場合には，放射線治療病室を有していること．

ウ　エックス線に対する放射線防護のほか，診療用放射線照射装置又は診療用放射線照射器具による放射線診療従事者等の被ばく線量の低減を図るため，適切な防護措置を講ずること．

エ　診療用放射線照射装置又は診療用放射線照射器具の紛失等の発見を容易にするため，当該診療用放射線照射装置又は当該診療用放射線照射器具を使用するエックス線診療室の床等は，突起物，くぼみ及び仕上げ材の目地等のすき間の少ないものとすること．

オ　診療用放射線照射装置又は診療用放射線照射器具の使用後において，放射線測定器により使用場所等の線量を測定することにより，当該診療用放射線照射装置又は当該診療用放射線照射器具の紛失や放置されていないことを確認すること．

カ　当該診療用放射線照射装置又は当該診療用放射線照射器具を貯蔵する施設の構造設備の基準は，規則第30条の9の規定に従うものとすること．

キ　当該診療用放射線照射装置又は当該診療用放射線照射器具を運搬する容器の構造の基準は，規則第30条の10の規定に従うものとすること．

ク　エックス線診療室における診療用放射線照射装置又は診療用放射線照射器具を使用する場合の取扱い及び管理等に関し，放射線防護に関する専門知識を有する医師，歯科医師又は診療放射線技師等の中から管理責任者を選任すること．また，当該診療用放射線照射装置又は当該診療用放射線照射器具の管理体制を明確にする組織図を作成すること．

(7)　診療用放射線照射器具を診療用放射線照射装置使用室において使用することについて

診療用放射線照射器具の使用に関して，「特別の理由により診療用放射線照射装置使用室で使用する場合」とは，診療用放射線照射器具である密封線源の永久挿入による組織内照射治療を，医療資源の活用のためやむを得ず診療用放射線照射装置使用室で使用する場合に限られること．

この場合における診療用放射線照射器具は，人体内に永久的に挿入する目的のものであって，ヨウ素125又は金198を装備しているものに限られること．また，この場合における当該診療用放射線照射装置使用室は，遠隔操作式後充填法（以下「RALS」という．）を用いることを目的としている室に限られるとともに，当該診療用放射線照射器具を使用する条件での放射線障害の防止に関する構造設備の基準を満たしている必要があること．

また，規則第26条第1項第3号の規定に関して，診療用放射線照射装置使用室の放射線障害の防止に関する構造設備及び予防措置として，当該診療用放射線照射器具を使用する旨を記載する必要があること．これに伴い，規則第26条又は第29条第2項により，あらかじめ当該事項の届出を行う必要があること．

なお，「適切な防護措置」の内容は，概ね次に掲げるとおりであること．

ア　当該診療用放射線照射装置使用室に備えている診療用放射線照射装置について，アプリケータと接続し，かつ，チャンネルを合わせないと線源が利用できない等，十分な安全保持機構が備わっているものに限られること．

イ　同時に診療用放射線照射装置と診療用放射線照射器具を使用することは認められないこと．また，同時に2人以上の患者の診療を行うことは認められないこと．

ウ　診療用放射線照射器具で治療を行う際には，診療用放射線照射装置と患者及び放射線診療従事者の間に適切なしゃへい物を設け，適当な距離を取る等，放射線に対する適切な防護措置を講じて，患者や放射線診療従事者等の被ばく線量をできるだけ小さくすること．

エ　内部の壁，床その他診療用放射線照射器具が入り込むおそれのある部分は，突起物，くぼみ及び仕上げ材の目地等のすきまの少ないものとすること．排水口など診療用放射線照射器具が紛失するおそれのある構造物がある場合は，シートで覆う等適切な紛失防止措置を講ずること．

オ　室内に容易に動かせない機器等がある場合は，診療用放射線照射器具が入り込まないよう目張りを行い，すきまの無いようにすること．

カ　診療用放射線照射器具の取扱場所の線量率を十分に下げ，脱落した診療用放射線照射器具が容易に検索できる手段を確保すること．その手段を確保できない部分がやむを得ず生じる場合には，診療用放射線照射器具が紛失しないよう，作業範囲をシートで覆い，必要に応じてバットを使用する等，定まった区域に閉じこめられるよう措置すること．

キ　診療用放射線照射器具の使用後は，放射線測定器により使用機材，シートや使用場所等の線量を測定することにより，診療用放射線照射器具の紛失や放置がないことを確認すること．測定に際して，適切な放射線測定器（特にヨウ素125についてはヨウ素125用シンチレーション式サーベイメータ等）を用い，また，保管簿の記帳等により当該診療用放射線照射器具の数量の確認及び記載を確実に行うこと．

ク　診療用放射線照射装置使用室において診療用放射線照射器具を使用する場合に関し，放射線防護に関する専門知識を有する医師，歯科医師又は診療放射線技師等の中から管理責任者を選任すること．また，当該診療用放射線照射器具の管理体制を明確にする組織図を作成すること．

(8)　診療用放射線照射装置又は診療用放射線照射器具を診療用放射性同位元素使用室又は陽電子断層撮影診療用放射性同位元素使用室において使用することについて

診療用放射線照射装置又は診療用放射線照射器具の使用に関して，「特別の理由により診療用放射性同位元素使用室又は陽電子断層撮影診療用放射性同位元素使用室で使用する場合」とは，診療用放射性同位元素を投与した患者の画像診断の精度を高めるため，診療用放射線照射装置又は診療用放射線照射器具を核医学撮像装置の吸収補正用線源として使用する場合に限定されること．

この場合において，当該診療用放射性同位元素使用室又は陽電子断層撮影診療用放射性同位元素使用室は，診療用放射性同位元素又は陽電子断層撮影診療用放射性同位元素と診療用放射線照射装置又は診療用放射線照射器具の同時使用の条件下での放射線障害の防止に関する構造設備の基準を満たしている必要があること．なお，この場合であっても，RI法の適用を受けるものであることに留意されたい．

また，規則第28条第1項第4号の規定に関して，診療用放射性同位元素使用室又は陽電子断層撮影診療用放射性同位元素使用室の放射線障害の防止に関する構造設備及び予防措置として，当該診療用放射線照射装置又は診療用放射線照射器具を使用する旨を記載する必要があること．これに伴い，規則第28条又は第29条第2項により，あらかじめ当該事項の届出を行う必要があること．

なお，この場合において，診療用放射性同位元素使用室又は陽電子断層撮影診療用放射性同位元素使用室に診療用放射線照射装置又は診療用放射線照射器具を備えようとするときは，規則第26条又は第27条によりあらかじめ届出を行う必要もあること．

また，「適切な防護措置」の内容は，概ね次に掲げるとおりであること．

ア　診療用放射性同位元素又は陽電子断層撮影診療用放射性同位元素による防護措置及び汚染防止措置のほか，診療用放射線照射装置又は診療用放射線照射器具による他の患者及び放射線診療従事者等の被ばく線量を低減するため，防護衝立，防護スクリーン等のしゃへい物を設ける等，放射線に対する適切な防護措置を講ずること．

イ　当該診療用放射線照射装置又は当該診療用放射線照射器具を貯蔵する施設の構造設備の基準は，規則第30条の9の規定に従うこと．

ウ　当該診療用放射線照射装置又は診療用放射線照射器具を運搬する容器の構造基準は，規則第30条の10の規定に従うこと．

エ　診療用放射線照射装置又は診療用放射線照射器具の使用

後，放射線測定器により使用場所を測定するとともに数量を確認し，紛失や放置がないことを確認すること．

オ　診療用放射性同位元素使用室又は陽電子断層撮影診療用放射性同位元素使用室において吸収補正用線源として診療用放射線照射装置又は診療用放射線照射器具を使用する場合に関し，放射線防護に関する専門知識を有する医師，歯科医師又は診療放射線技師等の中から管理責任者を選任すること．また，当該診療用放射線照射装置又は当該診療用放射線照射器具の管理体制を明確にする組織図を作成すること．

(9)　診療用放射線照射器具を手術室，集中強化治療室又は心疾患強化治療室において一時的に使用することについて

診療用放射線照射器具を「手術室において一時的に使用する」又は「集中強化治療室若しくは心疾患強化治療室において一時的に使用する」とは，手術室，集中強化治療室又は心疾患強化治療室（以下「手術室等」という.）における医学的な管理の必要がある患者に対して，体内に挿入することにより用いられる診療用放射線照射器具の一時的な使用が必要かつやむを得ない場合に限定され，手術室等において管理する必要のない患者に対して使用することは認められないこと．

また，概ね次に掲げる適切な防護措置を講ずる必要があること．

ア　診療用放射線照射器具使用室を有していること．

イ　診療用放射線照射器具により放射線治療を受けている患者以外の患者の被ばく線量が3月間につき1.3ミリシーベルトを超えるおそれがある場合には，放射線治療病室を有すること．

ウ　診療用放射線照射器具を貯蔵する施設の構造設備の基準は，規則第30条の9の規定に従うこと．

エ　診療用放射線照射器具を運搬する容器の構造基準は，規則第30条の10の規定に従うこと．

オ　診療用放射線照射器具の使用後において，放射線測定器により使用場所を測定するとともに，診療用放射線照射器具の数量を確認し，紛失や放置がないことを確認すること．また，測定結果は記録すること．

カ　手術室等において診療用放射線照射器具を使用する場合は，放射線防護に関する専門知識を有する医師，歯科医師又は診療放射線技師等の中から管理責任者を選任すること．また，手術室等における管理体制を明確にする組織図を作成すること．

(10)　放射性同位元素装備診療機器を規則第30条の7の2に定める構造設備の基準に適合する室において使用することについて

放射性同位元素装備診療機器については，従前のとおり，規則第27条の2の規定に基づく放射性同位元素装備診療機器の基準及び規則第30条の7の2に定める当該放射性同位元素装備診療機器使用室の構造設備の基準に適合している場合並びに規則第30条の26第3項に定める基準以下である場合，専用の放射性同位元素装備診療機器使用室を設置しなくても使用することが認められること．

(11)　診療用放射性同位元素を手術室等において一時的に使用することについて

診療用放射性同位元素を手術室において一時的に使用する又は「集中強化治療室若しくは心疾患強化治療室において一時的に使用する」とは，手術室等における医学的な管理が必要とされる患者に対して，診療用放射性同位元素の一時的な使用が必要かつやむを得ない場合に限定され，手術室等において管理する必要のない患者に対して使用することは認められないこと．

また，概ね次に掲げる適切な防護措置及び汚染防止措置を講ずる必要があること．

ア　使用時は，汚染検査に必要な放射線測定器を備え，使用後は，スミア法等の適切な方法を用いて，汚染の有無を確認すること．また，測定結果は記録すること．

イ　使用時は，汚染除去に必要な器材及び薬剤を備えること．また，測定により汚染が確認された場合は，汚染除去等を行うこと．

ウ　手術室等で診療用放射性同位元素により汚染されるおそれのある場所の壁，床面は，気体及び液体が浸透しにくく，平滑で腐食しにくい構造であること．

エ　他の患者が被ばくする放射線の線量が1週間につき100マイクロシーベルト以下になるような措置を講ずること．

オ　診療用放射性同位元素使用室を有すること．また，使用する診療用放射性同位元素の準備及び使用後の汚染物の処理は，診療用放射性同位元素使用室で行うこと．

カ　手術室等において診療用放射性同位元素を使用する場合，放射線防護に関する専門知識を有する医師，歯科医師又は診療放射線技師等の中から管理責任者を選任すること．また，手術室等における管理体制を明確にする組織図を作成すること．

(12)　診療用放射性同位元素を陽電子断層撮影診療用放射性同位元素使用室において使用することについて

診療用放射性同位元素の使用に関して，「特別の理由により陽電子断層撮影診療用放射性同位元素使用室で使用する場合」とは，次のアからウに掲げる場合に限定されること．

なお，この場合における「適切な防護措置及び汚染防止措置」として，イからウに掲げる条件を遵守するとともに，陽電子断層撮影診療用放射性同位元素使用室に診療用放射性同位元素を備えようとするときは，規則第28条又は第29条第2項によりあらかじめ届出を行う必要があること．この場合において，規則第28条第1項第2号の規定に関して，その年に使用を予定する診療用放射性同位元素の種類，形状及び数量を，規則第28条第1第4号の規定に関して，陽電子断層撮影診療用放射性同位元素使用室の放射線障害の防止に関する構造設備及び予防措置として，当該診療用放射性同位元素を使用する旨を記載すること．

ア　第3の7の(2)のイの機能を持つ陽電子準備室において，診療用放射性同位元素について第3の6の(2)に規定する診療用放射性同位元素使用室の準備室で行うべき行為又は作業を行う場合．

イ　第3の7の(3)のアの機能を持つ陽電子診療室において，診療用放射性同位元素による診療を受ける患者等に当該診療用放射性同位元素を投与する場合．

なお，この場合においても，同時に2人以上の患者の診療を行うことは認められないこと．

ウ　陽電子放射断層撮影装置に診療用放射性同位元素を投与された患者等の撮影を行う装置が付加され一体となったもの（以下「陽電子―SPECT複合装置」という.）を陽電子診療室に設置し，当該陽電子―SPECT複合装置を用いて診療を行うために陽電子診療室において診療用放射性同位元素を使用する場合．ただし，この場合において，第1の5の(3)のイの(イ)の陽電子断層撮影診療に関する安全管理の責任者たる医師又は歯科医師が陽電子断層撮影診療用放射性同位元素使用室における安全管理の責任者となり，また，第1の5の(3)のアの(ア)の診療放射線技師が陽電子断層撮影診療用放射性同位元素使用室における安全管理に専ら従事することによって，診療用放射性同位元素によって核医学検査を受ける患者等が，陽電子断層撮影診療用放射性同位元素による不必要な被ばくを受けることのないよう，適切な放射線防護の体制を確立すること．

なお，この場合であっても，第3の7の(3)は適用されるため，区分した一つの陽電子診療室に複数の陽電子―SPECT装置を設置することは認められないことに留意すること．

2　診療用放射性同位元素等の廃棄の委託（規則第30条の14の2）

規則第30条の14の2第1項に基づく廃棄物詰替施設，廃棄物貯蔵施設及び廃棄施設の位置，構造及び設備に係る技術上の基準は，規則第30条の14の3に規定していること．

3　患者の入院制限（規則第30条の15）

(1)　規則第30条の15第1項における「治療を受けている患者」とは，第3の11の(1)に示す「放射線治療を受けている患者」を指すものであること．

(2)　規則第30条の15第1項の趣旨は，放射線治療を受けている患者を診療する放射線診療従事者等における規則第30条の18の規定，放射線治療を受けている患者以外の患者における規則第30条の19の規定及び当該放射線治療を受けている患者における規則第30条の20第2項第2号の規定を遵守することであること．

(3)　規則第30条の15第1項ただし書き中「適切な防護措置及び汚染防止措置」の内容は，概ね次に掲げるとおりであること．

ア　放射線治療病室から一般病室等に退出させる場合には，他の患者が被ばくする実効線量が3月間につき1.3ミリシーベルト以下であること．

なお，診療用放射性同位元素を投与された患者の退出に係る取扱いは「放射性医薬品を投与された患者の退出について」（平成10年6月30日付け医薬安発第70号厚生省医薬安全局安全対策課長通知．以下「医薬品退出基準」という.）を，診療用放射線照射器具を永久的に挿入された患者の退出に係る取扱いは「診療用放射線照射器具を永久的に挿入された患者の退出及び挿入後の線源の取扱いについて」（平成30年7月10日付け医政地発0710第1号厚生労働省医政局地域医療計画課長通知．以下「照射器具退出基準」という.）を

それぞれ参照し，患者及び介護者等への指導並びに退出の記録について徹底すること．

なお，規則第24条第8号の2で準用する同条第8号ハ及びニに該当する診療用放射性同位元素を投与された患者の退出に係る取扱いについては，医薬品退出基準及び「放射性医薬品を投与された患者の退出について」（平成10年6月30日付け厚生省医薬安全局安全対策課事務連絡）における退出基準算定に関する資料を参考とすること．

イ　診療用放射線照射装置又は診療用放射線照射器具を体内に挿入して治療を受けている患者から，当該診療用放射線照射装置又は当該診療用放射線照射器具が脱落した場合等に伴う適切な措置を講ずること．

なお，診療用放射線照射器具の脱落に係る取扱いは，照射器具退出基準を参照すること．

ウ　陽電子断層撮影診療用放射性同位元素が投与された患者等については，管理区域内において患者等の体内から発する放射線が減衰し，患者等を管理区域外に退出させても構わない程度十分な時間留め置いた場合を示していること．

4　管理区域（規則第30条の16）

⑴　外部放射線に係る線量，空気中の放射性同位元素の濃度又は放射性同位元素によって汚染される物の表面の密度が規則第30条の26第3項に定める線量，濃度又は密度（以下「線量限度等」という．）を超えるおそれのある場所を管理区域として定め，管理区域にはその旨を示す標識を付すこと．

なお，上記以外の場所であって，一時的に規則第30条の26第3項に定める線量限度等を超えるおそれのある病室等については，一時的に管理区域を設ける等の適切な防護措置及び汚染防止措置を講じて，放射線障害の防止に留意すること．

⑵　規則第30条の16第2項に規定する「管理区域内に人がみだりに立ち入らないような措置」とは，同条第1項に規定する標識を付するほか，注意事項を掲示し，また，必要に応じて柵を設ける等により，放射線診療従事者等以外の者の立ち入りを制限する措置であること．

5　敷地の境界等における防護（規則第30条の17）

規則第30条の17の規定は，病院又は診療所の敷地内に居住する者及び病院又は診療所の近隣に居住する者等の一般人の放射線による被ばくを防止するために設けられたものであること．

6　放射線診療従事者等の被ばく防止（規則第30条の18）

⑴　規則第30条の18第1項に規定する「放射線診療従事者等」とは，「診療用放射性同位元素又はエックス線装置等の取扱い，管理又はこれに付随する業務に従事する者であって管理区域に立ち入る者」であること．具体的には，放射線診療に従事する又は放射性医薬品を取り扱う医師，歯科医師，診療放射線技師，看護師，准看護師，歯科衛生士，臨床検査技師，薬剤師等をいうこと．

なお，エックス線装置等の保守点検業務を業者に委託している場合，保守点検を実施する者の当該業務による職業被ばくの管理は病院等の管理者ではなく労働安全衛生法（昭和47年法律第57号）に基づく業務受託業者の義務であることから，放射線診療従事者等とはみなさないものであること．

⑵　エックス線装置等の使用に当たって被ばくのおそれがある場合には，原則として放射線診療従事者等以外の者を管理区域に立ち入らせないこと．

また，放射線診療従事者等以外の者を管理区域に立ち入らせる場合にあっては，実効線量が1週間につき100マイクロシーベルトを超えるおそれのある場合は，線量の測定を行う必要があること．

⑶　規則第30条の18第2項に規定する「実効線量」は，外部被ばくによる線量と内部被ばくによる線量を分けて測定し，それらの線量の和とすること．

また，「等価線量」は，外部被ばくによる線量の測定によるものであること．

⑷　皮膚の等価線量のうち，中性子線については，1センチメートル線量当量及び70マイクロメートル線量当量の値がほぼ等しくなるため，1センチメートル線量当量の測定で差し支えないこと．

⑸　眼の水晶体に受ける等価線量（以下「眼の等価線量」という．）については，3ミリメートル線量当量（中性子線については1センチメートル線量当量）を測定すること．ただし，1センチメートル線量当量及び70マイクロメートル線量当量を測定，確認することによって3ミリメートル線量当量が新規則で定める眼の等価線量限度を超えないように管理することができる場合には，1センチメートル線量当量及び70マイクロメートル線量当量について測定することとしても差し支えないこと．この場合，特定エネルギーの電子線による直接被ばくという極めて特殊な場合を除けば，1センチメートル線量当量又は70マイクロメートル線量当量のうち値が大きい方を採用することで眼の等価線量に関する合理的な範囲での安全側の評価を行うことができること．

なお，新規則第30条の18第2項第2号では，外部被ばくによる線量の測定は同号に規定する部位（以下「法定部位」という．）に放射線測定器を装着して行うこととしている．一方，防護眼鏡その他の放射線を遮蔽して眼の等価線量を低減する効果がある個人用防護具（以下「防護眼鏡等」という．）を使用している場合には，法定部位に加えて，防護眼鏡の内側に放射線測定器を装着し測定する等，防護眼鏡等で低減された眼の等価線量を正確に算定するために適切な測定が行える部位に放射線測定器を装着し測定した結果に基づき算定した線量を眼の等価線量としても差し支えないこと．

⑹　規則第30条の18第2項第2号において，女子については，妊娠の意思がない旨を管理者に書面で申し出ることによって，5ミリシーベルト/3月間の実効線量限度の適用を受けないこともできることとしている．当該規定の具体的な運用に当たっては，別紙に示す「女子の線量限度の適用除外についての書面の運用に係る留意事項」を参考にし，徹底されるよう指導すること．

なお，上記以外の女子にあっては，使用の状況に応じて，胸部又は腹部のうち適切な部位で測定すること．

⑺　規則第30条の18第2項第4号に規定する外部被ばくによる測定については，管理区域に立ち入っている間継続して行うこと．

⑻　規則第30条の18第2項第5号に規定する内部被ばくによる線量の測定の頻度は，放射性同位元素を誤って吸入摂取又は経口摂取した場合にはその都度，診療用放射性同位元素使用室，陽電子断層撮影診療用放射性同位元素使用室その他の放射性同位元素を吸入摂取又は経口摂取するおそれのある場所に立ち入る場合には3月間を超えない期間ごとに1回，妊娠中である女子にあっては，本人の申出等により管理者が妊娠の事実を知った時から出産までの間1月を超えない期間ごとに1回であること．

⑼　外部被ばく及び内部被ばくによる実効線量の算定方法については，放射線診療従事者等が被ばくする線量の測定方法並びに実効線量及び等価線量の算定方法（平成12年厚生省告示第398号．以下「告示第398号」という．）を参照すること．

7　患者の被ばく防止（規則第30条の19）

病院又は診療所内の患者の被ばく線量は，診療により被ばくする放射線を除き，3月間につき1.3ミリシーベルトを超えないこと．

8　取扱者の遵守事項（規則第30条の20）

⑴　規則第30条の20に掲げる事項を遵守するため，病院又は診療所における放射線管理体制を明確にし，放射性同位元素等で汚染された物を取り扱う実務者の中から責任者を選任すること．

⑵　放射性同位元素等による汚染の除去は，診療用放射性同位元素使用室，陽電子断層撮影診療用放射性同位元素使用室又は放射線治療病室内の汚染を除去するために設けられた場所又は専用の洗濯場において行うこと．

⑶　規則第30条の20第2項第2号の規定は，放射線治療を受けている患者以外の者が被ばくする実効線量が3月間につき1.3ミリシーベルトを超えるおそれがある場合に適用されること．

なお，陽電子断層撮影診療用放射性同位元素が投与された患者等に係る適当な標示については，管理区域内において，患者等の体内から発する放射線が減衰し，患者等を管理区域外に退出させても構わない程度十分な時間留め置いた場合は，不要であること．

9　エックス線装置等の測定（規則第30条の21）

放射線治療の用に供する装置については，人体に対する影響の大きいことから特にその精度を確保する必要があるため，治療用エックス線装置，診療用高エネルギー放射線発生装置，診療用粒子線照射装置及び診療用放射線照射装置ついては，その放射線量を6月を超えない期間ごとに1回以上放射線測定器で測定し，その結果の記録を5年間保存すること．

10　放射線障害が発生するおそれのある場所の測定（規則第30条の22）

⑴　規則第30条の22第1項第1号において，診療用放射線照射装置を固定して取り扱う場合等であって，取扱いの方法及びしゃへい壁その他しゃへい物の位置が一定している場合における診療用放射線照射装置使用室にあっては，放射線障害が発生するおそれのある場所の測定は，診療を開始した後にあっては6月を超えない期間ごとに1回行わなければならないとされているが，診療用放射線照射装置において診療用放射線照射器具を使用する場合は，診療を開始した後にあっては1月を超えない期間ごとに1回，放射線の量を測定し，その結果に関する記録を5年間保存しなければならないものであること．

⑵　規則第30条の22第2項第1号に規定する放射線の量の測定

においては，1時間当たりの線量率を測定した場合の線量を，使用実態を考慮し，8時間/日，40時間/週，500時間/3月として算定して差し支えないこと．

また，1週間又は1月間等の一定期間における積算線量を測定した場合は，3月間当たりの線量は，1週間の積算線量の13倍，1月間の積算線量の3倍とすること．

(3) 規則第30条の22第2項第2号の放射線の量及び放射性同位元素による汚染の測定について「最も適した位置において」とは，通常使用する頻度の最も高い場所及び位置において，適切な方法により測定を行う趣旨であること．

また，「放射線測定器を用いて測定することが著しく困難である場合」とは，物理的に測定することが困難な場合に限定されること．この場合にのみ，計算による算出が認められること．

11　記帳（規則第30条の23）

(1) 規則第30条の23第1項の規定において，エックス線装置，診療用高エネルギー放射線発生装置，診療用粒子線照射装置，診療用放射線照射装置及び診療用放射線照射器具の「1週間当たりの延べ使用時間」の記載が必要とされる趣旨は，放射線取扱施設等の画壁等の外側の実効線量が1週間につき1ミリシーベルトの基準が担保されていることを検証するためであること．また，管理区域の境界における線量が1.3ミリシーベルト/3月間であることから，3月間当たりの使用時間又は実効稼動負荷（使用時間（秒）×管電流）（以下「使用時間等」という．）も併せて記載すること．

(2) 1週間及び3月間当たりの装置ごとの使用時間等については，撮影1回当たりの使用時間等が明らかである場合は，それらの累積によることとし，使用時間等が明らかでない場合は，次に掲げる撮影1回当たりの実効稼動負荷に1週間及び3月間当たりの撮影回数を乗ずることにより算出して差し支えないこと．

エックス線装置	単位（mAs）
(ア) 骨撮影用（1枚当たり）	
① 手，腕，足，幼児	10
② 頭，頸椎，胸椎，大腿骨，骨盤	50
③ 腰椎	100
(イ) 透視用（1件当たり）	
① 消化器系	1,000
② 血管系	15,000
(ウ) CT撮影用（1スライス当たり）	300
(エ) 口内法撮影用及び歯科用パノラマ断層撮影（1枚当たり）	10
(オ) 胸部集検用間接撮影（1枚当たり）	10
(カ) その他の撮影用（1枚当たり）	
① 胸部	5
② 腹部	40

(3) 規則第30条の23第1項に規定する「同表の下欄に掲げる線量率以下」とは，エックス線装置等の使用状態における積算線量等が適切な測定法により実測された線量であること．

なお，この測定が困難である場合には，(1)による装置ごとの1週間及び3月間当たりの使用時間等の記載が必要であること．

(4) 規則第30条の23第2項における診療用放射線照射装置，診療用放射線照射器具，診療用放射性同位元素及び陽電子断層撮影診療用放射性同位元素の保管に関する帳簿については，過去に密封された放射性同位元素の紛失等の事故が多発したことを踏まえ，帳簿の1年ごとの閉鎖時に，数量等の保管状況を確認すること．

また，診療用放射線照射装置，診療用放射線照射器具，診療用放射性同位元素及び陽電子断層撮影診療用放射性同位元素の保管に関する帳簿を備え，帳簿の1年ごとの閉鎖時に，数量等の保管状況を確認すること．

なお，保管の記録は閉鎖後5年間保存することとしているが，病院又は診療所において診療用放射線照射装置，診療用放射線照射器具，診療用放射性同位元素及び陽電子断層撮影診療用放射性同位元素を保管している間継続することが望ましいこと．

12　廃止後の措置（規則第30条の24）

診療用放射性同位元素使用室，陽電子断層撮影診療用放射性同位元素使用室又は放射線治療病室の用途を変更する場合は，あらかじめ規則第30条の24に規定する措置を講ずること．

なお，同条第2号に規定する譲渡又は廃棄の相手方は，規則第30条の14の2の規定に基づき厚生労働省令で指定した廃棄業者に限られるので留意されたいこと．

また，規則第29条第3項の規定に基づき，診療用放射性同位元素又は陽電子断層撮影診療用放射性同位元素を備えなくなった場合は，10日以内にその旨を記載した届出書を，30日以内に同条各号に掲げる措置の概要を記載した届出書を病院又は診療所の所在地の都道府県知事に提出すること．

13　事故の場合の措置（規則第30条の25）

事故による放射線障害の発生又は放射線障害のおそれがある場合は，病院又は診療所のみならず周辺社会に与える影響が大きいことを踏まえ，ただちに病院又は診療所の所在地を所轄する保健所，警察署，消防署その他関係機関に通報すること．

なお，病院又は診療所において，事故発生に伴う連絡網及び通報先等を記載した通報基準や通報体制をあらかじめ定めておくことが望ましいこと．

また，放射線診療従事者等及びそれ以外の者が放射線障害を受け，又は受けたおそれのある場合には，遅滞なく，医師による診断や必要な保健指導等の適切な措置を講ずることが望ましいこと．

なお，事故に伴い放射線障害を防止するための緊急時作業に係る線量の限度を適用する作業が生じた場合にあっては，女子（妊娠する可能性がないと診断された者及び妊娠する意思がない旨を管理者に書面で申し出た者を除く．）を当該作業に従事させない旨徹底することが望ましいこと．

第5　限度に関する事項

1　濃度限度等（規則第30条の26）

(1) 規則第30条の26第1項に規定する「排液中若しくは排水中又は排気中若しくは空気中の放射性同位元素の濃度限度」は，「3月間についての平均濃度」で規制されていること．

(2) 規則第30条の26第2項に規定する「空気中の放射性同位元素の濃度限度」は，「1週間についての平均濃度」で規制されていること．

(3) 規則第30条の26第3項に規定する「管理区域に係る外部放射線の線量及び空気中の放射性同位元素の濃度」は，次に掲げるものであること．

ア　同項第1号の外部放射線については，実効線量が3月間につき1.3ミリシーベルト．

イ　同項第1号の空気中の放射性同位元素の濃度については，3月間についての平均濃度が空気中の放射性同位元素の濃度限度の10分の1．

(4) 規則第30条の26第4項については，規則第30条の17に規定する線量限度は，従前のとおり病院又は診療所内の人が居住する区域及び病院又は診療所の敷地の境界における実効線量が3月間につき250マイクロシーベルトとされていること．

2　線量限度（規則第30条の27）

放射線診療従事者等の実効線量限度及び等価線量限度は次に掲げるとおりであること．

(1) 規則第30条の27第1項に規定する実効線量限度について

ア　規則第30条の27第1号の「平成13年4月1日以後5年後ごとに区分した各期間につき100ミリシーベルト」とは，5年間のブロック管理で規制することであること．具体的には，放射線診療従事者等の使用開始時期に関係なく，平成13年4月1日から平成18年3月31日，平成18年4月1日から平成23年3月31日，という期間ごとで区切られたブロック管理であること．

なお，「5年間」の途中より新たに管理区域内に立ち入ることとなった放射線診療従事者等についても，上述した期間ごとのブロック管理を行うこと．また，当該「5年間」の始期より当該管理区域に立ち入るまでの間に他医療機関等で被ばく線量の管理を行っていた場合は，その被ばく線量についても当該「5年間」における被ばく線量に含むものであること．

イ　規則第30条の27第3号の規定における当該女子の実効線量限度は，女子（妊娠する可能性がないと診断された者及び妊娠する意思がない旨を管理者に書面で申し出た者を除く．）については，前号に規定するほか，3月間につき5ミリシーベルトであること．

なお，3月間とは，4月1日，7月1日，10月1日及び1月1日を始期とする3月間のことであること．

ウ　規則第30条の27第3号の規定は，受胎産物の放射線に対する感受性が高いことを考慮して設けられた規定であり，内部被ばくによる線量は，実効線量で評価する旨徹底されたい．

(2)　規則第30条の27第2項に規定する等価線量限度について

ア　規則第30条の27第2項第1号の「5年ごとに区分した各期間につき100ミリシーベルト」とは，5年間のブロック管理で規制することであること．具体的には，放射線診療従事者等の使用開始時期に関係なく，令和3年4月1日から令和8年3月31日，令和8年4月1日から令和13年3月31日，という期間ごとで区切られたブロック管理であること．

なお，「5年間」の途中より新たに管理区域内に立ち入ることとなった放射線診療従事者等についても，上述した期間ごとのブロック管理を行うこと．また，当該「5年間」の始期より当該管理区域に立ち入るまでの間に他医療機関等で被ばく線量の管理を行っていた場合は，その被ばく線量についても当該「5年間」における被ばく線量に含むものであること．

また，女子（妊娠する可能性がないと診断された者及び妊娠する意思がない旨を管理者に書面で申し出た者を除く．）を除く，放射線障害を防止するための緊急時作業に係る線量の限度を適用する作業に従事した放射線診療従事者等（以下「緊急放射線診療従事者等」という．以下同じ．）の眼の水晶体に対する等価線量限度は300ミリシーベルトであること．

イ　規則第30条の27第2号に規定する皮膚の等価線量限度は，4月1日を始期とする1年間につき500ミリシーベルトであること．

また，緊急放射線診療従事者等の皮膚に対する等価線量限度は1シーベルトであること．

ウ　規則第30条の27第3号に規定する妊娠中である女子の腹部表面の等価線量限度は，本人の申出等により管理者が妊娠の事実を知ったときから出産までの間につき，2ミリシーベルトであること．

第6　線量等の算定等

1　放射線の線量等の評価方法について

放射線の量は，測定された実測値に基づく評価方法と，計算により算定された値に基づく評価方法があるが，それぞれの評価法について考慮すべき点は次のとおりであること．

(1)　放射線測定器による実測値に基づく放射線の量の評価方法

放射線測定器には，場所に係る線量を測定するものと個人の被ばく線量を測定するものがあるが，それぞれの放射線測定器を校正する換算係数が異なることに留意すること．場所に係る線量を測定する放射線測定器は，原則としてJIS規格に基づいて適正に校正されたものを使用すること．

ただし，標準線源等で定期的（最低1年間を超えない期間）に性能等が確認された測定器又はメーカーで性能等が確認された測定器については，適正に校正された放射線測定器に準ずるものとして差し支えないこと．この場合においては，放射線測定器の確認等を実施した年月日及び確認事項を記録すること．

なお，測定及び測定結果の取扱いにおいて留意すべき点は，概ね次に掲げるとおりであること．

ア　測定開始時における放射線測定器について，次に掲げる正常動作等の確認を行うこと．

①外観上の破損等

②電池の消耗

③ゼロ調整，時定数の切替及び感度切替等

イ　放射線取扱施設等における放射線量及び放射性同位元素の使用量が最大となる時間帯で測定することが望ましいこと．

ウ　測定に際しては線量率測定で行うことを可能とするが，管理区域境界に係る線量限度等が3月間当たりで規定されていることにかんがみ，1週間又は1月間等の一定期間における積算線量による測定が望ましいこと．

エ　測定結果等の記録については，測定年月日，測定場所，測定値，1週間及び3月間当たりの線量（測定値から積算線量を算定した場合の根拠），測定に用いた測定器の型式，測定器の動作確認を行った事項，測定者の氏名並びに管理責任者の確認について記載されていること．

(2)　計算により線量等を算定するに当たって考慮することについて

放射線取扱施設等の線量の算定に当たっては，次に掲げることを考慮すること．

ア　線量の算定に用いる計算方法及びデータは，原則として第6の2以後に示す方法であることとするが，これ以外であっても，学会誌等（海外の学会誌も含む．）で公表された計算方法及びデータ等を用いてもよいこと．

なお，学会誌等で公表された根拠資料は，届出に際して添付することが望ましいこと．

イ　線量の算定評価に用いた使用量及び保管量等が，放射線取扱施設等において実際に使用された量を担保していることを確認できるよう，使用簿及び保管簿を適切に整備すること．

また，使用簿等の記載に際し，計算に用いた線量，使用時間等の条件を満たしていることを明確に示しておくこと．

2　放射線取扱施設等及び管理区域の境界における線量等の算定

(1)　線量の算定に当たっては，放射線診療装置等の使用状態に従い，使用時保管時又は使用時及び保管時の合計の線量を計算すること．また，内部被ばくがある場合は，その数値を加算すること．新たに放射線診療装置等を備えようとする場合は，計算によること．なお，使用時及び保管時の線量の算定は以下のように行うこと．

ア　使用時における線量は，次のように算出すること．

(ア)　規則第30条の23の規定により記帳されている放射線取扱施設にあっては，記帳された1週間当たりの延べ使用時間数に線量率を乗じて算出すること．また，当該施設に係る管理区域にあっては3月間当たりの延べ使用時間数に線量率を乗じて算出すること．

なお，計算に用いる時間数は，時間数を定めて届出を行う場合はその時間数とし，時間数を定めない場合は，年間の実労働時間を考慮した500時間（以上）/3月間（40時間（以上）/1週間）とすること．

また，1週間当たりで示されている時間数を3月間当たりに換算する場合は，13倍して換算すること．

(イ)　実効稼働負荷の設定に当たっては，エックス線装置ごとに届出された3月間当たりの延べ実効稼働負荷を用いて評価すること．

(ウ)　診療用放射性同位元素使用室及び陽電子断層撮影診療用放射性同位元素に係る管理区域にあっては，3月間の最大使用予定数量を使用するものとして算出すること．

(エ)　複数の放射線取扱施設に係る管理区域にあっては，各施設の3月間当たりで算出した線量の和とすること．

イ　保管時における線量などの評価は，次のように算出すること．

(ア)　3月間当たりの保管時間数は，保管時間数を定めて届出する場合はその時間数とし，定めていない場合は，年間の実労働時間を考慮した時間数から使用時間数を減じたものとすること．

(イ)　複数の放射線取扱施設に係る管理区域にあっては，各施設の保管時間数に当該施設の線量率を乗じて算出した線量を合計すること．

(2)　線量の算定評価は，告示第398号を参考にされたい．

3　病院又は診療所の敷地の境界等における線量の算定

線量の算定に当たっては，従前のとおり病院等の敷地の境界等における3月間当たりの全ての放射線診療装置等の使用時及び保管時の線量を合計すること．この場合の3月間とは，4月1日，7月1日，10月1日及び1月1日を始期とする3月間とすること．

なお，算定に当たって用いる3月間の保管時間数は，時間数を定めて届出する場合はその時間数とし，それを定めず届出する場合は，2,184時間から使用時間数を減じたものとすること．

4　排水・排気等に係る放射性同位元素の濃度の算定

(1)　規則第30条の11第1項第3号ロ，第30条の18第1項第4号及び第30条の22第2項第2号の規定に基づく，人が常時立ち入る場所の空気中放射性同位元素の濃度の算定に当たっては，通知別表1の1の項に掲げる式により，核種ごとに1週間の平均濃度を求め，次に当該平均濃度を規則別表第3の第2欄に示す濃度限度で除して核種ごとの割合を求め，これらの割合の和を算出すること．

(2)　規則第30条の11第1項第2号イ及び第30条の22第2項第2号の規定に基づく，排水に係る放射性同位元素の濃度の算定に当たっては，通知別表1の2の項に掲げる式により，核種ごとの3月間の平均濃度を求め，次に当該濃度を規則別表第3の第3欄に示す濃度限度で除して核種ごとの割合を求め，これらの割合の和を算出すること．

なお，この割合が1を超える場合にあっては，従前通り希釈槽の希釈能力を考慮しつつ，最高10倍の希釈を行うこととして最終的な割合の和を算出して差し支えないこと．

ただし，一定間隔の投薬等により実施される放射性同位元素内用療法に用いる核種の濃度の算定に当たっては，核種の種類，使用予定数量及び使用間隔を予め定めて届出を行う場合に限り，通知別表１の３の項に掲げる式を用いて３月間の平均濃度を算定しても差し支えないこと．この場合において，当該算定式を用いて濃度の算定を行う病院又は診療所においては，放射性同位元素内用療法の実施に当たって，届出を行った諸事項を遵守するものとし，実施状況に関する記録を５年間保存すること．

(3)　規則第 30 条の 11 第１項第３号イ及び第 30 条の 22 第２項第２号の規定に基づく，排気に係る放射性同位元素の濃度の算定に当たっては，通知別表１の４の項に掲げる式により，核種ごとに３月間の平均濃度を求め，次に当該平均濃度を規則別表第３の第１欄に掲げる核種について第４欄に示す濃度限度で除して核種ごとの割合を求め，これらの割合の和を算出すること．

(4)　(1)及び(3)における規則別表第３の第１欄に掲げる核種の濃度限度について，同一核種につき化学形が不明な場合にあっては，使用核種中最も厳しい値となる化学系等の濃度限度を用いること．

ただし，医薬品医療機器等法の規定に基づいて承認されている放射性医薬品についての空気，排水及び排気濃度の算定に当たっては，当該医薬品核種の化学形の濃度限度を用いても差し支えないこと．

5　自然放射線による被ばく線量の除外

線量の算定に当たっては，自然放射線による被ばく線量を除外すること．また，空気中又は水中の放射性同位元素の濃度の算定に当たっては，空気中又は水中に自然に含まれている放射性同位元素を除外すること．

6　エックス線診療室等の構造設備に係るしゃへい算定に関する参考事項

エックス線診療室等の構造設備における漏えい線量の算定については次に掲げる事項を参考にすること．

(1)　エックス線診療室の画壁等の実効線量

ア　考慮すべきエックス線のしゃへいについて

エックス線診療室のしゃへいは，次に掲げるエックス線のしゃへいについて考慮し，エックス線装置の範囲は，出力の管電圧が 200 キロボルト以下のものとすること．

なお，漏えいエックス線量の計算については，それぞれ通知別表２の１の項から３の項に掲げる式により計算することができる．

①一次エックス線のしゃへい
②散乱エックス線のしゃへい
③エックス線管容器から漏えいするエックス線のしゃへい

イ　複合のしゃへい体によるしゃへいについて

一次エックス線による利用線錐方向のしゃへいは対向板に鉛が用いられ，かつ，コンクリートでしゃへいされるような複合しゃへいの場合は，通知別表２の４の項に掲げる式により一次しゃへいで大幅に減衰したエックス線の広いビームに対する放射線量と半価層又は 1/10 価層を乗じて計算することができること．

ウ　エックス線量の複合計算について

対向板に所定の鉛当量が確保されている場合，エックス線管と対向する画壁における漏えい線量は，複合計算せず一次エックス線の漏えい線量（通知別表２における E_P）として差し支えないが，それ以外の画壁における漏えい線量は，散乱エックス線の漏えい線量及びエックス線管容器から漏えいするエックス線の漏えい線量（通知別表２における E_S 及び E_L）の和をもって表すこと．

(2)　エックス線装置の受像器の鉛当量

エックス線装置の蛍光板及びイメージインテンシファイア等の受像器の鉛当量は，次の表のとおりとすること．ただし，この数値は，患者によるエックス線の減弱を考慮しないものであること．

なお，医薬品，医療機器等の品質，有効性及び安全性の確保等に関する法律施行規則（昭和 36 年厚生省令第１号）第 114 条の 55 第１項に規定する設置管理基準書において当該エックス線装置の受像器の鉛当量が記載されている場合は，それを用いても差し支えないこと．

管電圧	鉛当量
70（kV）以下	1.5（mm）
70（kV）を超え 100（kV）以下	2.0（mm）
100（kV）を超える	2.0（mm）+（当該管電圧 − 100）× 0.01（mm）
備考　管電圧は連続定格値をとる．	

［別表１～12・別紙：略］

5.12　診療用放射線の安全利用のための指針策定に関するガイドラインについて

（令和元年 10 月３日）
（医政地発 1003 第５号）
（各都道府県・各保健所設置市・各特別区衛生主管部（局）長あて
厚生労働省医政局地域医療計画課長通知）

今般，診療用放射線に係る安全管理体制並びに診療用放射性同位元素及び陽電子断層撮影診療用放射性同位元素の取扱いに関して，医療法施行規則の一部を改正する省令（平成 31 年厚生労働省令第 21 号）が平成 31 年３月 11 日に公布され，このうち，診療用放射線に係る安全管理体制に関する規定については令和２年４月１日に施行されることとなったところです．これに伴い，「医療法施行規則の一部を改正する省令の施行等について」（平成 31 年３月 12 日付け医政発 0312 第７号厚生労働省医政局長通知）においてお示ししたとおり，エックス線装置又は医療法施行規則（昭和 23 年厚生省令第 50 号）第 24 条第１号から第８号の２までのいずれかに掲げるものを備えている病院又は診療所の管理者は，診療用放射線の利用に係る安全な管理のための責任者（以下「医療放射線安全管理責任者」という．）を配置し，医療放射線安全管理責任者は診療用放射線の安全利用のための指針を策定することとなります．

ついては，当該指針を策定するに当たり，「診療用放射線の安全利用のための指針策定に関するガイドライン」を別添のとおり定めましたので，貴職におかれましては御了知の上，貴管下医療機関に周知方お願い申し上げます．

なお，本通知は，地方自治法（昭和 22 年法律第 67 号）第 245 条の４第１項に規定する技術的助言であることを申し添えます．

［別添：略］

5.13　医療法施行規則の一部を改正する省令等の公布について

（令和２年４月１日）
（医政発 0401 第８号）
（各都道府県知事・各保健所設置市長・各特別区長あて
厚生労働省医政局長通知）

平成 30 年３月２日に放射線審議会会長から厚生労働大臣に対し，眼の水晶体に受ける等価線量に係る限度等に関する意見具申がなされた．

今般，厚生労働省において，放射線診療従事者等（エックス線装置，診療用高エネルギー放射線発生装置，診療用粒子線照射装置，診療用放射線照射装置，診療用放射線照射器具，放射性同位元素装備診療機器，診療用放射性同位元素又は陽電子断層撮影診療用放射性同位元素の取扱い，管理又はこれに付随する業務に従事する者であって管理区域に立ち入るものをいう．以下同じ．）の眼の水晶体に受ける等価線量に係る限度等を改めることとし，医療法施行規則の一部を改正する省令（令和２年厚生労働省令第 81 号．以下「改正省令」という．）が令和２年４月１日に公布され，令和３年４月１日に施行されることとなった．

また，改正省令の公布に合わせて，臨床検査技師等に関する法律施行規則第十二条第一項第五号に規定する検体検査用放射性同位元素を備える衛生検査所の構造設備等の基準及び放射線診療従事者等が被ばくする線量の測定方法並びに実効線量及び等価線量の算定方法の一部を改正する告示（令和２年厚生労働省告示第 166 号．以下「改正告示」という．）が令和２年４月１日に告示され，令和３年４月１日から適用されることとなった．

改正省令及び告示における改正の要点及び施行に当たり留意すべ

き事項は下記のとおりであるので，御了知いただくとともに，貴管下の関係医療機関，衛生検査所等に周知方お願いする．

なお，このたびの改正省令及び告示については，放射線障害防止の技術的基準に関する法律（昭和33年法律第162号）第6条の規定に基づき放射線審議会に諮問し，妥当である旨の答申を得ているので申し添える．

記

第1　改正省令の要点

1　外部被ばくによる線量の測定について（医療法施行規則（昭和23年厚生省令第50号．以下「則」という．）第30条の18第2項関係）

病院又は診療所（以下「病院等」という．）の放射線診療従事者等の外部被ばくによる線量の測定について，1センチメートル線量当量，3ミリメートル線量当量及び70マイクロメートル線量当量のうち，実効線量及び等価線量の別に応じて，放射線の種類及びその有するエネルギーの値に基づき，当該外部被ばくによる線量を算定するために適切と認められるものについて行うこととする．

2　眼の水晶体における等価線量限度について（則第30条の27第2項第1項関係）

放射線診療従事者等に係る眼の水晶体における等価線量限度について，1年間につき150ミリシーベルトから50ミリシーベルトに引き下げるとともに，令和3年4月1日以後5年ごとに区分した各期間につき100ミリシーベルトという限度を追加する．

なお，眼の近傍における測定及び5年ごとに区分した期間の被ばく線量の管理については，追って発出予定の通知を参考とされたい．

第2　改正告示の要点

1　臨床検査技師等に関する法律施行規則第十二条第一項第五号に規定する検体検査用放射性同位元素を備える衛生検査所の構造設備等の基準（昭和56年厚生省告示第16号）の改正について

衛生検査所の検査従事者等の外部被ばくによる線量の測定について，1センチメートル線量当量，3ミリメートル線量当量及び70マイクロメートル線量当量のうち，実効線量及び等価線量の別に応じて，放射線の種類及びその有するエネルギーの値に基づき，当該外部被ばくによる線量を算定するために適切と認められるものについて行うこととする．

また，衛生検査所の検査従事者等に係る眼の水晶体における等価線量限度について，1年間につき150ミリシーベルトから50ミリシーベルトに引き下げるとともに，令和3年4月1日以後5年ごとに区分した各期間につき100ミリシーベルトという限度を追加する．

2　放射線診療従事者等が被ばくする線量の測定方法並びに実効線量及び等価線量の算定方法（平成12年厚生省告示第398号）の改正について

眼の水晶体に受ける等価線量の算定について，1センチメートル線量当量，3ミリメートル線量当量又は70マイクロメートル線量当量のうちいずれか適切なものによって行うこととする．

第3　経過措置等について［略］

5.14　眼の水晶体に受ける等価線量限度の改正に係る具体的事項等について

（令和2年10月27日）
（医政発1027第4号）
（各都道府県知事・各保健所設置市長・各特別区長あて
厚生労働省医政局長通知）

医療法施行規則の一部を改正する省令（令和2年厚生労働省令第81号．以下「改正省令」という．）及び臨床検査技師等に関する法律施行規則第十二条第一項第五号に規定する検体検査用放射性同位元素を備える衛生検査所の構造設備等の基準及び放射線診療従事者等が被ばくする線量の測定方法並びに実効線量及び等価線量の算定方法の一部を改正する告示（令和2年厚生労働省告示第166号．以下「改正告示」という．）が，それぞれ令和2年4月1日に公布・告示され，令和3年4月1日から施行・適用されることとなったところである．

改正省令・告示の要点等については「医療法施行規則の一部を改正する省令等の公布について」（令和2年4月1日付け医政発0401第8号厚生労働省医政局長通知）において示したところであるが，眼の水晶体に受ける等価線量算定のための測定，5年ごとに区分した期間の被ばく線量の管理並びに経過措置対象医師の指定及び対応すべき具体的事項については追ってその内容を通知するとしていたところ，今般，下記のとおり定めたため通知するとともに，下記第5のとおり関連通知を改正することとしたため，御了知いただき，貴管下の関係医療機関，衛生検査所等に周知方お願いする．

また，令和2年4月1日に電離放射線障害防止規則の一部を改正する省令（令和2年厚生労働省令第82号）が公布され，当該省令で改正された眼の水晶体に受ける等価線量限度に係る具体的な取扱いについて，厚生労働省労働基準局長より「電離放射線障害防止規則の一部を改正する省令等の施行等について」（令和2年10月27日付け基発1027第4号厚生労働省労働基準局長通知）が別添のとおり発出されているので，併せて参考とされたい．

記

第1　眼の水晶体に受ける等価線量算定のための測定

1　改正省令による改正後の医療法施行規則（昭和23年11月5日厚生省令第50号．以下「新規則」という．）第30条の18第2項第1号において，眼の水晶体に受ける等価線量（以下「眼の等価線量」という．）を算定するための測定について「適切と認められるもの」とは，3ミリメートル線量当量（中性子線については1センチメートル線量当量）を指す．ただし，1センチメートル線量当量及び70マイクロメートル線量当量を測定，確認することによって3ミリメートル線量当量が新規則で定める眼の等価線量限度を超えないように管理することができる場合には，1センチメートル線量当量及び70マイクロメートル線量当量について測定することとしても差し支えないこと．

2　新規則第30条の18第2項第2号では，外部被ばくによる線量の測定は同号に規定する部位（以下「法定部位」という．）に放射線測定器を装着して行うこととしている．一方，防護眼鏡その他の放射線を遮蔽して眼の等価線量を低減する効果がある個人用防護具（以下「防護眼鏡等」という．）を使用している場合には，法定部位に加えて，防護眼鏡の内側に放射線測定器を装着し測定する等，防護眼鏡等で低減された眼の等価線量を正確に算定するために適切な測定が行える部位に放射線測定器を装着し測定した結果に基づき算定した線量を眼の等価線量としても差し支えないこと．

第2　5年ごとに区分した期間の被ばく線量の管理

1　新規則第30条の27第2項第1号の「5年ごとに区分した各期間につき100ミリシーベルト」とは，新規則第30条の18に定める放射線診療従事者等の使用開始時期に関係なく，令和3年4月1日から令和8年3月31日，令和8年4月1日から令和13年3月31日，という期間ごとで区切られたブロック管理であること．

なお，「5年間」の途中より新たに管理区域内に立ち入ることとなった放射線診療従事者等についても，上述した期間ごとのブロック管理を行うこと．また，当該「5年間」の始期より当該管理区域に立ち入るまでの間に他医療機関等で被ばく線量の管理を行っていた場合は，その被ばく線量についても当該「5年間」における被ばく線量に含むものであること．

2　令和3年4月1日以降，眼の等価線量限度は5年ごとに区分した各期間につき100ミリシーベルトとなることから，その1年間当たりの平均は20ミリシーベルトとなる．このため，病院又は診療所（以下「病院等」という．）の管理者においては，眼の等価線量が年間20ミリシーベルトを超えた放射線診療従事者等について，適切な被ばく線量の管理を図るため，作業環境，作業方法，作業時間等の改善を行うとともに，当該「5年間」で100ミリシーベルトを超えることのないよう，随時，累積線量を確認することが望ましいこと．

第3　経過措置対象医師の指定及び対応すべき具体的事項［略］

第4　改正告示の取扱いについて

1　改正告示による改正後の臨床検査技師等に関する法律施行規則第十二条第一項第五号に規定する検体検査用放射線同位元素を備える衛生検査所の構造設備等の基準（昭和56年厚生省告示第16

号．以下「新告示」という．）第二の七の1に規定される外部被ばくによる線量の測定については，第1の1のとおり，新告示第二の七の2に規定される法定の測定部位については，第1の2のとおりの取扱いとする．

2　新告示第三の七の1及び第三の八の1に規定される5年ごとに区分した期間の被ばく線量の管理については，第2のとおりの取扱いとする．

第5　「病院又は診療所における診療用放射線の取扱いについて」（平成31年3月15日付け医政発0315第4号厚生労働省医政局長通知）の一部改正について

別紙1，2のとおり改正し，令和3年4月1日より適用する．
［別紙1・2：法令5.11に反映のため略］
［別添：略］

5.15　医療機器に係る安全管理のための体制確保に係る運用上の留意点について

（令和3年7月8日）
（医政総発0708第1号・医政地発0708第1号・医政経発0708第2号）
（各都道府県衛生主管部（局）長あて
厚生労働省医政局総務課長・厚生労働省医政局地域医療計画課長・
厚生労働省医政局経済課長連名通知）

医療法（昭和23年法律第205号．以下「法」という．）第6条の12及び医療法施行規則（昭和23年厚生省令第50号．以下「規則」という．）第1条の11の規定に基づき，病院，診療所又は助産所（以下「病院等」という．）の管理者が講ずべき医療機器に係る安全管理のための体制確保のための措置（以下「安全管理体制確保措置」という．）については，「良質な医療を提供する体制の確立を図るための医療法等の一部を改正する法律の一部の施行について」（平成19年3月30日付け医政発第0330010号厚生労働省医政局長通知）により通知し，その運用に当たって，「医療機器に係る安全管理のための体制確保に係る運用上の留意点について」（平成30年6月12日付け医政地発0612第1号・医政経発0612第1号厚生労働省医政局地域医療計画課長・経済課長連名通知．以下「前通知」という．）により留意点を付してきたところである．今般，平成30年度から令和2年度までの間に実施した厚生労働行政推進調査事業「医療機器の保守点検指針の作成等に関する研究」において，「医療機関における生命維持管理装置等の研修および保守点検の指針」（別添1）及び「医療機関における放射線関連機器等の研修および保守点検の指針」（別添2）が策定されたことに伴い，前通知を廃止し，今後，安全管理体制確保措置については下記のとおりとすることとしたので，遺憾なきを期されたい．

また，貴管下の病院等に対し周知するとともに，必要に応じこれらの機関を指導されたい．

記

第1　医療機器安全管理責任者について

病院等の管理者は，規則第1条の11第2項第3号に規定する医療機器の安全使用のための責任者（以下「医療機器安全管理責任者」という．）を配置すること．

医療機器安全管理責任者については次のとおりとする．

1．資格

医療機器安全管理責任者は，医療機器の適切な使用方法，保守点検の方法等，医療機器に関する十分な経験及び知識を有する常勤職員であり，医師，歯科医師，薬剤師，助産師（助産所の場合に限る），看護師，歯科衛生士（主として歯科医業を行う診療所に限る．），診療放射線技師，臨床検査技師又は臨床工学技士のいずれかの資格を有していること．なお，医療機器の適切な保守を含めた包括的な管理に係る実務を行うことができる者であること．

2．他の役職との兼務

病院における医療機器安全管理責任者は，管理者との兼務を不可とするが，医薬品安全管理責任者等の他の役職との兼務を可とすること．

3．安全管理のための体制を確保しなければならない医療機器

医療機器安全管理責任者は，医薬品，医療機器等の品質，有効性及び安全性の確保等に関する法律（昭和35年法律第145号．以下「医薬品医療機器等法」という．）第2条第4項に規定する医療機器のうち，当該病院等が管理するもの全てに係る安全管理のための体制を確保しなければならないこと．なお，当該医療機器には，病院等において医学管理を行っている患者の自宅その他病院等以外の場所で使用される医療機器及び，病院等に対し貸し出された医療機器も含まれること．

4．業務

医療機器安全管理責任者は，病院等の管理者の指示の下に，次に掲げる業務を行うものとすること．なお，病院及び患者を入院させるための施設を有する診療所においては，安全管理委員会との連携の下，実施体制を確保すること．

(1)　従業者に対する医療機器の安全使用のための研修の実施
(2)　医療機器の保守点検に関する計画の策定及び保守点検の適切な実施（従業者による当該保守点検の適切な実施の徹底のための措置を含む．）
(3)　医療機器の安全使用のために必要となる情報の収集その他の医療機器の安全使用を目的とした改善のための方策の実施

第2　従業者に対する医療機器の安全使用のための研修について

医療機器安全管理責任者は，規則第1条の11第2項第3号の規定に基づき，従業者に対する医療機器の安全使用のための研修を次のとおり，行うものとする．

1．研修の定義

医療機器の安全使用のための研修は，個々の医療機器を適切に使用するための知識及び技能の習得又は向上を目的として行われるものとし，具体的には次に掲げるものが考えられること．

(1)　新しい医療機器の導入時の研修

病院等において過去に使用した実績のない新しい医療機器を導入する際には，当該医療機器を使用する予定の者に対する研修を行い，その実施内容について記録すること．なお，体温計・血圧計等，当該病院等において既に使用しており，操作方法等が周知されている医療機器に関しては，この限りではないこと．

(2)　特定機能病院における定期研修

特定機能病院においては，特に安全使用に際して技術の習熟が必要と考えられる医療機器に関しての研修を年2回程度，定期的に行い，その実施内容について記録すること．

なお，特に安全使用に際して技術の習熟が必要と考えられる医療機器には次に掲げる医療機器が含まれること．

①人工心肺装置及び補助循環装置
②人工呼吸器
③血液浄化装置
④除細動装置（自動体外式除細動器（AED）を除く．）
⑤閉鎖式保育器
⑥診療用高エネルギー放射線発生装置（直線加速器等）
⑦診療用粒子線照射装置
⑧診療用放射線照射装置（ガンマナイフ等）

2．研修の実施形態

研修の実施形態は問わないものとし，病院等において知識を有する者が主催する研修はもとより，当該病院等における外部講師による研修，当該病院等以外の場所での研修，製造販売業者による取扱説明等も研修に含まれること．

なお，他の医療安全に係る研修と併せて実施しても差し支えないこととすること．

3．研修対象者

病院等において当該医療機器の使用に携わる医療従事者等の従業者

4．研修内容

研修の内容については，次に掲げる事項とすること．

①医療機器の有効性・安全性に関する事項
②医療機器の使用方法に関する事項
③医療機器の保守点検に関する事項
④医療機器の不具合等が発生した場合の対応（施設内での報告，行政機関への報告等）に関する事項
⑤医療機器の使用に関して特に法令上遵守すべき事項

5．研修において記録すべき事項

上記1(1)及び(2)の研修については，開催又は受講日時，出席者，研修項目のほか，研修の対象とした医療機器の名称，研修を実施した場所（当該病院等以外の場所での研修の場合）等を記録すること．また，上記1(2)に掲げる研修が必要と考えられる医療機器については，「医療機関における生命維持管理装置等の研修および保守

点検の指針」及び「医療機関における放射線関連機器等の研修および保守点検の指針」も踏まえて研修の記録を行うこと．なお，当該記録は，各病院等において適切な保存期間を定め，適切に保存すること．

6. その他

上記1(1)及び(2)の研修以外の研修については必要に応じて実施すること．

第3　医療機器の保守点検に関する計画の策定及び保守点検の適切な実施について

1. 保守点検計画の策定

医療機器の保守点検に関する計画（以下「保守点検計画」という.）の策定に当たっては，医薬品医療機器等法の規定に基づき，添付文書に記載されている保守点検に関する事項を参照すること．また，必要に応じて，当該医療機器の製造販売業者に対して情報提供を求めるとともに，当該製造販売業者より入手した保守点検に関する情報をもとに研修等を通じて安全な使用を確保すること．

(1)　保守点検計画を策定すべき医療機器

医療機器の特性等に鑑み，保守点検が必要と考えられる医療機器については，機種別に保守点検計画を策定すること．

保守点検が必要と考えられる医療機器には，次に掲げる医療機器が含まれる．

①人工心肺装置及び補助循環装置
②人工呼吸器
③血液浄化装置
④除細動装置（自動体外式除細動器（AED）を除く）
⑤閉鎖式保育器
⑥X線CT装置（医用X線CT装置）
⑦診療用高エネルギー放射線発生装置（直線加速器等）
⑧診療用粒子線照射装置
⑨診療用放射線照射装置（ガンマナイフ等）
⑩磁気共鳴画像診断装置（MRI装置）

(2)　保守点検計画において記載すべき事項

保守点検計画には，以下の事項を記載すること．

①医療機器名
②製造販売業者名
③型式
④保守点検をする予定の時期，間隔，条件等

2. 保守点検の適切な実施

(1)　保守点検の記録

上記1(1)に掲げる保守点検が必要と考えられる医療機器については，個々の医療機器ごとに，保守点検の状況を記録すること．保守点検の記録は，以下の事項が把握できるよう記載すること．

①医療機器名
②製造販売業者名
③型式，型番，購入年
④保守点検の記録（年月日，保守点検の概要及び保守点検者名）
⑤修理の記録（年月日，修理の概要及び修理者名）

なお，上記以外の事項でも，医療機器の保守点検を実施する過程で得られた情報はできる限り記録及び保存し，以後の医療機器の適正な保守点検に活用すること．また，上記1(1)に掲げる保守点検が必要と考えられる医療機器については，「医療機関における生命維持管理装置等の研修および保守点検の指針」及び「医療機関における放射線関連機器等の研修および保守点検の指針」も踏まえて保守点検の記録を行うこと．なお，当該記録は，各病院等において適切な保存期間を定め，適切に保存すること．

(2)　保守点検の実施状況等の評価

医療機器の特性を踏まえつつ，保守点検の実施状況，使用状況，修理状況等を評価し，医療安全の観点から，必要に応じて操作方法の標準化等の安全面に十分配慮した医療機器の採用に関する助言を行うとともに，保守点検計画の見直しを行うこと．

(3)　保守点検の外部委託

医薬品医療機器等法第2条第8項に規定する特定保守管理医療機器の保守点検を外部に委託する場合には，法第15条の3第2項に規定する基準を遵守すること．なお，医療機器安全管理責任者は，保守点検を外部に委託する場合も，保守点検の実施状況等の記録を保存し，管理状況を把握すること．

第4　医療機器の安全使用のために必要となる情報の収集その他の医療機器の安全使用を目的とした改善のための方策の実施について

1. 添付文書等の管理について

医療機器の使用に当たっては，医療機器の製造販売業者が指定する使用方法を遵守すべきである．そのため，医療機器安全管理責任者は，医療機器の添付文書，取扱説明書等の医療機器の安全使用・保守点検等に関する情報を整理し，その管理を行うこと．なお，医療機器を管理する過程で，製造販売業者が添付文書等で指定した使用・保守点検方法等では，適正かつ安全な医療遂行に支障を来たす場合には，病院等の管理者への状況報告及び当該製造販売業者への状況報告を行うとともに，適切な対処法等の情報提供を求めることが望ましいこと．

2. 医療機器に係る安全性情報等の収集について

医療機器安全管理責任者は，医療機器の不具合情報や安全性情報等の安全使用のために必要な情報を製造販売業者等から一元的に収集するとともに，得られた情報を当該医療機器に携わる者に対して適切に提供すること．

3. 病院等の管理者への報告について

医療機器安全管理責任者は，自らが管理している医療機器の不具合や健康被害等に関する内外の情報収集に努めるとともに，当該病院等の管理者への報告等を行うこと．また，情報の収集等に当たっては，医薬品医療機器等法において，①製造販売業者等が行う医療機器の安全な使用のために必要な情報の収集に対して病院等が協力するよう努める必要があること等（医薬品医療機器等法第68条の2第2項），②病院若しくは診療所の開設者又は医師，歯科医師，薬剤師その他の医薬関係者は，医療機器について，当該品目の副作用等の発生を知った場合において，保健衛生上の危害の発生又は拡大を防止するため必要があると認めるときは，厚生労働大臣に対して直接副作用等を報告することが義務付けられていること（医薬品医療機器等法第68条の10第2項）に留意する必要があること．

第5　その他［略］

［別添1・2：略］

5.16　放射性医薬品を投与された患者の退出等について

（令和3年8月19日）
（医政地発0819第1号）
（各都道府県・各保管所設置市・各特別区衛生主管部（局）長あて
厚生労働省医政局地域医療計画課長通知）

標記については，これまで医療法施行規則（昭和23年厚生省令第50号．以下「規則」という.）第30条の15に基づき，また，「放射性医薬品を投与された患者の退出について」（平成10年6月30日付け医薬安発第70号厚生省医薬安全局安全対策課長通知．以下「通知」という.）により，適切な対応をお願いしてきたところです．

今般，ソマトスタチン受容体陽性の神経内分泌腫瘍に対する放射性医薬品として，ルテチウムオキソドトレオチド（^{177}Lu）が薬事承認を受けたことに伴い，下記の改正等を行うこととしましたので，内容を御了知の上，医療機関における治療が安全に配慮して実施されるよう，関係団体及び管下医療機関に周知方お願いします．

なお，本通知は，地方自治法（昭和22年法律第67号）第245条の4第1項に規定する技術的助言であることを申し添えます．

記

1. 放射性医薬品を投与された患者の退出に関する指針の一部改正について

ルテチウムオキソドトレオチド（177Lu）を投与された患者が放射線治療病室等から退出するに当たっての基準の設定等のため，通知の別添「放射性医薬品を投与された患者の退出に関する指針」の一部を別紙のとおり改正しました．

2. 放射線治療病室以外の病室への入院について

当該医薬品を投与された患者については，規則第30条の15第1項に基づき，放射線治療病室以外の病室に入院させてはならないこととされていますが，同項ただし書に基づき，適切な防護措置及び汚染防止措置を講じた場合には，一般病室等に入院させることも可能です．当該医薬品の使用を念頭に置いた適切な防護措置及び汚染

防止措置の具体的な内容については「医療放射線の適正管理に関する検討会」（令和 3 年 6 月 24 日開催）で専門的な御議論をいただいたところであり，今般，関係学会において，当該議論も踏まえつつ，より詳細な内容をまとめたガイドラインが作成されていますので，これを踏まえた適切な対応をお願いします．

なお，厚生労働省では，「医療放射線の適正管理に関する検討会」の議論を踏まえ，当該医薬品等を投与された患者が入院する一般病室等の手続や基準等を定めるための規則改正を行う予定です．

［別紙：法令 5.1 に反映のため略］

索　引

タ　行

ナ　行

ハ　行

マ・ヤ行

ラ 行

執筆者一覧（執筆順，＊印は編者）

＊西 澤　邦 秀（名古屋大学名誉教授，はじめに，第1〜7章，付録）
出 路　静 彦（岐阜医療科学大学保健科学部教授，第3・4章）
伊 藤　茂 樹（熊本大学大学院生命科学研究部教授，第4章）
有 賀　英 司（日本赤十字社愛知医療センター名古屋第二病院医療技術部課長，第5章）
南　　一 幸（藤田医科大学医療科学部教授，第6章）

詳解テキスト 医療放射線法令〔第四版〕

2011年4月20日　初　版第1刷発行
2022年3月30日　第4版第1刷発行

定価はカバーに
表示しています

編　者　西 澤 邦 秀
発行者　西 澤 泰 彦

発行所　一般財団法人　名古屋大学出版会
〒464-0814　名古屋市千種区不老町1名古屋大学構内
電話(052)781-5027/FAX(052)781-0697

印刷・製本　㈱クイックス　ISBN978-4-8158-1085-6
乱丁・落丁はお取替えいたします。

西澤邦秀／柴田理尋編

放射線と安全につきあう

—利用の基礎と実際—

B 5 判・248 頁・本体 2,700 円

RI から X 線・放射光まで，利用にあたり必要な知識を体系的に整理．人体への影響や放射線計測法，緊急時の対応などについて，図表を多用して視覚的に解説した本書は，大学や企業などで実際に放射線を取扱う人はもちろん，中学高校で放射線教育に携わる教員にも最適のテキストである．

島本佳寿広編

新版 基礎からの臨床医学

—放射線診療に携わる人のために—

B 5 判・284 頁・本体 3,700 円

臨床現場で必要な事項について，初歩から最先端の話題まで取り上げ，わかりやすく述べた好評テキストの最新版．最新の臨床画像を多数掲載し，医療被曝の章や復習問題を加えるなど，さらなる充実を図った．診療放射線技師はじめコ・メディカルの基礎教育はもちろん，国家試験対策に最適．

市原　周著

新版 乳腺病理学

—細胞・組織・画像—

A 4 判・124 頁・本体 5,400 円

最新の WHO 分類（ブルーブック）第 4 版に準拠し，乳腺疾患の概念，針生検を含む病理診断のポイント，臨床画像などを簡潔・明快にまとめた，待望の改訂版．組織像や細胞像のカラー写真も大幅に更新・増補し，見やすい形で掲載．医師・臨床検査技師・診療放射線技師必携の書．

古池保雄監修　野田明子／中田誠一／尾崎紀夫編

基礎からの睡眠医学

B 5 判・460 頁・本体 5,800 円

もはや現代の“国民病”といわれ，24 時間型・高齢社会のなかで増加する睡眠障害．その臨床に必須の睡眠医学について，基礎知識から各検査法および症状・診断・治療まで，最新の知見を踏まえつつ，わかりやすく解説する．医師，コ・メディカル，保健学系・医学系学生必携の書．

J. ストロング他編　熊澤孝朗監訳

痛み学

—臨床のためのテキスト—

B 5 判変型・578 頁・本体 6,600 円

痛みに取り組むための国際的テキストの邦訳新版．医療の現場では避けて通れない痛みのメカニズム・評価・マネジメント，痛みと心理・生活スタイル等を包括的に解説し，エビデンスに基づいた効果的な介入・治療を促す．作業療法士・理学療法士ほか，痛みの治療・研究に携わる人に．

H. ヨアンソン他編　間野忠明監訳

ストレスと筋疼痛障害

—慢性作業関連性筋痛症—

A 4 判・310 頁・本体 8,400 円

職場環境や心理社会的要因から生じる筋肉・骨・関節等の慢性的な痛みや不快感について，病態メカニズムを明らかにしつつ，疫学・生理学・病理学など各分野の研究成果に基づき，臨床・治療に不可欠な知見を集約．医師やリハビリテーション医学・東洋医学・ストレス治療関係者のために．

一杉正仁／西山慶編

交通外傷

—メカニズムから診療まで—

B 5 判・268 頁・本体 6,800 円

わが国の交通事故での死者数は過去最低を更新しているが，負傷者数は年間 50 万人前後と，相当数にのぼる．本書は，受傷のメカニズムと医学，事故の統計や法規，安全対策などを系統的に解説．医師・看護師，保険調査員，法曹や警察官，自動車技術者など，交通事故に関わる全ての人に．